QUI? QUOI? COMMENT? OU LA PRATIQUE DES SONDAGES

QUI? QUOI? COMMENT? OU LA PRATIQUE DES SONDAGES

Hugues Jacquart

EYROLLES
61, boulevard Saint-Germain — 75005 PARIS
1988

Si vous désirez être tenu au courant de nos publications, il vous suffit d'adresser votre carte de visite au :

Service «Presse», Editions EYROLLES
61, Boulevard Saint-Germain
75240 PARIS CEDEX 05

en précisant les domaines qui vous intéressent. Vous recevrez régulièrement un avis de parution des nouveautés en vente chez votre libraire habituel.

TABLE DES MATIÈRES

INTRODUCTION

Le mot « sondage », lorsqu'il s'applique aux études d'opinion ou de marchés évoque différentes choses selon les publics qui l'utilisent :

- Pour le grand public, les sondages ont un contenu électoral, politique ou futile. Il ne se passe pas de jour, en France, sans que la télévision, la radio ou la presse relatent les résultats de sondages, le plus souvent d'une manière brève qui en dénature parfois le contenu.
- Pour le journaliste, c'est un ensemble de résultats qui constitueront la charpente d'un article de fond, mais aussi, des nouvelles évoquées en peu de mots ou de lignes insérés entre deux événements du jour. En période électorale, les commentaires ironiques ne manquent pas ; l'expression : ''contrairement à ce que prévoyaient les sondages'' est d'usage après les élections et une légère différence par rapport aux résultats réels est difficilement acceptée.
- Pour l'homme politique ou l'homme de gouvernement, le sondage a deux finalités : une source d'information, mais également un outil de propagande. Le phénomène est relativement récent. Des sondages sont commandés à des organismes spécialisés, en vue de préparer une action ou une campagne électorale et font l'objet d'une publication partielle et orientée.
- Pour les grands services de l'État et les différents ministères, les sondages de l'INSEE et des instituts privés sont des outils d'observation réguliers qui pallient l'inexistence de données statistiques ou leurs insuffisances.

- Pour les entreprises c'est un instrument de connaissance de leur marché, de la concurrence, des effets de la publicité, des chances des produits nouveaux, de l'image de marque etc.
- Pour le statisticien enfin, le sondage est une technique qui s'appuie sur une théorie aux règles bien définies auxquelles le praticien doit se soumettre. Malheureusement, aucun sondage ne satisfait entièrement un statisticien. Les notions de ''sondage scientifique'', ''d'échantillon rigoureusement représentatif'', ''d'échantillon strictement aléatoire'' constituent trop souvent un vernis qui recouvre des travaux de valeur très inégale. Il est d'usage, dans les manuels, dans les cours des professeurs, dans les exposés à des congrès de s'appuyer sur une théorie dont on aime rappeler les bases et les règles. Les exemples donnés sont des cas d'école, plus ou moins enjolivés ou sommairement décrits. L'accent est mis sur les multiples procédés d'élaboration d'un échantillonnage ainsi que sur les différents tests statistiques, à base de formules étalées sur de nombreuses pages, mais peu de place est donnée à l'une des composantes essentielles d'un sondage, à savoir le recueil des données qui implique une forme de consultation et un questionnaire.

Dans le choix d'une méthodologie, les considérations théoriques font partie d'un ensemble dans lequel chaque élément joue un rôle variable selon les cas.
Parmi ces éléments, je citerai :
— L'objet du sondage d'opinion ou d'étude de marchés.
— La ou les populations à consulter.
— La méthode possible d'échantillonnage, compte tenu des données disponibles et fiables.
— La forme de consultation : par interviews, par correspondance, auto-administrée en salle, par observation etc.
— Le contenu du document ou des documents de recueil des données.
— Le type de traitement.
— Le délai acceptable.
— Le coût du sondage.

Chacun de ces éléments joue son rôle. Souvent les impératifs de délai et de prix conditionnent le choix d'une méthodologie, à tel point que l'on constate depuis plusieurs décennies une diminution de la taille des échantillons. En revanche, les progrès dans le traitement des données entraînent une prolifération des tableaux de résultats, des analyses statistiques, rendue possible par le faible coût relatif du dépouillement, à l'aide de logiciels standards.

Dans cet ouvrage j'ai fait choix de traiter sommairement de l'échantillonnage vu sous son aspect théorique, les manuels spécialisés abondent dans ce domaine. J'ai donné une large place aux différentes formes de recueil des données ainsi qu'à l'étude du questionnaire, en leur consacrant vingt huit chapitres. J'ai conscience de ne pas avoir épuisé le sujet, sujet qui a fait l'objet d'une littérature particulièrement fournie aux États-Unis : ouvrages de fond et articles de revues. Les différents auteurs, des universitaires le plus souvent, qui participent aux travaux d'organismes de sondages, rattachés à des universités, ne manquent jamais de se référer à l'ouvrage classique de Stanley Payne ''The Art of Asking Questions'' publié pour la première fois en 1951, réédité à plusieurs reprises. La dernière édition, dont j'ai eu connaissance date de 1980 : elle bénéficiait d'une préface de George Gallup dont on lira un extrait significatif dans mon texte. Parmi les ouvrages récents, consacrés à l'étude du questionnaire et publiés aux États-Unis ou en Grande-Bretagne, je citerai : Asking Questions. A practical guide to questionnaire design de Seymoun Sudman et Norman M. Bradburn (première édition en novembre 1982, cinquième réimpression de cette édition en juillet 1986 — Jossey-Bass Publishers) et Survey Questions — Handcrafting the standardized questionnaire de Jean Converse et Stanley Presser (première édition en 1986 — Sage Publications, Londres et New-Delhi) — la collection : Quantitative applications in the social science comprenait, en novembre 1987, soixante-trois titres, la plupart consacrés aux traitements statistiques.

Le premier ouvrage cité ci-dessus analyse les différents aspects du questionnaire. L'éditeur le présente ainsi ''les auteurs décrivent le processus complet de préparation d'un questionnaire du début à la fin''. En effet, les auteurs se préoccupent de l'incidence de la forme du recueil des données sur le contenu et la formulation d'un questionnaire, mais aussi de sa présentation et de sa mise en page. Parmi les ouvrages classiques je n'oublierai pas de mentionner les publications de l'Anglais W.A. Belson l'inventeur de la segmentation, et plus particulièrement ''The design and understanding of survey questions'', Aldershot England : Gover, 1981. En France, les ouvrages consacrés entièrement à l'étude du questionnaire sont peu nombreux. Je citerai, pour mémoire, l'ouvrage ancien de Mlle Dautriat. Les différents auteurs sont en accord sur de nombreux points. Leurs exemples sont, dans la majorité des cas, issus de sondages à contenu politique, social ou économique au sens large, qui ne représentent , en fait, qu'une faible fraction des sondages réalisés. C'est la partie visible de l'iceberg. L'essentiel des sondages concerne les études de marchés confidentielles.

Je me suis intéressé à quelques problèmes sans prétendre, je le répète, épuiser le sujet. J'ai surtout tenu à sensibiliser le lecteur sur les difficultés inhérentes à la préparation d'un questionnaire et à sa nécessaire adaptation : au sujet traité, à la forme du recueil, au public consulté, aux possibilités de traitement. Je ne peux manquer d'évoquer dès maintenant l'amertume de George Gallup, deux ans avant sa mort, en 1984, devant le manque de soins qui prévaut de nos jours à l'élaboration des questionnaires. A quoi doit-on attribuer cet état de choses ? Est-ce le manque de formation ? Et pourtant l'enseignement du marketing figure dans les programmes des écoles commerciales ! La réponse est ailleurs. L'accent est mis, actuellement, sur le traitement des données. La fascination des analyses factorielles et autres procédés statistiques conduit à la préparation de questionnaires de plus en plus longs, à l'énumération de concepts abstraits, à un langage touffu. L'intervention grandissante des services d'études des entreprises clientes dans l'élaboration des questionnaires conduit à privilégier le langage du producteur ou du distributeur au détriment du langage habituel du consommateur.

Dans la rédaction de cet ouvrage, j'ai tenu à exposer, partiellement, ce qui a été ma pratique de tous les jours, entre 1944 et 1986. Dans la troisième partie, j'étudie quelques problèmes particuliers d'études de marchés. C'est l'occasion d'évoquer les solutions de compromis auxquelles on aboutit dans la réalisation de sondages spécifiques. Certaines solutions ne sont que des pis-aller et ne correspondent pas à ce qu'un théoricien attendrait.

Dans la quatrième partie consacrée au traitement, j'insiste sur la construction, et la présentation des tableaux de base, souvent négligée au profit d'un exposé de l'analyse élaborée des données qui justifie d'une littérature abondante. Je me bornerai à une énumération sommaire des principaux traitements statistiques, sachant que la plupart sont utilisés sans respect des conditions mathématiques qui ont présidé à leur élaboration. On admet lors de leur mise en œuvre que la continuité dans les distributions est assurée, que les distributions sont normales, les échantillons suffisants, que les données non informées (absence de réponse) peuvent être ignorées. L'utilisation de ces traitements est profitable, mais on ne doit pas en faire une panacée.

1re PARTIE
L'ÉCHANTILLONNAGE

1. LES ÉCHANTILLONS "A LA VA COMME JE TE POUSSE"

L'expression triviale qui figure dans le titre ci-dessus a été prononcée en ma présence par le mathématicien français, le professeur Guilbaud à l'occasion d'une réunion restreinte organisée par Jean Stoetzel dans les locaux de l'IFOP, en l'honneur du professeur Arrow, premier prix Nobel d'économie. Le professeur Guilbaud exprimait ainsi le lot commun des sondages d'opinion et d'études de marchés, compte tenu de la difficulté de réaliser des échantillons rigoureusement représentatifs, en accord avec la théorie des sondages : constatation et non condamnation.

La plupart des ouvrages de langue française, relatifs à l'étude de l'opinion publique et des marchés, consacrent une large part aux bases mathématiques des sondages pour la constitution des échantillons et l'analyse des données. Ma réflexion ne concerne pas les travaux théoriques des statisticiens français et étrangers mais seulement les livres axés sur la théorie et la pratique des sondages. La réalisation de sondages en milieu humain aboutit, plus ou moins, à préparer des échantillons "à la va comme je te pousse". Seul le contrôle par sondage de la qualité des produits fabriqués en grande série satisfait aux exigences de la théorie des sondages. L'univers des produits est connu ; les produits ne peuvent échapper au contrôle (absence ou refus).

Les sondages réalisés par l'INSEE donnent l'exemple d'une grande rigueur dans la constitution des échantillons. Pour s'en tenir aux seuls sondages auprès des ménages, l'INSEE met à jour, chaque année, l'échantillon de base. Les fiches de logement issues du recensement général de la population sont apurées des logements disparus et complétées par les nouveaux logements. Malgré ces précautions, l'univers recensé n'est pas l'image parfaite de la réalité, le taux des absents et les refus d'interviews interdisent, en théorie, tout calcul de signification des résultats. Il est heureux que la longue pratique des sondages, dont la fidélité est un fait acquis, ait balayé les remontrances des hyper-puristes. Au hasard de mes lectures, j'ai découvert l'un d'entre-eux dans l'ouvrage "Eléments de calcul des probabilités et de théorie des sondages" publié chez Dunod, dans la collection : Dunod Economie, en 1969 par A. Pasquier. Le livre fourmille de tests statistiques, mais contient un certain nombre d'affirmations fâcheuses.

Dans la partie ''De la construction pratique des échantillons'', A. Pasquier écrit :

> ''Si, pour des raisons diverses, il est impossible de procéder à un recensement de la population mère on peut imaginer d'en reproduire une image fidèle par simple raisonnement, afin d'obtenir l'équivalent d'une réduction photographique par rapport à un document d'une grandeur réelle''.

Il décrit ensuite deux méthodes : la méthode des quotas et la méthode des unités types. Malgré le titre du chapitre ''Rejet des sondages à choix raisonné'', l'auteur écrit :

> ''L'avantage essentiel réside dans le fait que pour effectuer un sondage aléatoire au sein d'une population mère, il faut connaître celle-ci sans erreurs ni omissions. Dans le cas présent, il faudrait disposer des fiches individuelles des 50 millions de Français pour en sortir (avec ou sans remise) un échantillon de 5.000. C'est évidemment un impératif qu'il est parfois matériellement impossible de respecter. La méthode des quotas ne sera donc pas éliminée sans appel'' (!).

Ce n'est pas ''parfois'' qu'il est impossible de disposer de la totalité de la population mère, c'est pratiquement ''toujours'', et si on en disposait, on serait dans l'incapacité de consulter la totalité de l'échantillon (au mieux 80 à 85 %).

Je cite encore A. Pasquier qui, à propos de la méthode des quotas, ose écrire :

> Citer quelques-uns de ces comportements systématiques (souvent involontaires) des enquêteurs fera sourire le lecteur qui n'a jamais participé à un sondage. Il y a l'enquêteur qui ne va jamais dans les communes qui ne sont desservies que par des autocars, qui l'été dans les régions chaudes ne circule jamais que du côté de la rue qui n'est pas ensoleillé, qui dans un immeuble sans ascenseur ne monte jamais au-delà du premier étage, qui n'interroge que les jolies filles comme il y a l'enquêteuse qui n'interroge jamais les hommes qui fument etc.
> Nous comprenons parfaitement qu'après avoir manipulé des dérivés secondes et des variances de variances on soit un peu déçu d'imaginer que de tels arguments fassent récuser une technique donnée du sondage car on a le sentiment que le niveau du débat ne s'élève pas, mais c'est précisément parce que le sondage aléatoire échappe à toute critique de ce genre que malgré son coût

plus élevé et sa moindre rapidité il sera finalement adopté aussi souvent que possible''.

C'est à dessein que j'ai tenu à reproduire cette longue citation d'un ouvrage théorique. L'auteur a sciemment imputé à la méthode des quotas des comportements d'enquêteurs, fruits de son imagination. Le terme ''d'officines à but lucratif'' a été souvent utilisé pour évoquer les instituts de sondages privés. Tout se passe comme si la pratique de sondages sérieux était l'apanage du corps professoral ou des chercheurs institutionnels. Cet état d'esprit perdure trop souvent. Il est d'ailleurs caractéristique que dans une revue américaine célèbre, le P.O.Q. (Public Opinion Quartely), il est fréquemment fait état d'expérimentations sur des bases fragiles quant à la taille des échantillons (souvent quelques dizaines de personnes interrogées) par des universitaires, usant de multiples références bibliographiques pour appuyer leur thèse.

Admettons le fait acquis : la plupart des échantillons des sondages réalisés en France sont faits ''à la va comme je te pousse''. Je citerai quelques exemples :

— Les sondages du C.E.S.P. (Centre d'Etudes des Supports de Publicité) reposent, en 1987, sur un échantillon bâtard : partie issue d'un tirage au sort des adresses sur les listes électorales, partie effectuée en utilisant la méthode des quotas.
— En 1987, la société Audimétrie qui a pris la succession du C.E.O. (Centre d'études d'opinion) dépendant du premier ministre, utilise un échantillon de ménages recrutés selon un plan de sondage et acceptant la mise en place d'un audimètre connecté au poste récepteur de télévision. Je tiens à préciser qu'en ce qui concerne le défunt C.E.O., pendant de nombreuses années, il a organisé des panels de durée limitée (plusieurs semaines), chaque membre du panel notant, au jour le jour, son écoute de la radio et de la télévision. Les résultats de ces sondages ont servi à répartir le montant de la redevance entre les différentes chaînes et stations de radio publiques.

Dans ces exemples, il y a matière à une critique sérieuse, si on emboîte le pas des théoriciens des sondages ou de ceux qui se contentent de recopier des formules et des tets statistiques. La représentativité statistique d'un sondage en milieu humain n'est JAMAIS garantie. La principale qualité d'un sondage est d'être fidèle, reproductible dans les mêmes conditions. La fidélité des résultats, d'un sondage à l'autre, sur des points peu sujets à évolution est réconfortante. Elle se vérifie dans la grande majorité des cas. C'est d'autant plus rassurant quand les résultats enregistrés sont très proches de statistiques ou de recensements dignes de foi.

En matière d'échantillonage on observe deux attitudes extrêmes :
— celle du théoricien absolu qui s'interdit tout sondage, aucun ne satisfaisant aux règles statistiques ;
— celle du pseudo-professionnel qui accepte n'importe quoi et fait n'importe quoi.

L'attitude du premier est relaté par André Piatier dans l'ouvrage "Statistique et observation économique", collection Thémis, P.U.F., 1961. Il cite P. Thionet, l'un des théoriciens français du sondage dont les travaux font autorité :

> "Il faut que l'économiste comprenne que beaucoup d'enquêtes d'un intérêt évident ne peuvent être soumises scientifiquement à la méthode des sondages par le seul fait que cette méthode ne s'y prête pas. Par exemple faire un tel sondage auprès des seuls clients du métro n'est pas possible, car il s'agit souvent de gens pressés et il n'est guère commode d'interroger qui que ce soit aux heures d'affluence".

P. Thionet évoque ensuite le cas de sondages auprès de touristes étrangers etc...

Le comportement du second est également connu : sous le couvert d'un rapport agréablement présenté et intelligent, qui fait état d'échantillon représentatif, de rigueur scientifique, d'intervalles de confiance, on fait "n'importe quoi" : échantillons de faibles dimensions, analyse de sous-groupes de quelques unités etc. Les médias (presse, radio, télévision) diffusent de tels "sondages" sans référence au mode de consultation, à la taille de l'échantillon, voire même au maître d'œuvre. Ceux-là mêmes, qui vilipendent les sondages sont également ceux qui publient tout et n'importe quoi. La France est championne du monde quant au nombre de sondages diffusés par les médias.

Entre les deux extrêmes que je viens d'évoquer, il y a place pour un travail honnête et sérieux, ce à quoi j'essaierai de m'appliquer dans l'exposé des méthodes d'échantillonnage.

Pour terminer cette introduction, j'énumère ci-dessous des exemples de sondages qui constituent le pain quotidien des instituts de sondages et au sujet desquels un théoricien aurait peine à proposer un recours à une population mère (ou univers) avec tirage au sort, avec ou sans remise dans une liste exhaustive sans doublons ou omissions.

- Sondage auprès des lecteurs du Figaro.
- Sondage auprès des visiteurs du salon de l'agriculture.
- Sondage auprès des possesseurs d'un véhicule acheté neuf, de 5 à 8 cv. de puissance fiscale, sorti d'usine au cours des cinq dernières années.
- Sondage auprès des utilisatrices d'un vêtement de la marque X.
- Sondage auprès des habitués des champs de courses.
- Sondage auprès de la clientèle des sports d'hiver.
- Sondage auprès des chômeurs.
- Sondage auprès des entreprises utilisatrices de la micro-informatique.

L'inexistence de listes ou leur manque de fiabilité doivent-elles conduire au renoncement ? Certainement pas. J'essaierai de montrer par quelques exemples comment résoudre certains problèmes. Les jeunes étudiants sortant des écoles supérieures de commerce ou de marketing découvrent un monde inconnu. Les enseignements prodigués insistent sur le côté théorique des sondages, sur les cas classiques embrassant l'ensemble d'une population, mais ne préparent pas à la réalité de la vie dans une entreprise, cliente de sondages ou spécialisée dans la réalisation de ces sondages.

2. LA THÉORIE DES SONDAGES.

1. Quelques rappels historiques

On doit à Jean Stœtzel, fondateur de l'IFOP, d'avoir le premier utilisé le mot ''sondage'' pour définir ce que les anglo-saxons dénommaient alors ''sampling theory'', ''sampling methods'', ''surveys'' etc. Le Petit Robert définit ainsi la signification courante du mot sondage ''exploration locale et méthodique d'un milieu à l'aide d'une sonde ou de procédés techniques particuliers''. Le mot français exprime mieux que tout autre le prélèvement d'un échantillon dans un ensemble (ou univers).

La théorie des sondages est issue des travaux des mathématiciens sur le calcul des probabilités qui a pris naissance au 17ème siècle à propos de l'étude des jeux de hasard. La correspondance entre Pascal et Fermat sur le sujet en témoigne. Mais c'est à Jacques Bernoulli, mathématicien suisse, que l'on doit, au 18ème siècle, l'établissement de la loi des grands nombres exposé dans son ''Ars Conjectandi'', base de la théorie des sondages. Dans la période contemporaine les noms de Fisher, Yates, Deming, Delenuis etc, pour la France de P. Thionet sont souvent évoqués pour leur contribution à l'étude de la théorie des sondages et des ses applications.

André Piatier dans son ouvrage ''Statistique et observation économique'' (collection Thémis, PUF. 1961, 2 tomes) évoque quelques sondages historiques.

— Vauban avait été chargé par l'administration royale de déterminer pour la France entière l'étendue des surfaces cultivées, la répartition entre les cultures, les volumes des productions etc. Dans l'impossibilité de réaliser un recensement, Vauban appliqua un système d'échantillonnage en procédant à l'étude systématique dans chaque région de quelques portions du territoire. Il extrapola ensuite les résultats à la France entière, en tenant compte dans chaque région de la superficie observée par rapport à la superficie totale de la région.

— En 1802 Laplace fit une estimation de la population de la France entière avec un dénombrement sur trente départements extrapolé à l'ensemble dont il ne connaissait que les statistiques d'état civil.

Jean Stœtzel tient à rappeler (''Les sondages d'opinion publique'' par Jean Stœtzel et Alain Girard, PUF. 1973) que c'est à la fin du 19e

7

siècle, grâce au statisticien norvégien A.N. Kiaer, que la méthode des sondages a conquis droit de cité dans la science. Il rappelle les longs débats de l'Institut international de Statistiques en 1895, 1897, 1901, qui décide enfin, en 1903, de recommander la méthode représentative en lieu et place des dénombrements exhaustifs, laborieux, très coûteux. Jean Stœtzel cite les travaux de Thurstone (à partir de 1927), d'Adley Cantril, Rensis Likert etc.

Mais c'est à l'occasion de la première réélection du Président Franklin Delano Roosevelt que les sondages acquièrent une notoriété internationale. Au même moment Archibald Crossley, Elmo Roper utilisent leur service d'étude de marchés par sondages pour réaliser un sondage préélectoral. George Horace Gallup, qui s'était déjà illustré comme Daniel Starch dans la recherche de l'efficacité de la publicité, procède également à un sondage préélectoral dont les résultats allaient à l'encontre des prévisions des spécialistes et notamment des résultats des études par correspondance entreprises auprès de ses lecteurs par le Literary Digest. Les sondages réalisés auprès de 4.000 à 5 000 électeurs s'avéraient plus précis que le dépouillement issu de 2.400.000 réponses lors d'un ''straw vote'' (vote de paille) par correspondance. En 1948, les mêmes Gallup et Roper enregistrent un échec cuisant. Les sondages préélectoraux réalisés plusieurs mois ou plusieurs semaines avant le vote laissaient prévoir la victoire de Thomas Dewey contre Harry Truman, le président sortant. Plusieurs semaines avant le jour de l'élection Elmo Roper n'hésitait pas, dans une déclaration faite à la radio, de brocarder ses concurrents qui persistaient à réaliser de nouveaux sondages ''The vote is in'' déclarait-il. Un ouvrage a été publié quelques années plus tard, fruit du travail de différents experts chargés d'étudier les causes de l'échec retentissant des sondages. Ce travail collectif analysait dans le détail la manière de travailler des différents instituts de sondages pour ce qui concerne l'échantillonnage, la formulation des questions, le travail des enquêteurs etc. Forts de leurs expériences antérieures et par excès de confiance, Gallup et Roper avaient fait montre d'imprudence. Ils se fondaient sur une stabilité dans le temps des intentions de vote des électeurs américains. Les résultats de Gallup, sur le plan national, étaient issus de sondages réalisés dans les différents États, à des périodes s'échelonnant sur plusieurs mois. Sûr de ses résultats, Elmo Roper avait interrompu ses travaux plusieurs semaines avant l'élection de novembre 1948.

Jean Stœtzel a réalisé en France les premiers sondages d'opinion publique en 1938 et 1939. Ils furent publiés dans les premiers numéros ronéotypés de la revue "Sondages" et donnèrent l'occasion de traitements statistiques dont une analyse factorielle dans la thèse complémentaire "Étude expérimentale des opinions" du doctorat ès lettres (la thèse principale portait le titre "Théorie des opinions") soutenue par Jean Stœtzel en 1942, alors professeur de philosophie au lycée Rollin devenu lycée Jacques Decour. J'étais alors un de ses élèves, en classe de philosophie.

2. Quelques aspects de la théorie des sondages

La finalité d'un sondage est de décrire le tout par la partie (INSEE 1956, La méthode des sondages) en application de la loi des grands nombres de Jacques Bernoulli. La variable de Bernoulli est une variable aléatoire qui ne peut prendre que deux valeurs (vraie ou fausse, oui ou non etc.) assorties de probabilités correspondantes dont le total égale l'unité (1, 100, 1.000 etc. selon la valeur de l'unité adoptée). L'estimation de cette variable se rapproche de la valeur réelle au fur et à mesure que la taille de l'échantillon progresse.

L'estimation d'une variable à partir d'un échantillon d'unités statistiques est entachée d'une erreur statistique, définie par le calcul des probabilités. Un sondage ne donne qu'une valeur probable de la ou des variables étudiées. Le schéma étudié par Jacques Bernoulli est simple ; le problème de l'urne, abondamment exposé, permet d'acquérir une connaissance vulgaire de la théorie des sondages. Une urne renferme une infinité de boules blanches et noires, en nombre égal. Combien de prélèvements aveugles un expérimentateur non informé devra-t-il effectuer pour estimer la proportion de boules noires et de boules blanches.

1er tirage — 1 seule boule : la probabilité de tirer une boule blanche est de 50 % ou une chance sur deux.

2e tirage — 2 boules tirées successivement : 4 couples possibles

- 1er couple éventuel : Blanc-Blanc ;
- 2e couple éventuel : Blanc-Noir ;
- 3e couple éventuel : Noir-Blanc ;
- 4e couple éventuel : Noir-Noir.

L'ordre de sortie des boules n'ayant aucune importance pour l'évaluation du nombre de boules blanches et noires, on apprend ainsi que sur quatre tirages possibles deux nous informent sur la proportion réelle de boules blanches et de boules noires (50 % — 50 %).

Au quatrième tirage nous sommes en présence de 16 situations possibles :

1 BBBB (100 % de boules blanches).

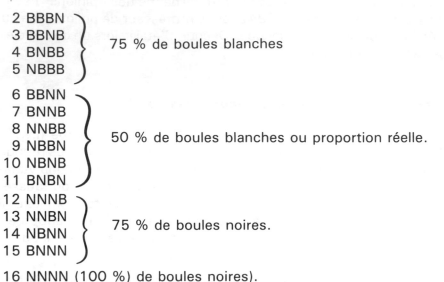

2 BBBN
3 BBNB
4 BNBB
5 NBBB } 75 % de boules blanches

6 BBNN
7 BNNB
8 NNBB
9 NBBN
10 NBNB
11 BNBN } 50 % de boules blanches ou proportion réelle.

12 NNNB
13 NNBN
14 NBNN
15 BNNN } 75 % de boules noires.

16 NNNN (100 %) de boules noires).

Autrement dit en tirant quatre boules seulement, sur 16 possibilités de tirages, 6 ou 25 % restitueraient la proportion réelle des boules blanches.

En tirant 16 boules on se trouve en présence de 65.536 situations théoriques qui se distribuent de la manière suivante :

1 tirage donne	16 boules blanches	0 boule noire
16 tirages donnent	15 boules blanches	1 boule noire
120 tirages donnent	14 boules blanches	2 boules noires
560 tirages donnent	13 boules blanches	3 boules noires
1.820 tirages donnent	12 boules blanches	4 boules noires
4.368 tirages donnent	11 boules blanches	5 boules noires
8.008 tirages donnent	10 boules blanches	6 boules noires
11.440 tirages donnent	9 boules blanches	7 boules noires
12.870 tirages donnent	8 boules blanches	8 boules noires
11.440 tirages donnent	7 boules blanches	9 boules noires
8.008 tirages donnent	6 boules blanches	10 boules noires
4.368 tirages donnent	5 boules blanches	11 boules noires
1.820 tirages donnent	4 boules blanches	12 boules noires
560 tirages donnent	3 boules blanches	13 boules noires
120 tirages donnent	2 boules blanches	14 boules noires
16 tirages donnent	1 boule blanche	15 boules noires
1 tirage donne	0 boule blanche	16 boules noires.

Ainsi sur 65.536 tirages de 16 boules :

12.870/65.536 ou 19,6 % des tirages révèlent l'égalité entre le nombres des boules blanches et noires.

35.750/65.536 ou 54,5 % des tirages situent la proportion de boules blanches entre 38 % et 62 %.

Avec un échantillon de taille très limitée (16 prélèvements) on a plus de chances de tendre vers la proportion réelle de boules blanches que de s'en éloigner.

L'augmentation du nombre des prélèvements entraîne une diminution de la marge d'incertitude.

La réalisation d'une infinité de tirages de 2.000 boules par exemple permet de construire une courbe de distribution à l'image de la courbe de Gauss dont les valeurs dites centrales, moyenne, médiane et mode, correspondraient à 50 % de boules blanches. Si le nombre de boules tirées augmente, passant de 2.000 à 10.000 par exemple, la courbe s'allonge en hauteur, la dispersion autour de la valeur moyenne diminue, la proportion de boules blanches tirées au sort s'approche de la valeur réelle.

L'écart type mesure la dispersion des valeurs trouvées par rapport à la valeur centrale ou valeur vraie en l'occurence. Dans le cas présent sa formule est la suivante :

$$\sigma \text{ (écart-type)} = \sqrt[2]{\frac{B \times (100 - B)}{N}}$$

B = proportion en % de boules blanches.
100-B = proportion en % de boules noires.
N = nombre de boules tirées au sort ou taille de l'échantillon prélevé.

L'évaluation de l'écart-type en pourcentages peut être remplacée par tout autre unité, telle que 1, 10 etc., c'est une pure convention.

La formule de l'écart-type (ou indice de dispersion par rapport à une valeur moyenne) permet de définir un intervalle de confiance ou l'estimation d'une marge d'erreur qui prend en compte deux données :

— B et 100-B, la proportion en % (ou toute autre unité, 1, 10, 1.000 etc.) de boules blanches (ou de toute autre estimation) et de son complément (boules noires ou somme de différentes éventualités) ;

— N, le nombre d'unités statistiques tirées au sort ou taille de l'échantillon.

$$\sigma = \frac{\sqrt[2]{B \times (100 - B)}}{N}$$

Dans une courbe de Gauss un écart-type de chaque côté de la valeur centrale signifie que dans 68,27 % des cas théoriques la vraie valeur se situe entre les marges de l'intervalle de confiance. La prise en compte de deux écarts-types signifie que, dans 95,45 % des cas théoriques, la valeur trouvée se situe entre les marges de l'intervalle de confiance. On utilise communément le calcul de deux écarts-types pour évaluer la marge d'erreur estimée des résultats d'un sondage.

Calculer trois écarts-types revient à se situer à un niveau de probabilité de 99,73 % soit peu de chances que la valeur trouvée sorte des limites de l'intervalle de confiance.

Cette formule classique est souvent présentée de la manière suivante : intervalle de confiance au niveau de 95 % ou 2 écarts-types

$$2\sigma = 2\frac{\sqrt[2]{p \times (100 - p)}}{N}$$

p = valeur en % d'une éventualité (item d'une question).
100-P = valeur en % des items complémentaires de la même question.
N = taille de l'échantillon en unités.

L'analyse de la formule de l'écart-type est riche d'enseignements.

- Le produit p × (100-p) est maximum quand les deux termes p et 100-p sont égaux. En effet le produit de deux nombres dont la somme est constante prend sa valeur maximale quand les deux nombres sont égaux. En conséquence, l'erreur absolue estimée d'une valeur observée lors d'un sondage est maximale lorsque cette valeur est de 50 % ; elle est minimale lorsqu'elle tend vers O.
- L'erreur est d'autant plus faible que le quotient N est plus grand, d'où une marge d'erreur proportionnelle à la racine carrée de la taille de l'échantillon. A valeur constante trouvée (P) l'erreur diminue de moitié quand la taille de l'échantillon est multipliée par quatre. En conséquence, une augmentation sensible de la taille d'un échantillon entraîne une diminution relativement faible de la marge d'erreur.

- La formule de l'écart-type qui, je le rappelle, permet de calculer la marge d'erreur des résultats d'un sondage, ne tient pas compte de la taille de la population de référence. Cette observation jette le trouble auprès des personnes non averties. Dans le cas d'un univers infini (plus de 100 000 personnes, on admet que la formule s'applique dès que l'univers atteint 20.000 unités de base) la marge d'erreur ne dépend pas de la taille de l'univers. La conséquence est importante. Si l'on désire comparer l'opinion des Français, des Belges, des Américains, des Hollandais etc. on interrogera un nombre identifique de personnes. Le taux de sondage — rapport entre le nombre de personnes interrogées et l'effectif de la population totale — n'intervient pas dans le calcul de la marge d'erreur. Le taux de sondage est donné à titre indicatif, il sert à l'extrapolation des résultats au niveau de l'univers de référence.

Autrefois la plupart des manuels de statistiques présentaient des tables ou des abaques permettant une évaluation rapide de la marge d'erreur. En quelques secondes, une calculatrice de poche disposant d'une seule mémoire et du calcul des racines carrées remplit cet office.

A titre d'illustration, je montre que l'intervalle de confiance exprimé en valeurs absolues (en + et en −) varie selon deux paramètres : le niveau de la valeur trouvée entre 0 et 100 % et la taille de l'échantillon.

Intervalle de confiance dans le cas où la réponse à une question prend différentes valeurs de N % (2 σ écarts-types ou 95 % de chances que l'erreur soit comprise dans cet intervalle)

Taille de l'échantillon	5 % ou 95 %	10 % ou 90 %	20 % ou 80 %	30 % ou 70 %	40 % ou 60 %	50 %
100	4,4 %	6,0 %	8,0 %	9,2 %	9,8 %	10,0 %
500	1,9 %	2,7 %	3,6 %	4,1 %	4,4 %	4,5 %
1.000	1,3 %	1,9 %	2,5 %	2,9 %	3,1 %	3,2 %
2.000	1,0 %	1,3 %	1,7 %	2,0 %	2,2 %	2,2 %
5.000	0,6 %	0,8 %	1,1 %	1,3 %	1,4 %	1,4 %
10.000	0,4 %	0,6 %	0,8 %	0,9 %	1,0 %	1,0 %

Si la proportion de ménages français possédant une télévision est estimée à 95 % dans un sondage auprès de 100 personnes la valeur réelle est estimée à + ou − 4,4 % donc comprise entre 90,6 % et 99,6 %.

Si le sondage avait porté sur 2 000 ménages la valeur de l'erreur serait de 1 %, d'où la valeur réelle probable entre 94 % et 96 %.

Ce tableau montre bien que pour une valeur trouvée déterminée l'intervalle de confiance diminue relativement peu lorsque la taille de l'échantillon augmente. Pour une valeur de 95 % l'erreur passe de 1,3 % avec un échantillon de 1 000 ménages à 1 % lorsque l'échantillon est de 2 000 ménages. Un échantillon de grande taille est justifié moins par le souci d'une faible erreur d'estimation que par le besoin d'analyser des sous-ensembles (population analysée par régions, niveau de vie etc.).

La formule de l'écart-type permet également d'évaluer la taille de l'échantillon nécessaire pour que l'erreur maximale attendue ne dépasse pas par exemple 2 % en valeur absolue. Il s'agit de déterminer la taille N (échantillon) dans le cas, le plus défavorable, où la valeur trouvée sera de 50 %.

$$2 = 2 \sqrt{\frac{50 \times 50}{N}} = 2 \frac{\sqrt{2\ 500}}{\sqrt{N}}$$

d'où $2 \sqrt{N} = 2 \sqrt{2500}$

et $\sqrt{N} = \sqrt{2500}$

et N = 2.500 individus

Dans le cas où la taille de l'échantillon est faible, 100 ou moins de 100 on conseille d'adopter comme formule de l'intervalle de confiance :

$$2 \sigma = 2 \sqrt{\frac{p\ (100 - p)}{N - 1}}$$

Lorsque le résultat d'une question est une valeur quantitative aboutissant au calcul d'une moyenne et non d'une proportion d'individus pensant ceci ou faisant cela l'intervalle de confiance est calculé selon la formule :

$$2 \sigma = 2 \frac{\sigma'}{\sqrt{N}} \quad \text{ou} \quad 2 \sigma = 2 \frac{\sigma'}{\sqrt{N - 1}} \quad \text{lorsque N est petit.}$$

14

σ' est l'écart-type de la distribution observée. La plupart des programmes de traitement calculent automatiquement l'écart-type et la moyenne.

Le texte ci-dessus représente le niveau élémentaire de la connaissance de la théorie des sondages. Il faut savoir que de nombreux traités de statistiques analysent dans le détail les différentes composantes de la théorie des sondages selon les procédures adoptées dans le tirage au sort, la taille de l'univers, l'homogénéité ou l'hétérogénéité des univers de référence. De nombreux manuels de vulgarisation ont usé et abusé du recopiage des formules, mises au point par les théoriciens dont la plupart sont inapplicables, eu égard aux conditions de réalisation. Sur le plan théorique un sondage est dit représentatif dans la mesure où l'échantillon :
— a été tiré d'une manière strictement aléatoire sur une liste parfaitement à jour, sans répétition ni omission ;
— est réalisé dans son intégralité sans recours à des remplacements suite à des absences, des adresses erronées ou à des refus d'interview.

En conséquence, quel que soit le procédé d'échantillonnage adopté, le calcul des marges d'erreur dans des sondages en milieu humain n'a qu'une valeur indicative.

D'ailleurs l'accumulation des sondages et l'expérience acquise, outre qu'elles ont conforté et encouragé de nouveaux développements théoriques, ont permis une amélioration du savoir-faire.

Comme l'écrivent très justement Jean Stœtzel et Alain Girard dans l'ouvrage déjà cité :
''Le sondage est scientifique parce que chaque geste qu'il implique, pour être correct, s'appuie sur une théorie.
La théorie, toutefois, ne se suffit pas à elle-même. Les sondages ont progressé grâce à la confrontation permanente entre les faits et les résultats de l'observation. De proche en proche, les praticiens découvrent et utilisent des procédés empiriques qui, loin d'altérer la théorie, permettent de s'approcher davantage des limites exactes à l'intérieur desquelles elle s'applique.''

L'INSEE dont la pratique des sondages s'appuie sur des tirages au sort aléatoires recourt à des procédés empiriques — fruits de l'expérience acquise — qui tiennent compte des particularités des populations de base.

Le recensement de la population de 1982 a fait l'objet d'exploitation au 1/4 et au 1/20. Le texte introductif du fascicule édité en 1984 ''Principaux résultats. Sondage au 1/20 — France métropolitaine'' souligne, page 8, Précision des résultats : ''Quels que soient les efforts déployés lors de la collecte, les questionnaires du recensement présentent des inconvénients dus à des causes diverses : unités non recensées, personnes recensées deux fois, absence de réponses à certaines questions, réponses inexactes etc.

Dans le cas de résultats des exploitations au 1/20 et au 1/4, il s'ajoute une incertitude due à l'échantillonnage. La théorie des sondages ne fournit que des indications qualitatives sur la précision de la méthode utilisée (tirage systématique simple dans le cas des logements, tirage systématique de grappes dans le cas des individus, la grappe étant le ménage, tirage des immeubles contenant un logement-échantillon). Toutefois, des études expérimentales permettent de préciser des indications.''

Après avoir donné les intervalles de confiance applicables aux sondages au 1/4 et au 1/20 l'INSEE poursuit :

''Il y a lieu de remarquer que les petits nombres peuvent être entachés d'une erreur relative très importante. Néanmoins, ils ont été maintenus dans les tableaux. Ainsi la cohérence comptable des tableaux est satisfaite ; de plus cela permet d'éventuels regroupements ainsi que des regroupements entre tableaux différents.''

Ce texte très concis mais très complet souligne à la fois les imperfections liées au recueil des données (la théorie n'est ici d'aucun secours, on corrige au mieux) et les particularités d'un sondage au 1/4 ou au 1/20 qui répond à des impératifs dont on ne peut se libérer :

- Fichier stratifié au départ par suite de la collecte de bulletins au niveau départemental, puis régional.

Le besoin de conserver tous les individus d'un ménage entraîne l'utilisation de la grappe-ménage et la sélection d'office de l'immeuble dans lequel habite ce ménage, afin d'exploiter conjointement les données propres au ménage et à l'immeuble.

Dans les chapitres suivants, j'aurai l'occasion d'exposer avec suffisamment de détails les techniques d'échantillonnage en matière de sondages où l'on voit que l'application de la théorie des sondages reste du domaine de l'idéal. Ceci ne retire rien à la valeur et à la représentativité réelle, sinon théorique, des sondages réalisés avec soin et honnêteté intellectuelle.

3. L'EXAMEN CRITIQUE DES SOURCES STATISTIQUES DES SONDAGES ET LEUR UTILISATION

1. L'utilité des statistiques de référence ou de contrôle

Les statistiques officielles diffusées par les différents ministères ou organismes publics et les statistiques privées issues des groupements et syndicats professionnels, chambres de commerce et d'industrie ou organismes privés de documentation sont abondantes. Dans son ouvrage ''L'étude des marchés au service des entreprises'' (édition de 1977) Fernand Bouquerel consacre 148 pages aux sources d'information et de documentation, tant françaises qu'internationales. Je ne suivrai pas cette voie. Je me bornerai à évoquer quelques sources statistiques dont l'utilisation est triple :
— Permettre la réalisation d'échantillons de ménages, d'individus, d'entreprises, d'établissements industriels, commerciaux et de services.
— Offrir la possibilité d'extrapoler les résultats d'un sondage.
— Permettre le redressement des échantillons lorsque des taux de sondage variables ont été utilisés pour certaines sous-populations ou lorsque l'échantillon obtenu nécessite des ajustements a posteriori.

L'utilisation de statistiques à des fins de sondages nécessite quelques explications relatives à :
— la connaissance des sources et de leur valeur ;
— la manière d'interpréter les données ;
— le recours aux données récentes.

2. La connaissance des sources et leur valeur

Les données relatives à la population, aux entreprises, aux exploitations agricoles etc. bénéficient de nombreuses publications. Dans la plupart des cas il s'agit de reprises de données issues d'une source unique.

Chaque fois que le recours à des données statistiques est nécessaire pour la réalisation d'un sondage, il est impératif de remonter à la source. Les exploitations secondaires pèchent le plus souvent par leurs insuffisances, et surtout par le manque de commentaires sur la collecte des données et sa fiabilité.

La répétition de données identiques, reprises dans différentes publications est souvent trompeuse. La sagesse commande d'identifier l'émetteur initial ainsi que de consulter les documents qu'il a diffusés. En l'absence de commentaires sur le mode de recueil des données et sur leur valeur déclarée, un contact personnel s'impose avec les responsables de la fourniture de ces statistiques. Eux seuls sont en mesure de porter un jugement sur la validité des chiffres qu'ils collectent et diffusent. La décision de publier des statistiques et de les interpréter n'est pas neutre dans de nombreux cas. Cette remarque s'applique à la fois à des statistiques diffusées par des organismes publics et à des statistiques de source privée.

En citer des exemples serait vain, j'en oublierais beaucoup. Il importe, dans chaque cas d'utilisation de données de base, de remonter à la source ; il arrive qu'on obtienne alors de meilleures données ou une appréciation sur les correctifs à y apporter.

Les statistiques publiées par l'INSEE échappent à ces remarques. Elles sont toujours accompagnées d'un texte qui décrit les procédures de recueil, les précautions à prendre dans l'utilisation de certains tableaux. Ce texte préliminaire disparaît dans les reprises par la presse et par les différents medias.

Il va de soi que la présence de données contradictoires impose de remonter aux différentes sources. Quoi qu'il en soit, on s'interdira d'utiliser des données de seconde main.

3. La manière d'interpréter les données

Lorsque l'on dispose des données de première main la lecture attentive du texte d'introduction ou de commentaires s'impose. La commande de tableaux statistiques à des services spécialisés doit être complétée par la recherche de documents initiaux exposant les modalités de recueil des données, leur exploitation et leur traitement. Par exemple, la commande à l'INSEE des tableaux de résultats du recensement de 1982 relatifs à la Corse doit être complétée par la lecture des textes publiés par l'INSEE. La publication du recensement de 1982 pour la Corse a été différée. Il a fallu recourir à des travaux complémentaires et à des réunions d'experts en vue de prendre une décision, quant au chiffre vraisemblable de la population corse.

Les titres des tableaux, les libellés des lignes et des colonnes subissent des contractions ou des omissions, dues aux contraintes imposées par les logiciels de traitement informatique. Une notice explicative à usage interne ou externe existe. J'expose dans un chapitre spécial ''L'utilisation des statistiques de l'INSEE'' les précautions à prendre pour établir des plans de sondage auprès de la population ou des entreprises.

Les statistiques issues d'organismes professionnels réservent parfois des surprises quand on a eu la sagesse de remonter à la source et de discuter avec le ou les responsables de l'établissement de ces statistiques. On découvre alors que :
- certaines firmes échappent au recensement, elles vivent en dehors du syndicat professionnel ou appartiennent à un organisme dissident ;
- les données relatives aux machines, véhicules, produits fabriqués incluent parfois les pièces détachées. A certains moments, des constructeurs automobiles incorporent dans les chiffres de fabrication des véhicules les ensembles destinés à des usines de montage situées à l'étranger.
- les quantités déclarées par certaines firmes à leur organisme professionnel sont volontairement majorées ou minorées.

Pour ne citer qu'un seul exemple, comment établir la statistique des médecins classées par spécialité : s'informer auprès des organismes de sécurité sociale qui accordent ou non la qualité de spécialiste à tel ou tel praticien ou à la déclaration du médecin telle qu'elle apparaît sur son ordonnance ou dans un annuaire professionnel ? La possession d'un diplôme de spécialité n'entraîne pas nécessairement la pratique de cette spécialité ; la situation inverse existe également.

4. Le recours aux données récentes

Le spécialiste des sondages n'a pas les préoccupations de l'économiste qui doit faire face à des statistiques internationales délicates à comparer ou à des séries chronologiques sujettes à des variations souvent dues à des modifications dans le mode de recueil, la classification des données ou des améliorations dans l'élaboration des résultats. Le spécialiste du sondage utilisera toujours les données les plus récentes. Habitué à compulser périodiquement les données dont il a besoin, il prendra la précaution de vérifier en quoi les données récentes diffèrent de celles qui les ont précédées. Chaque recensement de la population fait l'objet de modifications dans la classification ou la codification des données élémentaires. La nomenclature de la situation professionnelle est un exemple classique : elle varie dans le temps, indépendamment de l'évolution des effectifs.

4. L'INTERPRÉTATION ET LA FIABILITÉ DU CONTENU DE DIFFÉRENTES SOURCES STATISTIQUES

1. Le recensement général de la population (INSEE)

Les résultats du recensement général de la population servent de base à la réalisation des sondages auprès des individus ou des ménages. Quinquennaux avant 1939 et réalisés en un seul jour, les recensements ont eu par la suite une périodicité variable, le recueil des données se déroulant en plusieurs semaines. Le dernier en date a été réalisé au printemps de 1982. La publication des résultats est étalée sur plusieurs années. L'intégralité du dépouillement est destinée à dénombrer la population de chaque commune, clé de plusieurs implications administratives. Les résultats détaillés sont issus de sondages au 1/4 ou au 1/20. Ces résultats sont disponibles sous forme de microfiches, de tableaux standards, d'extraits dans les séries et collections de l'INSEE, ou peuvent être obtenus à la suite de commandes de travaux informatiques. Quelques instituts de sondages ont pu obtenir, après de multiples démarches, la fourniture d'une bande magnétique, issue d'un tirage au 1/100 du recensement. Cette bande magnétique était disponible au printemps de l'année 1986, soit quatre ans après le recensement. Jusqu'à cette date, il a fallu interpoler les données nécessaires à la réalisation des sondages en utilisant les publications de l'INSEE, au fur et à mesure de leur diffusion, ou en commandant des dépouillements particuliers, en tenant compte du planning de l'INSEE quant à la disponibilité des données.
Les informations relatives au recensement général de la population sont disséminées dans de multiples publications, répertoriées dans un annuaire diffusé par l'INSEE. Pour ce qui nous concerne, l'essentiel de l'information est contenue dans les microfiches et tableaux informatiques standards, desquels on extrait au niveau national, régional (22 régions de programme), départemental, par arrondissement, canton, unité urbaine et commune (5000 habitants et plus) les résultats utiles.

Certains résultats ne sont pas utilisables directement, d'où source d'erreurs fréquentes quant aux dimensions et au contenu des populations de référence des sondages. Les médias véhiculent des informations relatives à la population de la France, sans rappel de l'unité statistique prise en compte. A toutes fins utiles (en rappelant à nouveau que les définitions adoptées par l'INSEE ne souffrent d'aucune ambiguïté) je tiens à énumérer différentes catégories de populations et à préciser leur contenu. La fréquentation, au cours des cinq dernières années, de plusieurs dizaines de jeunes chargés d'études, diplômés des écoles de commerce ou des universités, m'a montré, à quel point, la plupart étaient en mesure de mettre en œuvre des traitements sophistiqués à base d'analyses multidimensionnelles, de ''pianoter'' sur des consoles ou des claviers de micro-ordinateurs, sans se préoccuper du contenu des données qu'ils manipulaient.

L'information est largement disponible, à peu de frais. Il suffit d'aller la chercher, et, ensuite, de l'assimiler. Quelques heures suffisent amplement.

Les principales populations de référence des sondages pour l'établissement des échantillons par quotas ou utilisées en vue du redressement des échantillons et de leur extrapolation sont les suivantes :
— Population des ménages ordinaires âgée de 15 ans et plus ou de 18 ans et plus.
— Structure socio-démographique des ménages ordinaires.
— Population des hommes, des femmes des ménages ordinaires âgés de 15 ans et plus, de 18 ans et plus.
— Population française âgée de 18 ans et plus (utilisée pour définir la structure socio-démographique de l'électorat, bien qu'on estime à environ 10 % la proportion des Français ne figurant pas sur les listes électorales).

Des sous-ensembles de ces populations de base servent d'univers de référence à de multiples sondages : population de 15 à 64 ans, de 18 à 40 ans etc., population urbaine etc. Il va de soi que chaque population mère fait l'objet d'une analyse par région, département, voire même arrondissement, canton et commune, pour des sondages régionaux ou locaux.

Aucune de ces populations n'est directement issue des microfiches ou des tableaux standards de l'INSEE. Sauf à recourir à la commande de tris spéciaux, ou de disposer de la bande INSEE, de très nombreux calculs manuels sont nécessaires. La mise sur bande ou sur disques des données (plusieurs milliers ou dizaines de milliers selon les besoins) nécessite de nombreuses heures de saisie.

Il me paraît utile de rappeler les principales appellations utilisées par l'INSEE pour définir différentes populations et aider à la sélection de l'univers de référence.

— POPULATION TOTALE : elle regroupe l'ensemble des individus de tous âges, français et étrangers, des ménages ordinaires et de la population comptée à part. Elle est peu utilisée comme référence des sondages.
— POPULATION DES MÉNAGES ORDINAIRES : ensemble des individus constituant un ménage et habitant un logement à titre de résidence principale, c'est-à-dire groupés autour d'un même feu (foyer). Les membres de deux familles différentes occupant ensemble un logement appartiennent à un seul ménage. Le personnel domestique, logé dans l'appartement du ménage, fait partie de ce ménage.

La population des ménages ordinaires comprend 52 981 360 individus, la population totale 54 273 200 individus, en 1982. On dénombrait en 1982 : 40 965 600 personnes des ménages ordinaires âgées de 15 ans et plus, et 38 399 700 âgées de 18 ans et plus. Ces populations constituent la base de référence de l'essentiel des sondages auprès des individus. Elle est le plus souvent prise en compte dans les tableaux standards de l'INSEE, en plus de la population totale.

— POPULATION COMPTÉE A PART : ensemble des individus vivant en collectivité : prisonniers, personnes hospitalisées ou en maison de retraite, personnes vivant dans des foyers collectifs, étudiants en foyers ou cités universitaires etc. La population comptée à part regroupe en 1982 : 1 291 840 individus ; elle est le plus souvent exclue du domaine des sondages. Elle est difficilement accessible et ne bénéficie pas d'une autonomie en tant que consommateur. Elle doit, par contre, être intégrée dans l'univers des études électorales pour ce qui concerne les Français âgés de 18 ans et plus, bien qu'une partie d'entre elle, échappe à toute interview (prisonniers, malades mentaux, militaires pour la plupart etc.)
— PERSONNE DE RÉFÉRENCE DU MÉNAGE : lors du recensement de 1982, l'INSEE a abandonné l'appellation classique de chef de ménage, qui elle-même s'était substituée à la dénomination de chef de famille. Non seulement les appellations varient au cours des derniers recensements mais également leur contenu. A certaines époques l'INSEE considérait comme chef de ménage le plus âgé des hommes d'un ménage, définition purement arbitraire, ensuite on a laissé le soin à chaque ménage de désigner le chef du ménage. En 1982 la personne de référence d'un ménage est définie par l'INSEE de la manière suivante :

"Au recensement de 1982, la notion de chef de ménage qui

avait été utilisée dans les recensements antérieurs a été remplacée par la notion de personne de référence du ménage. Jusqu'au recensement de 1975, le ''chef de ménage'' était la personne qui s'était déclarée ou avait été considérée comme telle au moment du recensement et qui avait été inscrite en première ligne de la liste A en page 2 de la feuille de logement. Sur la feuille de logement du recensement de 1982, on n'indique plus le lien de ''parenté ou relation avec le chef de ménage'', mais on indique le lien de ''parenté ou relation avec la personne inscrite sur la première ligne'', la personne inscrite sur la première ligne devant être l'un des conjoints d'un couple ou, à défaut, l'un des adultes habitant le logement. Pour qu'il soit possible de publier des résultats comparables à ceux antérieurement établis à partir de la notion de chef de ménage, on a défini une personne de référence qui n'est pas nécessairement celle inscrite en première ligne de la liste A et qui est déterminée, à partir de la structure familiale du ménage et des caractéristiques des individus qui le composent :

La personne de référence peut être une femme lorsque le ménage ne comprend aucun homme. Il y a autant de personnes de référence que de ménages ordinaires. La personne de référence n'a pas sa raison d'être dans la population comptée à part.

Il est d'usage dans les sondages par quotas auprès des individus d'utiliser le quota de profession du chef de ménage. Il ne viendrait à l'idée de personne de demander en contactant un ménage : ''Qui, chez vous, est la personne de référence du ménage ?'' On a donc conservé l'appellation chef de ménage, sachant que dans la grande majorité des cas chef de ménage et personne de référence sont une seule et même personne.

La structure socio-professionnelle des personnes de référence ne prête pas à confusion (base 100 % = ensemble des ménages ordinaires). En revanche, la structure de la population des ménages ordinaires en fonction de la profession de la personne de référence contient un piège, cette structure prenant en compte toute la population de ménages ordinaires. En général les sondages s'appliquent à une population de 15 ans et plus ou de 18 ans et plus. Il est donc indispensable de soustraire, dans chacun des 9 groupes socio-professionnels, les moins de 15 ans ou les moins de 18 ans. Un des tableaux standards de l'INSEE fournit les éléments (à peu près satisfaisants) pour soustraire la population des enfants de 16 ans ou moins (tableau T 15 qui toutefois s'applique aux familles et non aux ménages). On peut ainsi rétablir la structure de la population des ménages de 15 ans et plus (en fait de 16 ans et plus) en fonction de la personne de référence. Disposant en 1986 de la bande INSEE au 1/100, j'ai pu vérifier le bien fondé de ma démarche. Les structures estimées établies en % pour la France entière et par région de programme étaient, à quelques 1/1000 près, semblables aux structures réelles.

Cette correction indispensable est à faire pour chaque univers de référence et ses différentes composantes (structure régionale, par taille d'agglomération, par groupes d'âge éventuellement etc.) On prend alors conscience de la quantité de travail que nécessite l'adaptation des résultats du recensement aux besoins des instituts de sondages. Un échantillon par quotas, qui souffre d'inconvénients connus, n'a de valeur que dans la mesure où il repose sur la constitution de plusieurs sous-ensembles à l'image de la population.

— POPULATION CLASSÉE PAR ÂGE : dans les tableaux standards du recensement, l'INSEE adopte plusieurs classifications de l'âge des individus : par tranches de 5 ans, ou année par année entre 1 et 20 ans, ou encore 0-4 ans, 5-14, 15-24, 25-34, 35-44, 45-54, 55-59, 60-74, 75 et plus etc.

Pour la première fois en 1982 la coupure à 65 ans disparaît dans quelques tableaux, remplacée par la tranche d'âge 60-74 ans, d'où recours à des interpolations approximatives afin de récupérer la tranche d'âge des 65 ans et plus.

— TAILLE DES UNITÉS URBAINES ET DÉFINITION DE LA POPULATION RURALE. L'appellation ''unité urbaine'' s'est substituée à ''agglomération'' appartenant au langage courant. Les géographes utilisaient autrefois le terme de ''conurbation.'' Ces trois appellations recouvrent une réalité économique sans signification administrative. Pour prendre l'exemple de l'unité urbaine de Paris, appelée également agglomération parisienne (le terme de complexe résidentiel parisien a été abandonné), ses limites sont peu différentes de celles de la zone couverte par le syndicat des transports parisiens, mais ne recouvrent pas la totalité de la région parisienne. Une unité urbaine peut s'étendre sur deux départements limitrophes, voire même dépasser les frontières de la France.

L'observation par photographies aériennes est utilisée pour modifier le contenu des unités urbaines, sachant que certaines unités urbaines ne comprennent qu'une seule commune.

Dans nombre de sondages, le classement par unités urbaines s'est substitué au classement par taille de communes.

En ce qui concerne les communes dites "rurales" une notion nouvelle est apparue : les Z.P.I.U. (zones de peuplement industriel et urbain). Une commune rurale est classée en Z.P.I.U. ou hors Z.P.I.U., en appliquant une formule qui tient compte de la proportion de sa population exerçant une activité professionnelle dans une ou plusieurs unités urbaines voisines, mais aussi de sa population à vocation agricole et de la présence ou non d'entreprises industrielles ou commerciales occupant au moins 100 salariés (répartis dans un seul ou plusieurs établissements).

Par définition toutes les unités urbaines appartiennent à une Z.P.I.U. La distinction entre communes rurales en Z.P.I.U. et hors Z.P.I.U. est digne d'intérêt. La structure de leur population diffère : les échanges avec l'unité urbaine voisine modifient le comportement de la population rurale en Z.P.I.U.

La population rurale, en 1982, des plus de 15 ans des ménages ordinaires s'élevait à 10.964.400

　　　dont　　en Z.P.I.U. : 6.495.700 individus
　　　　　　hors Z.P.I.U. : 4.468.700　　　''

Les personnes de 15 ans et plus exerçant une profession agricole représentaient 6,5 % dans les communes rurales en Z.P.I.U. contre 18,1 % dans les communes rurales hors Z.P.I.U.

Ces quelques données suffisent à justifier une répartition des interviews d'un sondage d'une manière équitable en milieu rural, d'où la nécessité de préciser aux enquêteurs dans quelle commune ils doivent réaliser les interviews, deux communes rurales distantes de quelques kilomètres sont soit toutes deux en Z.P.I.U., soit l'une en Z.P.I.U, l'autre hors Z.P.I.U.

Au terme de ce chapitre, on a pris conscience des possibilités offertes par les résultats du recensement de la population, mais aussi du nombre de calculs nécessaires pour adapter les données aux besoins des praticiens des sondages. Il est certain que la mise à disposition de la bande magnétique du recensement est d'un grand secours et permet d'isoler des populations utiles aux sondages. La commande de tris informatiques à l'INSEE, relativement peu coûteuse, entraîne un délai de livraison de plusieurs semaines, sa formulation doit être précise et peut entraîner une programmation spécifique.

L'évolution de la population entre deux recensements est indéniable. Les mises à jour issues des données annuelles de l'état civil actualisent la répartition par sexe et âge de la population, les sondages annuels de l'INSEE sur l'emploi apportent des informations sur l'évolution de la structure socio-professionnelle de la population. Dans les deux cas il s'agit de données globales qu'il est difficile d'interpoler au niveau du département, voire même de la région, a fortiori des unités urbaines.

2. Les annuaires téléphoniques

Les annuaires téléphoniques sont mis à jour chaque année, à des périodes différentes selon les régions. Ils regroupent à la fois les abonnés domestiques et les abonnés professionnels. Certains abonnés paient une taxe pour ne pas figurer sur l'annuaire papier ou sur l'annuaire électronique consulté par Minitel. Chaque annuaire est départemental, les communes étant classées par ordre alphabétique.

Les données statistiques existent à la direction générale des Télécommunications mais ne procurent aucune information sur la composition des ménages ou des entreprises. Néanmoins, les annuaires téléphoniques demeurent la seule base utile pour la réalisation d'échantillons aléatoires auprès de la population des ménages. S'agissant des entreprises et commerces, les annuaires du téléphone souffrent des mêmes inconvénients que les annuaires spécialisés.

3. Le fichier des établissements industriels et commerciaux de l'INSEE

Le fichier des établissements industriels, artisanaux et commerciaux de l'INSEE était, à l'origine, un sous-produit d'un document administratif : le formulaire de déclaration de la création d'une entreprise à l'URSSAF.

Par la suite, l'INSEE a repris en mains la nomenclature des activités économiques, d'abord à partir de la nomenclature de 1959 (NAE) puis à partir de 1973 lors de la nomenclature d'activités et de produits (NAP).

La numérotation à quatre chiffres est le plus souvent réduite à deux chiffres dans les tableaux statistiques. Trois types de regroupements sont utilisés :

— regroupement en 99 chiffres (l'intégralité des 2 premiers chiffres du code NAP) dit NAP 100.
— regroupement en 39 portes dit NAP 40
— regroupement en 14 portes dit NAP 15 A.

L'INSEE fournit sur demande, soit des états statistiques sous forme de tableaux, soit des listes d'adresses (listings ou étiquettes-adresses auto-collantes), soit une copie de la bande magnétique ou une fraction définie par le code d'activité ou le nombre de salariés (13 tranches d'effectifs).

Malgré des mises à jour régulières et une amélioration constante au cours des dernières décennies, le fichier des établissements et entreprises de l'INSEE souffre des inconvénient propres à tout fichier :

1. On ajoute des fiches, d'autres demeurent qui n'ont plus raison d'être. Le propre d'un fichier est de ne plus être à jour le jour même de la mise à jour, compte tenu des délais imposés pour enregistrer les nouvelles créations ou les disparitions d'entreprises ; la non-fiabilité du fichier varie d'un secteur d'activité à l'autre.
2. Les aléas dus à la codification de l'activité économique : dans les statistiques, l'INSEE retient l'activité principale d'un établissement en ignorant les activités secondaires qui justifieraient le classement d'un établissement dans deux types d'activité ou davantage. Ayant eu un jour à réaliser une étude industrielle sur l'utilisation du Plexiglas dans la fabrication des luminaires, on a pu constater que trois des plus gros fabricants de ces appareils ne figuraient pas dans l'échantillon commandé à l'INSEE, leur activité principale relevant du travail des métaux. Les exemples de ce type abondent.

Le perfectionnisme de certains les conduit à retenir la codification à quatre chiffres dans la détermination des échantillons en vue de sondages. Il est plus sage de se limiter aux deux premiers chiffres en adoptant, selon les cas, le regroupement en 39 postes ou en 14 portes. Une préétude téléphonique permet de s'assurer de la valeur du contenu de l'échantillon, de l'importance des déchets. Je le répète, la seule prise en compte de l'activité principale d'un établissement suggère d'utiliser un filet à larges mailles.

Tout échantillon en matière d'établissements ou d'entreprises se doit de distinguer ces deux notions : le sujet de l'étude concerne-t-il le siège de l'entreprise ou les établissements (le siège étant lui-même un établissement) ? Les notions d'entreprises ou d'établissements ne doivent pas être confondues avec les notions de sociétés à statuts juridiques divers, de filiales, d'entrepôts, d'associations etc. Le fichier de l'INSEE se limite à distinguer entreprises et établissements. Une entreprise peut comprendre plusieurs établissements d'activités différentes, à des adresses différentes et ayant chacun sa propre direction. L'établissement n'a pas de statut juridique propre : c'est une cellule économique, bureau, magasin de vente, dépôt, usine etc, située dans un lieu déterminé, dans laquelle travaillent une ou plusieurs personnes pour le compte d'une autorité directrice.

Au 1er janvier 1986 le fichier de l'INSEE faisait état de 3.207.694 établissements employant 14.947.219 salariés, soit en moyenne 4,66 salariés par établissement. La répartition des établissements par effectif salarial, toutes activités économiques confondues, était la suivante :

Établissements (France métropolitaine)

Salariés	Nombres	% (arrondis)	% Cumulés	% Cumulés 10 salariés et +
Aucun	1.845.417	57,60	57,60	
1 à 5	1.002.758	31,30	88,90	
6 à 9	144.728	4,50	93,40	
10 à 19	100.244	3,10	96.50	46,70
20 à 49	71.180	2,20	98,70	79,80
50 à 99	23.242	0,70	99,40	90,60
100 à 199	11.217	0,33	99,73	95,80
200 à 499	6.433	0,20	99,93	98,80
500 à 999	1.654	0,05	99,98	99,50
1.000 à 1.999	550	0,01	99,99	99,75
2.000 à 4.999	209	0,01	0,01	
5.000 à 9.999	43			0,25
10.000 et plus	19		100,00	100,00
TOTAL	3.207.694	100,00	100,00	100,00

On observe que 88,9 % des établissements ont moins de 6 salariés. Si on se limite à l'univers des établissements de 10 salariés et plus : 46,7 % ont de 10 à 19 salariés, 79,8 % entre 10 et 49 salariés et 90,6 % ont moins de 100 salariés.

La réalisation d'un sondage auprès d'établissements ou d'entreprises impose des choix a priori, quel que soit le secteur d'activité retenu ; élimination ou forte sous-estimation des établissements à faible effectif, taux de sondage élevé pour les établissements à fort effectif, peu nombreux. Cette procédure aboutit à des taux de sondage très variables, d'où le recours, a posteriori, à des coefficients de pondération de forte amplitude.

Je reviendrai sur le problème de l'échantillonnage en matière d'études de marchés industrielles, pour me borner ici à évoquer les difficultés de mise en place d'un échantillon d'entreprises ou d'établissements. Il est commun de se limiter, dans les secteurs d'activités soumis à sondage, soit aux établissements de 10 salariés et plus, soit aux établissements de 50 salariés et plus. Le sujet de l'étude guide un choix plus ou moins judicieux. On ne perdra pas de vue que, si l'INSEE se prête à la fourniture d'échantillons à taux de sondage variables (dans certaines limites), ceux-ci nécessitent le défilement complet du fichier, en vue d'isoler une fraction sondée préétablie.

J'ai noté précédemment l'utilité d'une préétude téléphonique afin de valider l'échantillon en éliminant les scories : entreprises ou établissements disparus, activité non conforme avec le sujet de l'étude etc. Et là intervient la nécessité de repérer le numéro de téléphone de chaque établissement, travail long et coûteux, compliqué par le fait que les noms des établissements dans le fichier INSEE et dans l'annuaire téléphonique diffèrent dans certains cas.

4. Les annuaires professionnels, les fichiers spécialisés

Les annuaires professionnels dont, sans exagérer, le nombre dépasse largement le millier, ont un défaut majeur : ils n'ont pas été conçus à des fins statistiques ni en vue de prélever des échantillons. L'inscription dans un annuaire — elle peut être payante — est un acte volontaire. Une entreprise s'inscrit dans une rubrique ou dans plusieurs rubriques qu'elle a choisies, reflet complet ou partiel de son activité.

Tous les annuaires ont en commun : de n'être pas exhaustifs, d'être encombrés d'adresses caduques. La finalité d'un annuaire est de permettre de choisir quelques fournisseurs, en relevant quelques adresses utiles. L'utilisation qui en est faite pour la diffusion de lettres, prospectus, documents publicitaires ne prête pas à conséquence. Une masse suffisante de destinataires utiles recevront le message. Tout autre est l'envoi d'enquêteurs dans des établissements ne correspondant pas à la cible visée ou n'existant plus. Dans la mesure où l'annuaire professionnel constitue l'univers d'un sondage, par interviews en tête-à-tête, une préétude téléphonique s'impose. Contrairement au fichier de l'INSEE, les annuaires professionnels relèvent le numéro de téléphone de leurs clients. L'annuaire ''Professions'' des PTT (les pages jaunes) est peu utilisable, parce qu'incomplet. La classification des activités est propre à ce type d'annuaire, sans liaison avec la nomenclature classique des activités économiques.

Certains annuaires polyvalents, tel que le Kompass, particulièrement coûteux, fourmillent de détails relatifs aux établissements, mais la nomenclature très détaillée adoptée rend leur utilisation assez malaisée. Comme pour les autres annuaires, la finalité du Kompass n'est pas la constitution d'échantillons. Il est toujours difficile de prévoir à l'avance le coût de réalisation et le taux de déchets d'un échantillon issu de l'annuaire.

De multiples sociétés vendent des listes d'adresses à des fins de publicité directe. Ces listes ont, au même titre que les annuaires, le défaut d'être incomplètes, parfois dans d'énormes proportions, et sont d'une mise à jour aléatoire. Retenons bien ceci, propre à tout fichier : il est plus facile de le compléter que de l'épurer.

Les listes des clients d'une entreprise révèlent également des surprises totalement imprévisibles, parfois des bonnes, souvent des mauvaises. Dans certains cas on pourra obtenir de sélectionner la clientèle active, celle qui a fait l'objet de transactions récentes. Il n'y a pas de règle générale, sachant que le propriétaire d'un fichier ou d'une liste croit, en toute bonne foi, que son instrument est fidèle.

Ces remarques négatives ne condamnent pas pour autant le recours aux annuaires, aux fichiers ou aux listes spécialisées. On a rarement le choix, on prend ce qu'on trouve, sauf à renoncer à la réalisation d'un sondage. La notion de représentativité statistique des échantillons des études de marchés industrielles est rarement constatée. On se trouve en présence de trois défis :

1. la qualité des fichiers ou listes de référence,
2. la faible taille des échantillons eu égard au coût élevé des interviews,
3. la fiabilité des données, liée à la qualité des interlocuteurs. On n'interroge pas une entreprise mais une ou plusieurs personnes dites qualifiées dans l'entreprise. J'évoquerai le cas particulier de

l'étude de marché industrielle dans la troisième partie de cet ouvrage, sans espérer épuiser le sujet.

5. *Les sondages en milieu agricole*

Les recensements généraux de l'agriculture servent de base à la constitution des échantillons d'exploitants agricoles. Entre deux recensements, les services du ministère de l'agriculture procèdent à des mises à jour. La surface agricole utile (S.A.U.) et les productions, ventilées par département et, mieux encore, par petites régions agricoles, servent de quotas de base. L'évolution des productions d'une année à l'autre crée quelques problèmes lorsqu'il s'agit de réaliser des sondages auprès des producteurs de colza ou de maïs et, d'une manière générale, lorsque l'objet de l'étude concerne des productions annuelles. Les données du recensement peuvent être modifiées assez rapidement. Les sondages auprès des éleveurs, des viticulteurs ou des arboriculteurs présentent moins d'aléas.

Il existe de multiples sondages en milieu agricole, certains sous forme de panels dont les membres sont soit recrutés par quotas soit sur la base des listes, plus ou moins mises à jour, dont disposent les mairies des communes à vocation rurale.

En conclusion de ce chapitre, je dirai que son objet ne pouvait être de recenser l'ensemble des sources statistiques mais d'attirer l'attention du lecteur sur l'utilisation de certaines d'entre elles. La mise à disposition d'un fichier ou d'une liste ne doit pas faire illusion. La plupart du temps les expressions de tirage aléatoire, de sondage rigoureusement aléatoire etc. dont sont baptisés les sondages issus des fichiers disponibles ne reflètent pas la réalité. L'absence de statistiques décrivant le contenu d'un fichier ne permet pas de stratification a priori, ni de possibilité de redressement final. Réaliser un sondage sur la base d'un fichier relève presque toujours d'un pari à tenter. La répétition de ce sondage, dans les mêmes conditions, si elle ne garantit pas une représentativité, au sens statistique du terme offre l'occasion de perfectionnements successifs et permet d'espérer une fidélité des résultats, seul critère valable pour mesurer une évolution des comportements ou des attitudes.

5. L'ÉCHANTILLONNAGE ALÉATOIRE (RANDOM SAMPLING)

1. La faisabilité de l'échantillonnage aléatoire, sa mise en œuvre

L'échantillonnage aléatoire implique le tirage au sort d'un échantillon, selon les règles définies par la théorie des sondages.

Un échantillon aléatoire est représentatif de l'univers de référence (ou population mère) lorsqu'il satisfait à plusieurs conditions :

1. La liste de base dont est issu l'échantillon est complète, sans répétition ni omission.
2. Le tirage au sort a été effectué, strictement au hasard, à l'aide d'une table de nombres au hasard.
3. L'échantillon observé, à la suite du sondage, est identique ou pratiquement identique en tous points à l'échantillon prélevé.

Ces trois conditions sont rarement satisfaites.

— LE MANQUE DE FIABILITÉ DES LISTES.

Je ne connais aucun exemple de listes de référence, parfaitement mises à jour, sans omissions et sans répétitions. Il s'y ajoute les adresses erronées qui, dans certains cas, ne correspondent à aucun logement ou entreprise, mais tout au plus à une boîte à lettres. J'ai constamment été piégé lorsque j'avais, a priori, toutes bonnes raisons de croire à la fiabilité de la liste sur laquelle devait être prélevé un échantillon aléatoire.

Je donne ici quelques exemples caractéristiques :

- Un sondage auprès de mineurs de fer dans les années 50 a été réalisé sur la base d'un échantillon aléatoire. L'état 1024, remis chaque année aux services des impôts, dressait la liste de tous les salariés de chaque entreprise minière. Lors de la réalisation des interviews, les enquêteurs se sont trouvés en présence de veuves dont le mari était décédé depuis quelques années. La répétition de cet état de fait a eu un effet fâcheux sur le moral des enquêteurs.
- A plusieurs reprises j'ai constaté le manque de fiabilité des listes des abonnés à une revue ou à un journal. La proportion des anciens abonnés qui demeurent dans le fichier est parfois telle que toute extrapolation des résultats du sondage est dénuée de signification.

Cette remarque vaut également pour les listes des clients de la grande majorité des entreprises et notamment des entreprises de vente par correspondance..

- En 1985, disposant de la liste des stations services d'une firme pétrolière, j'ai constaté que le fichier, fourni sous forme de listing d'ordinateur, complété par des inscriptions manuscrites (mises à jour récentes) comportait des erreurs en nombre suffisant pour provoquer l'irritation du personnel d'enquête : encadrement et enquêteurs. Une station service figurant deux fois sous le même nom et à la même adresses avec des statuts différents. Certaines stations n'existaient plus, d'autres portaient l'enseigne d'une firme concurrente.

- Les imperfections du fichier d'immatriculations des voitures neuves sont connues ; certains clients donnent de fausses adresses, d'autres des adresses de parents, de résidences secondaires, choisies pour bénéficier d'un tarif d'assurance plus favorable dans une région déterminée.

La réalisation d'un sondage par échantillon aléatoire permet d'évaluer d'une manière approximative le taux de ''pourrissement'' d'un fichier : ce n'est pas suffisant pour en connaître l'étendue. L'échantillon est entaché d'une erreur statistique à laquelle s'ajoute l'évaluation approximative des éléments parasites. Si on peut admettre que les anciens clients, les personnes décédées ne font pas partie de l'univers réel, l'incertitude demeure quant à la proportion des doublons, des changements d'adresses etc.

— LA PROCÉDURE DU TIRAGE AU SORT

Tirage aléatoire, tirage systématique, tirage à deux ou trois degrés, stratification du tirage, tirage en grappes, autant de procédures de tirages au sort d'un échantillon qu'ont exposées, analysées et critiquées les statisticiens et les auteurs de manuels ou ouvrages de vulgarisation scientifique. Une tendance s'affirme : le recours à une stratification du tirage au sort lorsque la population de référence est hétérogène, eu égard au problème étudié. Les coûts et délais de réalisation d'un sondage aléatoire privilégient le choix du tirage à plusieurs degrés et en grappes.

Lors de la réalisation d'un sondage aléatoire, la nature et la présentation du fichier de base, les coûts inhérents au tirage au sort et à la réalisation du sondage guideront le choix de la procédure du tirage. On a rarement le choix entre plusieurs procédures. La présentation du fichier ou des dossiers dont l'ensemble définit l'univers de référence, limite les possibilités de tirage.

Un tirage purement aléatoire, entrepris par référence à une table de nombres au hasard, est possible chaque fois que l'unité statistique de base porte un numéro séquentiel. Le plus souvent la numérotation des unités statistiques est dite alphanumérique, ce qui sous-entend un ordonnancement a priori du fichier et la présence de plages de numéros inutilisés. Un bon exemple est donné par la numérotation téléphonique, les premiers chiffres indiquent un central téléphonique ou un groupement, les derniers une numérotation séquentielle plus ou moins fournie. Un tirage aléatoire avec une table de nombres au hasard fait courir le risque de nombreux tirages sans contenu. Souvent, l'absence de numérotation des unités statistiques, ou la présence d'une numérotation anarchique — résultante de modifications dans le système de repérage adopté au fil des ans — conduisent à procéder d'une manière empirique en recourant au tirage systématique manuel (1 fiche sur N ou 1 fiche tous les 10 cm.) ou en s'aidant de l'ordinateur qui établit une numérotation séquentielle arbitraire, rendant possible ensuite un tirage aléatoire ou systématique. Le tirage systématique (à taux de sondage constant plus ou moins arbitraire) est déconseillé chaque fois que le taux de sondage aboutit à prélever un échantillon d'une seule strate du fichier préordonné. Supposons que nous disposions d'un fichier des ménages dans lequel les individus de chaque ménage sont classés par âge décroissant, chaque membre du ménage étant numéroté de 1 à 0 (0 pour 10) ; prendre une personne sur 10 en choisissant le chiffre 1 aboutira à sélectionner dans chaque ménage la personne la plus âgée. Dans une telle configuration et afin de tirer une seule personne par ménage, le tirage purement aléatoire par référence à une table de nombres au hasard s'imposera, la probabilié de tirer au sort deux personnes d'un même ménage étant faible.

La mise à disposition d'un fichier informatique unique et d'une utilisation simple n'est pas monnaie courante. Malgré les progrès dans l'informatisation des entreprises et des services publics, on se trouve très souvent en présence de multiples fichiers intégrés dans des systèmes informatiques variés, fruits des traditions propres à l'entreprise et à ses différents établissements. Des fichiers manuels coexistent encore avec des fichiers informatiques. Les services commerciaux ou d'études, les services administratifs ont souvent beaucoup de mal à obtenir du service informatique, encore tout puissant, le tirage au sort d'un échantillon. Cette tâche inhabituelle nécessite une programmation préalable, en fait relativement simple, mais qui ne s'inscrit pas dans le planning de travail du service informatique.

Le problème se complique quand le réalisateur du sondage, dont les impératifs de coût, de délai et de représentativité de l'échantillon sont réels, exprime ses besoins.

— LA RÉALISATION CONCRÈTE DU TIRAGE D'UN ÉCHANTILLON OPÉRATIONNEL — LE TIRAGE EN GRAPPES.

Sauf dans le cas d'une étude par correspondance ou par téléphone, la dispersion des interviews n'ayant pas d'incidence ou ayant une incidence connue sur les frais de communication, un tirage au sort statifié s'impose.

Dans l'hypothèse d'un échantillon national ou même régional, l'adoption d'un tirage aléatoire intégral est une folie, un gouffre financier. En 1965, les Renseignements Généraux, qui s'étaient initiés aux sondages préélectoraux, procédaient au tirage aléatoire sur listes électorales et envoyaient des fonctionnaires réaliser des interviews, parfois à raison d'une interview par commune.

Quelle que soit la population de référence, la démarche optimale est la suivante :

1. Établir les tableaux statistiques décrivant l'univers de référence : répartition par région, département, taille d'unité urbaine etc.
2. En fonction de ces données, stratifier le tirage au sort en fixant un nombre minimum d'unités statistique tirées au sort par commune ou groupe de communes. Chaque groupe d'unités statistiques d'une commune urbaine ou de plusieurs communes rurales d'un même canton constitue une grappe. Une grappe est de dimension variable d'une étude à l'autre. La taille de la grappe dépend de la taille de l'échantillon global (d'autant plus petite que l'échantillon est de petites dimensions) mais elle dépend aussi du nombre d'interviews que peut réaliser un enquêteur dans une journée. Les coûts de déplacement et de séjour d'un enquêteur deviennent prohibitifs, lorsqu'il ne doit réaliser que 2 ou 3 interviews par jour dans une commune, alors que la longueur du questionnaire et les caractéristiques de la population étudiée rendent possible l'interview de 5 ou 6 personnes dans un espace géographique restreint.
3. Présenter l'échantillon sous une forme directement utilisable, sans manipulations nombreuses.

Les étiquettes-adresses auto-collantes classées par commune, à l'intérieur de chaque département, facilitent la distribution du travail aux enquêteurs. Une photocopie conservée au siège de l'entreprise témoigne du contenu de la mission de chaque enquêteur.

Un listing (une adresse par ligne), même avec classement interne par département et commune, entraîne l'emploi des ciseaux, des collages, des recopiages d'adresses qui majorent d'une manière substantielle le temps de mise en place d'un sondage et, par voie de conséquence, un accroissement des coûts. Nombre de chargés d'études et de responsables des études commerciales dans les entreprises publiques ou privées n'osent pas formuler une demande précise aux services informatiques, à charge pour les services d'exécution de se débrouiller, mais à quel prix ! Chaque fois que j'étais maître de la situation, j'ai ignoré le service demandeur en m'adressant directement au service informatique et en examinant avec lui sous quelle forme acceptable je pouvais obtenir le tirage et la présentation d'un échantillon d'adresses. J'avais plusieurs solutions de rechange, la dernière n'étant qu'un pis-aller.

La présentation d'un échantillon, sous la forme optimale, est tous comptes faits, peu fréquente. Le numéro de commune figure rarement dans les fichiers ; on se satisfera à regret du code postal (il varie à l'intérieur d'une commune ou regroupe plusieurs communes de faible importance). La taille de la commune ou de l'unité urbaine est pratiquement absente. Parfois la stratification se limite au numéro de département.

La fréquentation des grandes entreprises familiarisées avec les technologies de pointe, la robotique, l'informatique, la télématique, que sais-je encore, réserve d'énormes surprises quant à la capacité de certains de leurs services à fournir un échantillon de leurs clients ou des membres du personnel, sous une forme acceptable.

Il est classique de devoir tirer un échantillon à la main, avec ses propres mains, à partir de liasses de documents, de fichiers manuels et de procéder à des recopiages d'adresses qu'il faut ensuite classer à la main. Des centaines d'heures de travail sont parfois nécessaires, avant d'aboutir à une répartition de l'échantillon utilisable par les enquêteurs.

La préparation d'un échantillon aléatoire sur adresses tient compte de deux éléments fondamentaux :
— le souci de représentativité de l'échantillon,
— la présentation de l'échantillon dont la facilité de mise en œuvre conditionne la qualité de l'étude. Combien de fois n'est-on pas obligé de négliger la représentativité de l'échantillon devant l'ampleur des tâches manuelles confiées à du personnel subalterne !

Dans tout sondage les préoccupations théoriques et la réalisation pratique forment un tout indissociable.

2. *Échantillon recherché et échantillon obtenu — le travail sur le terrain*

La conduite des interviews dans le cas d'un échantillon sur adresses exige une préparation soignée et une vigilance de tous les instants. L'objectif assigné aux enquêteurs est d'obtenir un rendement maximum, c'est-à-dire : d'enregistrer un minimum de refus, d'absences, d'adresse introuvables.

Dans l'ignorance de la fiabilité du fichier initial, la sagesse commande de disposer d'un nombre d'adresses largement supérieur aux besoins. Par précaution on ira jusqu'à tirer deux fois ou trois fois plus d'adresses que la taille de l'échantillon l'exigerait. Chaque enquêteur reçoit un lot d'adresses égal au nombre d'interviews prévu. En fait, la pratique courante est de lui fournir un supplément d'adresses, variable selon le degré de fiabilité supposé ou connu du fichier de base. Une surabondance d'adresses est source de négligences et de biais. L'enquêteur fait son choix, regroupe les adresses qui nécessitent le minimum de déplacements. Il introduit un biais dans un procédé d'échantillonnage qui, en théorie, supprime toute latitude de l'enquêteur. La réalisation d'un sondage aléatoire s'effectue normalement en deux étapes ou davantage :

— 1re étape, le nombre d'adresses confié aux enquêteurs est égal au nombre d'interviews prévue ;
— 2e étape, réalisation d'un complément d'études avec de nouvelles adresses.

Comme les nouvelles adresses n'aboutiront pas à un nombre équivalent d'interviews, on confiera, a priori, un surplus d'adresses ou on envisagera une troisième étape.

L'enquêteur dispose d'une feuille de route sur laquelle il place les étiquettes auto-collantes, chacune correspondant à une prise de contact fructueuse ou infructueuse. Sur la feuille de route, dans des cases prévues à cet effet, l'enquêteur notera en face de chaque adresse :

— le jour et l'heure de la première visite,
— le résultat de cette première visite (interview, refus, absence, déménagement, décès, fausse adresse etc.)
— le résultat d'une deuxième et troisième visite éventuelles à des jours et heures différents de la première visite.

Du soin apporté à la tenue des feuilles de route dépend la qualité du travail sur le terrain. L'expérience montre que la récupération des feuilles de route laisse parfois à désirer. La réalisation des études par quotas, chose courante dans les sociétés de sondages, ne nécessite pas de feuilles de route et rend délicate l'adaptation des enquêteurs aux sondages sur adresses. Un enquêteur est motivé pour réaliser des interviews ; il a tendance à négliger la "paperasse", d'où envois séparés des questionnaires et des feuilles de route, feuilles de route incomplètes ou mal annotées etc. Instructions précises, briefing, vigilance quotidienne sont de règle. Il en va tout autrement lorsque l'équipe d'enquêteurs procède uniquement à des interviews sur adresses.

Tout fichier nouvellement utilisé suscite une appréhension dans l'encadrement et l'équipe des enquêteurs, qu'il s'agisse de fichier d'entreprises, d'abonnés, de ménages etc. La découverte de fausses adresses, d'entreprises disparues ou transformées, de déménagements crée une mauvaise ambiance chaque fois que le taux de "déchets", imputable au fichier, atteint un proportion jugée excessive. Il est rare d'obtenir un rendement de 80 % ou davantage, soit 80 interviews obtenues sur 100 adresses utilisées. La performance varie d'un enquêteur à l'autre : malheur à celui qui, par malchance, accumulera les adresses inexploitables !

Quoiqu'il en soit, au moment du bilan de l'étude, et après élimination des déchets dus aux carences du fichier initial, on disposera d'un lot d'interviews à comparer avec l'univers de référence. La mise en parallèle des deux structures révèlera une représentativité ou une non-représentativité apparente du sondage. L'absence de statistiques de référence est ressentie comme un soulagement. Qui peut prouver la non représentativité de l'échantillon ?

L'examen des taux de déchets, de refus, d'absences remet les choses en place. l'existence de déchets annihile toute idée de représentativité d'un sondage aléatoire. La population de substitution n'est pas une image fidèle de la population défaillante. On a intérêt à s'informer sur la structure de la population classée dans les rubriques "refus" ou "absents". Par témoignage et observation directs ou par témoignage indirect (des voisins) on peut recueillir le sexe, l'âge, la situation socio-professionnellle des personnes absentes ou ayant refusé l'interview. Mais même dans l'hypothèse où la structure de cette sous-population est semblable à la structure de l'échantillon observé, rien ne permet d'escompter un comportement et des opinions semblables. Les calculs de signification ou d'intervalles de confiance s'appliqueront à un sous-ensemble, plus ou moins grand, d'un échantillon soigneusement tiré au sort au départ.

En résumé la fiabilité d'un échantillon aléatoire dépend de trois ensembles de conditions que je rappelle :

— la validité du fichier sur laquelle repose la connaissance de l'univers de référence ;
— la procédure de tirage au sort ;
— l'absence de déchets.

Ces trois qualités ou caractéristiques ne se retrouvent jamais ensemble. Souvent les défauts s'accumulent à ces trois niveaux. Qu'en est-il alors de la représentativité des échantillons aléatoires en milieu humain ? Je me propose de l'examiner maintenant.

3. La fiabilité des échantillons aléatoires sur listes

Évoquer la fiabilité d'un échantillon par tirage aléatoire en respectant les règles issues de la théorie des sondages relève du paradoxe. Et pourtant, j'y insiste de nouveau, la mauvaise qualité des fichiers de base, les contraintes de coût de réalisation qu'entraîne un tirage strictement aléatoire, l'existence de déchets (absences, refus s'ajoutant aux lacunes du fichier de base) rendent sérieusement perplexes les théoriciens des sondages.

L'INSEE est, en France, un des rares organisateurs à maîtriser correctement la pratique des échantillons aléatoires : échantillon de ménages, d'établissements, d'entreprises. C'est le fruit d'une expérience acquise au cours des quarante dernières années. Cette expérience est manifeste dans l'exploitation des résultats des recensements généraux de la population, sondages au 1/4 ou au 1/20, eu égard aux multiples précautions prises dans le tirage des ménages, tirage stratifié à plusieurs degrés et non tirage strictement aléatoire. La connaissance de l'univers de référence est une garantie quant à la fiabilité des sondages au 1/4 ou au 1/20.

Les sondages périodiques de l'INSEE, auprès des ménages ou des entreprises, en général annuels ou pluriannuels, prouvent leur fiabilité par la fidélité de leurs résultats. Cette fidélité est assurée par un soin particulier apporté au tirage de l'échantillon et par un taux de rendement de l'ordre de 80 à 90 % dans la réalisation du recueil des données soit par correspondance (sondages périodiques auprès des entreprises) soit par interviews en tête-à-tête (sondages périodiques auprès des ménages).

La représentativité rigoureuse d'un sondage demeurant un idéal, la fidélité des résultats se substitue à la notion de fiabilité.

Les sociétés qui gèrent des panels de ménages, de commerces de détail, de médecins, de pharmaciens etc. ne sont pas en mesure d'assurer une représentativité rigoureuse de leurs échantillons ; en revanche, elles peuvent garantir la fidélité dans le temps de la majorité de leurs résultats.

Les résultats discordants enregistrés sur certains biens ou produits sont imputables à la technique du recueil des données et non à la constitution des échantillons et à leur mise à jour régulière.

En résumé, les organismes publics ou privés, qui réalisent périodiquement des sondages par tirage aléatoire des échantillons, sont en mesure de maîtriser convenablement la représentativité de leurs sondages grâce à une série de tours de mains et un savoir-faire dont ne peuvent disposer les sociétés ou chercheurs contraints d'improviser, au coup par coup, face à un univers de référence plus ou moins bien défini et à une mise en œuvre du recueil des données sujette à de nombreux aléas. Trop souvent le compte rendu de la réalisation d'un sondage aléatoire pèche par l'absence d'informations précises sur le déroulement des opérations. L'énoncé de formules mathématiques, issues de la théorie des sondages, constitue l'emballage d'un produit dont il est bien difficile d'apprécier la valeur. La lecture assidue des publications de l'INSEE est riche d'enseignements. La note technique qui précède ou accompagne les résultats des sondages de l'INSEE a le mérite de décrire, en détail, les modalités de réalisation des échantillons et du recueil des données.

La difficulté de mise en œuvre d'un échantillon aléatoire sur adresses augmente quand l'unité statistique de base est un logement ou une entreprise, l'interview devant être réalisée auprès d'une seule entreprise. J'évoquerai dans un chapitre particulier les études de marchés dites industrielles dans les entreprises, là où le CHOIX de la personne utile est malaisé, pour me limiter au cas des individus sélectionnés à l'intérieur d'un logement. Plusieurs méthodes ont été préconisées pour tirer au sort, dans un logement, l'individu à interroger lorsque l'étude concerne l'opinion et le comportement individuels et non des données relatives au logement ou au ménage. La méthode de Kish évoquée dans tous les manuels et ouvrages sur les sondages consiste à dresser la liste des occupants d'un ménage, classés par rang d'âge décroissant, et à désigner l'interviewé en fonction de son rang, par référence à une table de nombres établie pour les ménages de 2, 3, 4 etc. personnes. Une méthode plus simple permet de sélectionner la personne à interroger : celle dont on fêtera prochainement l'anniversaire. La date de l'anniversaire n'est pas liée à l'âge ou au sexe de l'individu. Cette procédure est d'un emploi plus commode que la méthode de Kish qui oblige à dresser, dès la prise de contact, la liste des personnes d'un ménage avec indication de leur prénom, de leur sexe et de leur âge, entrée en matière assez délicate et inquisitoriale, sans relation avec l'objet du sondage. La nécessité de deux visites est fréquente, la personne sélectionnée n'étant pas nécessairement présente lors de la visite de l'enquêteur. La tentation peut être grande chez certains enquêteurs de substituer une personne à une autre, d'où obligation de nombreux contrôles en cours d'étude.

4. L'échantillonnage aréolaire ou topographique

1. PRINCIPE

Il consiste à tirer au sort, non plus des individus, des foyers, des établissements etc. à partir d'une liste complète, mais des surfaces, des aires, des îlots, des quartiers etc. en adoptant à l'intérieur de ces surfaces *un point de départ et un itinéraire*. Il s'agit le plus souvent d'un sondage à deux degrés.

— 1er degré : tirage au sort des "aires" de dimensions supposées comparables. Comme dans le cas d'un échantillon aléatoire sur liste, on prendra la précaution de tirer le plus grand nombre d'"aires" de telle sorte que chaque grappe, définissant le second degré de tirage, soit aussi petite que possible, compatible avec :

  • le souci de rigueur statistique,
  • un délai de réalisation relativement court,
  • un coût raisonnable.

CHAQUE GRAPPE REPRÉSENTE SOIT UNE FRACTION DE JOURNÉE, SOIT UN OU PLUSIEURS JOURS DE TRAVAIL D'UN ENQUÊTEUR.

— 2e degré : tirage au sort des unités statistiques (ménages, individus, commerces, entreprises etc.), dans chaque aire géographique, il s'effectue selon deux procédures.

- repérage initial du contenu de chaque aire, relevé exhaustif de toutes les unités de base et création de listes de ménages, entreprises, etc, selon les besoins du sondage. Ce recensement préalable des aires était pratiqué, tous les deux ans, par l'American Institute of Public Opinion, plus communément appelé "Institut Gallup". Outre les frais importants découlant de cette manière de procéder, cela impliquait la multiplication du nombre des interviews à l'intérieur de chaque zone.
- tirage au sort des logements, réalisé sur le terrain par l'enquêteur ou son chef d'équipe en appliquant des consignes de cheminement. Ces consignes définissent un point de départ (l'immeuble situé au nord par exemple), un sens du cheminement, un procédé de tirage des logements (un appartement sur dix, sur vingt etc.). Il est difficile d'adopter un itinéraire standard, valable dans tous les cas. Un immeuble ou un groupe d'immeubles doit être exploré dans ses trois dimensions : un ou plusieurs escaliers, une ou plusieurs cours intérieures, un nombre variable d'étages. Expérience faite, deux enquêteurs appliquant la même consigne de cheminement ont dans certains cas peu de chances de frapper à la même porte.

En milieu rural, l'application d'un itinéraire-type soulève de nombreuses difficultés, par suite de l'absence de plans (en dehors du cadastre), d'un habitat dispersé, de la présence de hameaux.

On met ainsi le doigt sur les difficultés inhérentes à un échantillon topographique ou aréolaire :

— matériel cartographique hétérogène, incomplet ou inexistant ;
— tirage au sort des unités statistiques peu satisfaisant ;
— règles de cheminement inadaptées dans de nombreuses situations ;
— long travail de préparation pour réunir le matériel cartographique utilisé pour le tirage au 1er degré (tirage au sort des aires géographiques, villes et quartiers, communes rurales).

2. LES CAS D'APPLICATION DES ÉCHANTILLONS ARÉOLAIRES OU TOPOGRAPHIQUES

L'échantillonnage aréolaire est de règle dans les pays où l'appareil statistique est défaillant : pas de recensement de la population fiable ou récent, pas de fichier des individus, des logements ou des entreprises. Le matériel cartographique disponible est la base de constitution d'un échantillon par itinéraire. Cette pratique que j'ai constatée dans certains pays européens et plus encore en Afrique ou en Asie — où elle est la seule possible — ne permet pas de réaliser des sondages représentatifs. Les sondages sont limités aux villes, ignorent maints villages et écarts. L'absence de statistiques de référence rend impossible le redressement des échantillons. Les résultats de ces sondages révèlent souvent des structures de population surprenantes. La répartition par sexe et par âge montre une surestimation de la population féminine et de la population des personnes âgées, dans des pays où l'espérance de vie des femmes est plus faible que celle des hommes et où les personnes âgées de plus de soixante ans sont en faible proportion. Forts de l'enseignement reçu dans les universités anglo-saxonnes ou françaises, mes interlocuteurs affirmaient que leurs sondages étaient en accord avec la théorie des sondages, dans la mesure où il y avait eu tirage au sort. Ils oubliaient ou feignaient d'oublier les aléas de la situation d'interview.

L'introduction de quotas simples dans un échantillonnage aréolaire est à conseiller, même en France, sinon on court le risque d'aboutir à une structure déformée de la population.

Peu utilisé en France, l'échantillonnage aréolaire ou par itinéraire (random-route) est un pis-aller qui trouve néanmoins sa justification dans un certain nombre de situations :

— Repérage de points de vente de produits ou de biens distribués dans différentes catégories de magasins tels que les produits de confiserie, de parfumerie, d'hygiène etc. Le tirage au sort sur plan d'un grand nombre d'îlots et la visite de tous les points de vente de chaque îlot permet de se faire une idée de la distribution des produits étudiés.

— Détermination de la zone de chalandise ou d'aire commerciale d'un point de vente ou d'une série de points de vente, là où les statistiques de la population par îlots ne sont pas disponibles et où un taux de sondage élevé s'impose.

— Les études sur le taux d'exposition d'une population à l'affichage justifient, dans une certaine mesure, le recours à l'échantillonnage aréolaire.

5. Les sondages par téléphone ou le retour en force de l'échantillonnage aléatoire

1. LES DONNÉES DU PROBLÈME

L'utilisation des sondages par téléphone prend de plus en plus d'importance ; elle est majoritaire aux États-Unis, encore minoritaire en France et dans de nombreux pays européens. Les sondages par téléphone se font sur la base de tirage au sort de numéros de téléphone, selon des modalités variables. Les possibilités de tirage au sort d'un échantillon d'abonnés au téléphone varient d'un pays à l'autre.

L'expérience accumulée aux États-Unis au cours des dernières décennies et le souci de réaliser des échantillons aléatoires les plus proches possibles de la théorie des sondages, a permis l'éclosion de procédures sophistiquées. Des sociétés uniquement spécialisées dans la constitution d'échantillons ont vu le jour et mettent à la disposition des organismes de sondages des échantillons sur mesure, sous forme de fichiers informatiques. Dans d'autres cas, des logiciels appropriés sélectionnent au hasard des numéros de téléphone, rejettent les numéros inutilisés, rappellent, à intervalles réguliers, les numéros occupés et finalement mettent directement en contact un enquêteur et un abonné, à charge pour l'enquêteur de vérifier que son interlocuteur entre dans le champ de l'étude.

Le déroulement des opérations est le suivant :
— Appel automatique des abonnés présumés utiles.
— Vérification par l'enquêteur de la qualité de son interlocuteur.
— Sélection à l'intérieur d'un ménage ou d'une collectivité de la personne à interroger, par l'utilisation de la méthode Kish, de la méthode du prochain anniversaire ou encore par l'utilisation d'un quota de sexe et d'âge.

Le tirage purement aléatoire rend accessible les abonnés ne figurant pas dans les annuaires.

De toute façon, comme dans tout sondage par échantillon aléatoire, le taux de rendement atteint exceptionnellement 80 %. Le nombre des refus est plus élevé que lors d'une interview en tête-à-tête, plus particulièrement parmi les personnes âgées. Dans l'étude du questionnaire j'évoque dans le détail les résultats d'une expérience faite pour tester quatre modes de sélection de la personne interrogée dont les taux de rendement oscillaient entre 41 % et 69 %. Dans une étude comparative à contenu politique faite par le ''Survey Research Center'' de l'Université du Michigan, 40 % de refus ont été enregistrés au téléphone contre 22 % dans un sondage identique, réalisé par interviews en tête-à-tête. La qualité et la formation des enquêteurs jouent également un rôle.

Les sondages par téléphone se prêtent, en principe, à la mise en place d'un échantillon aléatoire. La mise sur disques ou sur bandes magnétiques de l'ensemble des abonnés au téléphone est du domaine du possible. Ceci implique un travail considérable, un accord avec la Direction Générale des Télécommunications et une mise à jour quasi-quotidienne. La distinction entre abonnés domestiques et abonnés professionnels est malaisée. Il y a quelques années, un de mes collaborateurs avait tenté d'obtenir de la D.G.T. la liste des centraux téléphoniques, repérés par leur numéro, ainsi que le nombre approximatif de numéros attribués dans chaque central. Il essuya un refus poli. La numérotation téléphonique rend délicat le tirage purement aléatoire des abonnés, toutes régions confondues. Pour la circonscription de Paris, les quatre premiers chiffres, qui définissent le rattachement à un autocommutateur, ne constituent pas une série continue.

La mise sur fichier informatique de l'ensemble des abonnés au téléphone, avec mise à jour permanente, ainsi que la pratique de tirages purement aléatoires d'échantillons, s'avère difficile.

2. UN EXEMPLE DE PROCÉDURE POSSIBLE

Chaque entreprise de sondages a mis au point des procédés de tirage au sort des échantillons pour la réalisation d'interviews par téléphone. Jusqu'à preuve du contraire, l'annuaire téléphonique de l'année en cours est la base de référence. Les annuaires sont diffusés en cours d'année, à des dates variables d'une région à l'autre, de telle sorte qu'un tirage sur annuaires se fera, par exemple en 1987, à la fois sur des annuaires datés de 1987 et sur des annuaires datés de 1986. A la distinction entre abonné domestique et professionnel, toujours sujette à caution, s'ajoute l'absence des abonnés figurant sur la liste rouge. Autrement dit, quoique l'on fasse :
— la liste disponible des abonnés n'est jamais à jour, compte tenu des documents de base, annuaires à diffusion échelonnée en cours d'année,
— le repérage des ménages, commerces, professions libérales, entreprises, est établi a posteriori.

Disposant de 95 annuaires départementaux, quelle procédure adopter en vue de réaliser un sondage auprès des ménages ou des individus ?

Je me place dans l'optique d'un organisme devant réaliser une série de sondages nationaux, régionaux ou locaux, et ayant le souci de minimiser les coûts de préparation et de mise en œuvre des échantillons, tout en gardant présente à l'esprit la notion de représentativité et de fidélité des échantillons. Je procèderais comme suit :

— Mise au point d'un échantillon maître de départements, unités urbaines, communes rurales.

La pénétration du téléphone dans les ménages dépasse largement en 1987 le taux de 80 %. Le nombre d'abonnés domestiques varie quelque peu d'un département à l'autre. On admettra par hypothèse, à défaut de mieux, que l'implantation du téléphone est homogène dans les différents départements et dans les différentes tailles de communes ou d'unités urbaines. Sur cette base, et à l'image de l'échantillon maître, évoqué précédemment, on sélectionnera :

— le maximum de départements, chacun représenté selon son poids en nombre de ménages ordinaires,
— un certain nombre d'unités urbaines dans la plupart des départements,
— dans chaque unité urbaine, un nombre de communes en relation avec le nombre réel des communes constituant l'agglomération considérée,
— dans chaque département, grâce à la bande des communes de l'INSEE (BDCOM) une série de communes rurales (ZPIU et hors ZPIU) réparties dans les différents arrondissements et cantons.

Les annuaires téléphoniques ignorent la notion d'unité urbaine qui n'a pas de signification administrative. On constatera que certaines communes, très peu peuplées, sont rattachées à une commune voisine, plus importante.

On établira ainsi un plan de sondage dans lequel chaque département (région par regroupement de départements), chaque strate de taille d'unités urbaines et de communes rurales sont affectés d'un nombre d'interviews à réaliser.

Le nombre de communes varie d'une unité urbaine à une autre, sans relation évidente avec la population de l'agglomération. L'unité urbaine de Reims groupe quelques communes ; l'agglomération lilloise en groupe plusieurs dizaines ; le complexe résidentiel parisien en compte plus de deux cents. Il conviendra, dans chaque unité urbaine, de sélectionner, en connaissance de cause, un nombre raisonnable de communes sans recourir à un tirage au sort qui, appliqué à un univers restreint, aboutirait à ne retenir, par exemple, que des communes à population aisée.

La préparation d'un échantillon stratifié suppose qu'un minimum de connaissances de la population française. S'agissant d'univers de taille restreinte, la loi des grands nombres ne s'applique pas : le hasard ''ne fait pas bien les choses''.

L'objectif étant de réduire le temps de mise en œuvre d'un échantillon (une heure au plus), quelle démarche adopter ensuite ?

J'ai constaté grâce à l'analyse de plusieurs annuaires départementaux que :

— En fonction de la population d'une commune, on pouvait établir une relation entre le nombre de pages de l'annuaire téléphonique et le nombre de ménages d'une commune. Cette relation n'est pas stable, le poids des sociétés variant d'une commune à l'autre, mais on peut se fier à un nombre d'abonnés moyen domestiques de l'ordre de 30 abonnés domestiques par colonne d'un annuaire, ou 120 par pages.

— On peut donner à des enquêteurs — chacun d'entre eux disposant d'un seul ou de plusieurs annuaires départementaux — des consignes très simples de tirage au sort en fonction de la taille de la commune de l'échantillon maître.

Étude n° 1 — Pour les communes importantes repérées sur le plan de travail, établi à l'avance, prendre dans la commune le n° de page de l'annuaire dont le chiffre des unités est le chiffre 1 et interroger le premier abonné inscrit dans la première colonne en haut et à gauche de la page de l'annuaire. S'il s'agit d'une société ou d'un refus d'interview, prendre l'abonné suivant. Le choix d'un numéro de page est préférable au choix d'une lettre. Les numéros de pages 11, 111, 231, 291 etc d'un annuaire sont sans relation, à l'intérieur d'une commune, avec la première lettre du nom des abonnés. Les lettres E (entreprises), S (sociétés) etc issues d'un tirage au sort, réservent des surprises.

Une page d'annuaire offre huit possibilités de tirage, chaque page comporte quatre colonnes, chacune étant prise soit en commençant par le haut, soit en commençant par le bas. En procédant ainsi on établit à l'avance, grâce à une sélection préalable de communes, plusieurs dizaines d'échantillons possibles. Une commune de 20 000 habitants a environ 5 000 abonnés domestiques, répertoriés sur 40 pages de l'annuaire ou 160 colonnes ou 160 échantillons prêts à l'emploi.

Les communes urbaines de 3 000 habitants environ retenues dans l'échantillon maître, bénéficient d'environ 800 abonnés domestiques, occupant plus de 6 pages d'annuaire, d'où 48 possibilités de tirage.

En ce qui concerne les communes rurales dont le nombre dépasse 20 000, je suggère de les changer à chaque sondage, une liste ayant été établie à l'avance pour chaque département.

Il me paraît inutile de détailler davantage la procédure dont je viens d'exposer les modalités, mais je tiens à rappeler la démarche adoptée :

— Établir un échantillon maître de communes, valable aussi bien pour des sondages nationaux que régionaux, départementaux ou locaux.
— Donner pour chaque sondage quelques consignes standards de tirage au sort, adaptées à différentes tailles de communes.
— Conserver à tout moment le moyen de contrôler le travail des enquêteurs. Un nombre limité de consignes standards offre la possibilité de vérifier le travail de l'enquêteur, quant au repérage de la page, de la colonne, des numéros appelés.

Je renonce à l'idée de devoir photocopier des centaines de pages d'annuaires téléphoniques, qui seront confiées ensuite à des enquêteurs pour une utilisation unique.

Un numéro de téléphone permet d'entrer en communication soit avec un ménage, soit avec une administration, soit avec une entreprise, un commerce, une association etc. Le contact avec un ménage étant établi, lors d'un premier ou de plusieurs appels, intervient ensuite la sélection de la personne utile. Le recours aux annuaires téléphoniques se prête à l'interview des individus mais non à celui des représentants des entreprises, eu égard à la structure et au contenu des pages jaunes.

A l'heure où j'écris ces lignes, il est possible que des professionnels du sondage recourent à des procédures informatiques de tirage au sort, au prix de la constitution de banques de données groupant plusieurs millions de référence ou s'évertuent à tirer les numéros d'une manière aléatoire avec un logiciel approprié en acceptant le risque des appels ''dans le vide''.

6. L'ÉCHANTILLONNAGE PAR QUOTAS OU ÉCHANTILLON PROPORTIONNEL

1. Définition de la méthode des quotas

L'échantillonnage par quotas, que Jean Stoetzel dénommait aussi échantillonnage proportionnel ou échantillonnage à dessein, a été défini ainsi par Jacques Desabie dans ''Théorie et pratique des sondages'' :

> ''Les différents caractères que l'on peut observer dans une population n'étant pas indépendants entre eux, un échantillon identique à la population dans laquelle il est prélevé en ce qui concerne la distribution de certains caractères importants, sera peu différent de la population en ce qui concerne la distribution statistique des caractères qui ne sont pas contrôlés''.

Jean Stoetzel et Alain Girard dans ''Les sondages d'opinion publique'' proposent :

> ''Il s'agit de constituer un échantillon miniature, structuré en fonction de quelques critères significatifs, exactement de la même manière que la population sondée. Ces critères sociologiques, liés aux opinions, sont le plus souvent la région géographique, l'importance des localités de résidence, le sexe, l'âge, la profession du chef de ménage ou celle de la personne interrogée.''

Je résumerai ces deux définitions de la manière suivante : réaliser un échantillon par quotas revient à construire une maquette réduite de la population étudiée, selon des critères observables connus.

La méthode des quotas repose sur l'utilisation de critères recensés, qu'ils soient ou non étroitement liés au comportement du public recensé. Il se trouve que dans les sondages classiques, utilisant la méthode des quotas, les critères de sexe, d'âge, de situation professionnelle, d'importance de la localité sont en général discriminants et constituent la base du dépouillement d'un sondage. Dans d'autres situations, par exemple la réalisation d'un sondage dans une population inexplorée jusqu'alors, on fera choix de quotas issus de statistiques existantes, sans savoir à l'avance si les critères choisis ont un lien quelconque avec le problème étudié. L'essentiel est de disposer de données convenablement recensées, décelables sans ambiguïté et d'une manière simple en cours d'interview.

Le souci de choisir des quotas liés au problème étudié conduirait par exemple à :

- se servir des données relatives aux styles de vie ou aux courants socio-culturels pour aborder l'étude de nouveaux produits etc.
- se servir des résultats du vote des dernières élections pour mesurer les intentions de vote ;
- prendre comme base le temps de présence à domicile pour étudier l'audience de la télévision.

Il est fréquent de construire un échantillon par quotas en retenant les critères de sexe, d'âge, de profession du chef de ménage, d'importance de l'unité urbaine (ou de la commune), de région. La raison de ce choix est justifiée parce que :

- Ces critères sont recensés régulièrement et certains réévalués entre deux recensements de la population.
- Un seul de ces critères nécessite de poser une question préalable pour respecter un quota, à savoir la profession du chef de ménage. La région et l'importance de l'unité urbaine sont à l'évidence connues de l'enquêteur : on lui a précisé l'endroit où il devait réaliser tout ou partie de ses interviews. Le sexe et la catégorie d'âge (4 ou 5 classes) sont perçus dès la prise de contact.

Dans certains sondages relatifs au secteur automobile, on introduira un quota de marques et modèles de voiture, issu des résultats de cumuls de sondages récents.

Le renoncement au choix de la profession de l'individu s'explique par le taux particulièrement élevé (de l'ordre de 50 %) de personnes inactives (femmes sans profession, étudiants, retraités), d'où l'utilisation d'un quota lâche dans un cas sur deux. On préfèrera le quota ''profession du chef de ménage'' complété par le quota d'activité ou d'inactivité de la personne interrogée.

La réalisation d'un échantillon par quotas comprend deux phases distinctes que je commenterai dans le détail dans les chapitres suivants.

1. Établissement du plan de sondage, c'est-à-dire construction d'une maquette de la population étudiée, à l'aide de critères recensés.
2. Établissement de plans de travail confiés aux enquêteurs. Ces plans de travail, en nombre variable, sont adaptés à la région et à la taille des unités urbaines dans lesquelles les enquêteurs conduiront leurs interviews.

En conclusion, l'échantillonnage par quotas se définit en quelque sorte par ce qu'il n'est pas : on ne procède pas à un tirage au sort, on ne dispose pas de listes d'individus ou de logements. Les unités statistiques (personnes, chefs de ménages, points de vente, lecteurs, établissements commerciaux et industriels) ne sont pas tirées au sort.

Si je tire au sort sur une liste un échantillon, j'observerai, lors du dépouillement des résultats, que les proportions relatives :
— d'hommes et de femmes,
— de jeunes et de personnes âgées,
— des différents groupes socio-professionnels,
— de ruraux et des habitants des unités urbaines selon leur taille,
— des habitants des différentes régions,

sont à peu près conformes aux proportions réelles. Réaliser un échantillon par quotas c'est décider à priori d'interroger une proportion connue de chaque groupe de population.

2. Les inconvénients de l'échantillonnage par quotas et les biais dans le recueil des données

L'échantillonnage par quotas souffre d'un inconvénient majeur. Il est rejeté par les statisticiens ; il ne respecte pas les conditions énoncées dans la théorie des sondages. Les calculs de marge d'erreur, qui permettent d'estimer le degré de précision d'un sondage aléatoire, ne peuvent lui être appliqués. Procéder à ces calculs sur un échantillon par quotas revient à l'assimiler arbitrairement à un échantillon par tirage au sort. On peut répondre qu'en matière de sondage aléatoire dans une population, les calculs de marges d'erreur ou les tests de signification ne sont pas justifiés. Le fichier de base du tirage au sort est incomplet et entaché d'erreurs, le taux de refus et d'absences altère, dans des proportions inconnues, la représentativité du sondage.

La possibilité pour un enquêteur de choisir la personne interrogée constitue le principal défaut de l'échantillonnage par quotas. Même dans le cas où des règles strictes de sélection des personnes interrogées sont imposées à l'enquêteur : répartition des interviews selon les heures de la journée, délimitation précise des îlots ou quartiers à prospecter, répartition des interviews dans les zones d'habitat dispersé, nombre maximum d'interviews par immeuble etc., l'enquêteur conserve une possibilité de choix. Ayant décidé de procéder à une interview dans un appartement que lui dicterait sa démarche au hasard, l'enquêteur ne reviendra pas une seconde fois en cas d'absence des occupants. L'ignorance du taux de refus, variable d'un enquêteur à l'autre, ne permet pas une juste appréciation de la conduite des interviews.

Les biais apparents des échantillons par quotas par référence à des statistiques de base sont connus.

— DEUX COUCHES SOCIALES SONT SOUS-REPRÉSENTÉES DANS LES SONDAGES PAR QUOTAS : LES RICHES ET LES PAUVRES.

Dans la plupart des sondages d'opinion ou d'études de marchés, la sous-estimation de la population riche ou très riche a peu de conséquences, cette population étant numériquement faible. Les difficultés d'accès dues à la présence de gardiens vigilants et de personnel de service expliquent cette sous-estimation. Les gens riches ne sont pas plus que d'autres réfractaires à l'interview.

La sous-estimation de la population pauvre ou très pauvre est plus importante eu égard à son poids. Là encore, les difficultés de contact justifient le plus souvent une sous-estimation. Le personnel enquêteur (bien que les exceptions existent), féminin en majorité, répugne à pénétrer dans certains quartiers ou dans certains logements plus ou moins délabrés. La résultante est un enrichissement apparent de la population sondée par référence à des sondages par tirage au sort sur listes de logements, ceux de l'INSEE par exemple. Il est probable que l'INSEE enregistre une sous-estimation de la population des pauvres, conséquence d'un taux de refus au-dessus de la moyenne ou de difficultés insurmontables dues à la langue. Toutefois l'enquêteur de l'INSEE n'a pas le loisir de choisir le lieu de l'interview. Pendant de nombreuses années, le taux de pénétration des biens d'équipement ménager et de confort des logements était surestimé de quelques pour cent dans les échantillons par quotas, par suite de la minoration des couches sociales à très faible revenu. L'écart s'est réduit d'année en année. Même chez les pauvres ou les très pauvres, le poste de télévision, le réfrigérateur, la machine à laver le linge, le téléphone ont droit de cité. Satisfaisante pour l'esprit, cette constatation ne change rien au fait que la population consultée par quotas est un miroir quelque peu déformé de la réalité.

Dans l'exposé présenté à Amsterdam en octobre 1973 ''Problèmes de définition des quotas dans les sondages non aléatoires'' Marc Deroo a tenté de remédier à la surestimation de la pénétration des biens d'équipement ménager dans des sondages par quotas effectués auprès de 5 000 foyers. Il décrit différentes approches de sélection de quotas pertinents, recours à des programmes qui isolent les variables apportant le plus d'information (programme Resum de G.S.I.) et à l'utilisation de plusieurs segmentations. Le souci de ne pas compliquer outre mesure la tâche de l'enquêteur et la constation des limites dans l'emploi de l'outil statistique conduisent à émettre des hypothèses de travail pour résoudre un problème complexe. En fait M. Deroo ne pouvait introduire dans son plan d'expérience l'élément absent du sondage : la population pauvre largement sous-estimée.

— LA RÉPARTITION PAR SEXE EST BIEN RESPECTÉE DANS LES SONDAGES PAR QUOTAS, LA SOUS-ESTIMATION DU NOMBRE DES FEMMES AGÉES EST FRÉQUENTE

Le respect des quotas par sexe et par âge pris isolément est chose acquise. En revanche, les femmes âgées contribuent largement à alimenter la statistique des refus. Ceci n'est pas propre aux échantillons par quotas. Le fait est également constaté lors des sondages réalisés dans les lieux publics, à la sortie des bureaux de vote, de salons ou d'exposition. Le sentiment d'insécurité croissant n'arrange pas les choses. Il en résulte dans les sondages par quotas, lorsque hommes et femmes sont interrogés, une surestimation de la population des hommes âgés. Le redressement de l'échantillon tend à corriger ce biais.

— IL EST CLASSIQUE D'ENREGISTRER UNE LÉGÈRE SOUS-REPRÉSENTATION DE LA POPULATION DES OUVRIERS DANS LES SONDAGES PAR QUOTAS AU PROFIT DES EMPLOYÉS. Cela tient à deux choses : difficulté de contact des ouvriers les plus défavorisés et erreur de définition par l'enquêteur de la catégorie des ouvriers. La mensualisation des revenus et la forte progression du secteur tertiaire rendent délicate la distinction entre ouvriers et employés.

— S'AGISSANT DES PROFESSIONS INDÉPENDANTES (professions libérales, commerçants, artisans, industriels) il est probable que certains de leurs membres échappent à l'interview.

— LES RÉPARTITIONS MARGINALES SONT RESPECTÉES, LES LIAISONS LE SONT MOINS.

Le plan de travail d'un enquêteur fait, à juste titre, l'impasse sur les quotas croisés, croisement sexe × âge, croisement profession détaillée × sexe, profession × âge.

L'enquêteur respecte les marges de son plan de travail relatives au sexe, à l'âge, à la profession. La comparaison entre l'échantillon obtenu et l'univers de référence, lors du dépouillement du sondage, montre que les relations entre variables sont plus ou moins altérées. A l'occasion du redressement de l'échantillon, une série de matrices de base entrent en jeu : croissement sexe × âge, sexe × activité, sexe × profession du chef de ménage, habitat × région, profession × habitat. Le calcul des coefficients de redressement (voir chapitre redressement ou pondération des échantillons) révèle parfois des valeurs extrêmes qui illustrent la non représentativité apparente d'un échantillon par quotas. Un échantillon par tirage aléatoire ne souffre pas des mêmes inconvénients, les liaisons internes étant conservées sauf lorsque le taux de refus, d'absences ou d'adresses non exploitées altère un certain nombre de relations entre les groupes socio-démographiques.

C'est à dessein que j'ai évoqué en premier lieu les inconvénients et biais propres aux échantillons par quotas. Les connaître, en mesurer les effets, conduit à corriger les malfaçons éventuelles et à adopter une démarche, fruit de l'expérience accumulée de milliers de sondages par quotas. Traumatisés par les sondages préélectoraux de 1948, lors de la confrontation Truman-Dewey pour les élections présidentielles américaines, les spécialistes américains rejettent les échantillons par quotas utilisés alors par Gallup, Roper etc.

C'est la mort dans l'âme qu'un client américain accepte l'idée d'un échantillon par quotas lorsqu'il fait réaliser en France un sondage d'étude de marchés. L'argument d'un prix avantageux l'emporte sur des considérations méthodologiques. Le recours croissant à l'interview par téléphone justifiera dans l'avenir l'abandon progressif des échantillons par quotas qui ont néanmoins fait leur preuve et souffrent peu de la comparaison objective avec les échantillons dits ''aléatoires''.

3. Les avantages de l'échantillonnage par quotas

Les avantages des échantillonnages par quotas sont multiples :
— COUT RAISONNABLE par comparaison avec le coût d'un échantillon par tirage au sort (très élevé, difficile à évaluer a priori et source de surprises douloureuses).
— MISE EN ŒUVRE RAPIDE, compte tenu des procédures standardisées.
— RAPIDITÉ DE RÉALISATION SUR LE TERRAIN.
— FACILITÉ DE MISE EN ŒUVRE PAR L'ENQUÊTEUR.

Ces arguments ont peu de prise sur un client qui a beaucoup d'argent et qui n'est pas pressé de connaître les résultats du sondage. Heureusement les échantillons par quotas présentent d'autres avantages.

— Il n'a jamais été démontré qu'un échantillon par quotas aboutissait à des résultats très différents d'un sondage par tirage aléatoire. Les écarts sont faibles. En l'occurrence, l'exigence d'une plus grande précision et la satisfaction d'un travail dit scientifique se payent très chers.

— Les sondages par quotas, réalisés selon des normes régulièrement respectées, enregistrent des résultats fidèles. Une balance classique est rarement juste : on lui demande d'être fidèle. C'est le cas des sondages par quotas quand un minimum de précautions sont prises :

  — homogénéité dans la préparation du plan de sondage ;
  — statistiques de référence détaillées ;
  — qualification suffisante des enquêteurs ;
  — examen a posteriori des biais observés.

Les études périodiques à sujets multiples, conçues sur le même modèle quant à la taille de l'échantillon, sa répartition, sa structure interne, m'ont permis d'améliorer l'outil au fil des années. L'examen sur pièces de plus de 800 sondages de ce type, entre 1958 et 1986, m'ont conforté dans l'idée que :

— Sous réserve de certaines modalités d'exécution, un échantillon par quotas est d'une remarquable fidélité. J'ai, à maintes occasions, rassuré des clients étonnés de la variabilité des résultats d'une étude à l'autre. La variabilité des résultats, en apparence surprenante, a le plus souvent d'autres causes que les fluctuations d'échantillonnage : modification dans le texte des questions, contexte concurrentiel etc.

— L'accumulation d'une série de sondages économiques fournit la matière à la constitution d'échantillons de populations spécifiques, soit par recueil d'adresses, soit en vue de l'établissement de quotas spécifiques. Il ne faut pas toutefois demander à l'instrument plus qu'il ne peut produire. On ne constituera pas un échantillon représentatif d'évêques, de notaires etc. en répétant une série de sondages par quotas.

— UN ÉCHANTILLON PAR QUOTAS OFFRE LA POSSIBILITÉ DE TAUX DE SONDAGE VARIABLES en vue de sur-représenter certains groupes pour disposer d'un nombre suffisant d'interviews ou d'en sous-représenter d'autres. Il est classique d'augmenter arbitrairement dans un échantillon par quotas la proportion :

— des jeunes de 15 à 17 ans ou de 18 à 24 ans,
— des cadres,
— des hommes ou des femmes,
— des habitants d'une région etc.

L'interprétation des résultats de ces groupes s'appuiera sur un nombre suffisant d'interviews ; leur poids réel sera rétabli lors du redressement de l'échantillon, en vue d'assurer la représentativité des résultats de l'ensemble.

La sous-représentation des ruraux, des personnes âgées de plus de 65 ans etc. est également possible.

Un sondage aléatoire par tirage sur une liste de noms n'offre pas cette possibilité. L'ambiguïté créée par certains prénoms, l'ignorance de l'âge le plus souvent, la méconnaissance de la taille de l'unité urbaine compliquent la réalisation d'échantillons aléatoires à taux de sondage variables. Il faut exagérément augmenter la taille de l'échantillon pour disposer d'un nombre d'interviews suffisant dans les groupes minoritaires.

4. Les modalités de réalisation d'un échantillon par quotas

La facilité de mise en chantier d'un échantillon par quotas engendre des abus. Sous le couvert d'une maquette à l'image de la population d'ensemble, certains praticiens ignorent les règles de base de la réalisation d'un sondage :

— L'échantillonnage par quotas est le substitut d'un échantillon par tirage aléatoire, quand ce dernier n'est pas réalisable. En choisissant l'échantillonnage par quotas, on tendra à simuler autant que possible les règles de l'échantillonnage aléatoire.
— Un sondage par tirage aléatoire à deux degrés ou en grappes de 10 interviews chacune présentera la caractéristique suivante : Chaque grappe de 10 interviews correspond à un taux de sondage uniforme. La grappe représente soit un quartier d'une ville, soit une ville entière ou encore un ensemble de communes rurales d'un canton ou d'un groupe de cantons peu peuplés.
— Le tirage au sort assure une représentativité convenable de l'ensemble des grappes d'une région en ce qui concerne la structure socio-démographique de la population.

Par voie de conséquence, un échantillon par quotas doit ressembler quant à sa répartition géographique à un échantillon aléatoire. Le choix de l'enquêteur lors de la réalisation de ses interviews est limité.

En prenant comme exemple la réalisation d'un sondage par quotas auprès de 2.000 personnes âgées de 15 ans et plus, j'énumère ci-dessous les conditions nécessaires à la satisfaction des critères de qualité et de rigueur.

a) DÉFINIR LA STRUCTURE SOCIO-DÉMOGRAPHIQUE DE LA POPU-LATION DE RÉFÉRENCE. Elle est issue des résultats du recensement général de la population. On disposera ainsi de la maquette d'ensemble : répartition de la population par sexe x âge, sexe x activité, sexe x profession du chef de ménage, habitat (tailles de communes ou d'unités urbaines), région. Cette maquette servira de base au redressement éventuel de l'échantillon observé.

b) ÉTABLIR AUTANT DE MAQUETTES QUE DE RÉGIONS. Ma préférence est en faveur d'un découpage du territoire français en 22 régions de programme. On établit ainsi la structure socio-démographique de chaque région (sexe, âge, profession du chef de ménage, individus de plus de 15 ans actifs ou inactifs, répartition de la population par département et tranches d'unités urbaines).

c) SÉLECTION DE COMMUNES ET DE QUARTIERS. A l'image d'un sondage aléatoire de 200 grappes de 10 interviews on sélectionnera deux cents points d'enquête, les unités urbaines importantes justifieront de plusieurs points d'enquête. L'unité urbaine parisienne qui regroupe environ 18 % de la population française des plus de 15 ans, des ménages ordinaires (voir ci-après le chapitre sur les sources statistiques des sondages) bénéficiera de 36 points d'enquête répartis dans Paris et les communes de l'unité urbaine (plus de 250).

Si le sondage est unique, on procédera à un tirage au sort des points d'enquête, chacun regroupant une population d'importance égale.

Si, en revanche, ce sondage est répété à de nombreuses reprises, un échantillon-maître de points d'enquête est utilisé.

Cet échantillon-maître a les caractéristiques suivantes :

— Chacune des régions de programme figure dans l'échantillon selon son poids.

— Sur un total de 95 départements, 85 au moins prennent place dans l'échantillon-maître. Des départements peu peuplés, tels que la Lozère, les Hautes Alpes, les Alpes de Haute Provence, la Creuse

et quelques autres, ne sont pas représentés. Je doute que certains d'entre eux figureraient dans un sondage aléatoire de 200 grappes de 10 interviews. Le taux de sondage 2.000/40.000.000 de personnes, âgées de 15 ans et plus, conduit à ignorer certains départements de moins de 200.000 personnes âgées de 15 ans et plus. Le département de la Lozère bénéficierait en fait de 2 interviews au maximum.
— Cet échantillon-maître doit rendre compte dans chaque région de la répartition de la population grâce à une sélection judicieuse des unités urbaines et des cantons ruraux.

d) PRÉPARATION DES PLANS DE TRAVAIL DES ENQUÊTEURS. Le sondage auprès de 2.000 personnes sera effectué par 200 enquêteurs ayant chacun 10 interviews à réaliser dans des communes ou quartiers imposés. Dans le milieu rural (moins de 2.000 habitants), l'enquêteur répartira ses 10 interviews sur 2 ou 3 communes.

Chaque enquêteur dispose d'un plan de travail de 10 interviews. Ce plan précise : le nombre de personnes à interroger selon le sexe, l'âge (4 à 5 groupes), le fait que la personne interrogée est active ou inactive, la profession du chef de ménage (5 à 6 groupes), le type d'habitat et la commune (ou la série de communes) ou le quartier d'une ville.

De même que l'on a préparé pour une longue série d'études un échantillon-maître de points d'enquête, on établit une série de répartitions de plans de travail types, dont le regroupement reconstitue la structure de la population d'une région. Par exéprience une dizaine de plans-types suffisent.

Dans l'établissement des plans-types de 10 interviews plusieurs précautions s'imposent :
— nombre de femmes ou d'hommes compris entre 4 et 6,
— nombre de personnes âgées de 65 ans et plus en relation avec le nombre de personnes d'un ménage dont le chef est inactif,
— nombre de femmes actives compris entre 2 et 3 en comparaison avec le nombre de femmes à interroger au total soit 4, 5 ou 6.

Il est commode de préparer à l'avance une série de plans-types de 5, 10, 20 interviews pour des univers tels que : hommes et femmes de 15 ans et plus, de 18 ans et plus ; hommes seulement ; femmes seulement ; chefs de ménage ; maîtresses de maison etc. Pour chaque sondage standard on connaît dans chaque région le nombre de plans-types à reproduire en fonction de la taille de l'échantillon.

La pratique de l'échantillon-maître, des plans de travail types permet la mise en place d'un sondage national par quotas et la préparation du travail de chaque enquêteur en quelques heures. On est assuré d'une fidélité dans la répartition de l'échantillon et d'un prix de revient minimum. A l'évidence, celui qui réalise un sondage similaire, une fois par an ou moins souvent, investit beaucoup de temps et d'argent dans la préparation du plan d'échantillonnage. Je rejette toute idée de sondages nationaux par quotas auprès de 1 000 ou de 2 000 personnes préparés à la hâte, chaque enquêteur devant réaliser 40 à 50 interviews, le nombre de points d'enquête étant réduit à quelques dizaines.

Les études régionales ou locales sont réalisées selon les mêmes principes : répartition géographique des interviews dans de multiples points, utilisation de plans-types dont la plupart sont issus des sondages nationaux.

e) LE TRAVAIL DE L'ENQUÊTEUR SUR LE TERRAIN. L'enquêteur réalise ses interviews dans la zone définie par son plan de travail. Dans les différents manuels que j'ai préparés je définissais plusieurs règles afin de limiter les possibilités de choix de l'enquêteur :

— Parcourir le quartier ou la commune comme s'il s'agissait d'un cheminement au hasard.

— Pas plus d'une interview par immeuble ou par escalier dans le cas d'un grand ensemble et de toute façon jamais 10 interviews dans un seul grand ensemble.

— Une interview au maximum par groupe de cinq maisons individuelles.

— Ne jamais se présenter dans un logement où on a déjà réalisé une interview même si les occupants actuels viennent d'emménager.

— Jamais plus d'une interview par ménage (sauf si l'étude exige l'interview d'un couple).

Doit-on imposer à un enquêteur le respect intégral des quotas de son plan de travail ? Ma réponse est négative : je ne suis pas partisan de la conformité de la dernière interview avec le plan de travail imposé. Je délivre l'enquêteur de l'obsession du dernier quota qui constitue une invitation à tricher soit en modifiant l'âge de la personne consultée ou sa profession, soit en interrogeant les parents ou voisins de certains interviewés en s'aidant de leurs conseils. J'accepte des écarts de 1 ou 2 interviews par rapport à la structure du plan de travail. Le cheminement au hasard que je préconise se marie mal avec le respect intégral du plan de travail. Les distorsions constatées sur un effectif de 200 enquêteurs se compensent dans la grande majorité des cas.

5. Le contrôle a posteriori du respect des quotas

L'acceptation d'une légère distorsion du plan de travail ne dispense pas d'un contrôle a posteriori de la mission d'un enquêteur. La saisie du numéro d'identification de l'enquêteur offre pour chaque sondage la possibilité d'analyser le respect du plan de travail.

Le programme de dépouillement informatique permet de déceler les enquêteurs qui ont :
- interrogé 8 femmes et 2 hommes,
- ignoré les personnes âgées,
- ignoré le quota agriculteurs dans les communes rurales etc.

Une surveillance systématique du travail de chacun permet de mettre en garde les enquêteurs qui prennent trop de liberté dans la réalisation de leurs interviews (pour de plus amples détails voir le chapitre : Le contrôle des enquêteurs).

6. Quelques applications des échantillons par quotas

Tout sondage dont l'univers de référence est la population des ménages ordinaires pose peu de problèmes, qu'il s'agisse de sondages nationaux, régionaux ou locaux. L'INSEE dispose de l'information statistique.

Il n'en va pas de même lorsque l'univers du sondage est un sous-ensemble de la population mère. Des statistiques détaillées ne sont pas toujours disponibles. On doit parfois se contenter d'une structure d'ensemble, sans répartition fiable à l'intérieur des régions. Je cite quelques exemples où la structure de la population est mal connue :
- Sondage par quotas auprès d'automobilistes : les statistiques disponibles (relatives au sexe, à l'âge, à la profession, à l'habitat, à la région) sont en fait issues du cumul de plusieurs sondages. Il n'en va pas de même lorsque l'univers de référence concerne, non plus l'ensemble des automobilistes, mais les seuls acheteurs récents. Dans ce cas, la plupart des constructeurs de voitures disposent des données de base.
- Sondage auprès des porteurs de lunettes : là encore la structure de la population sera issue de plusieurs sondages successifs.
- Sondage auprès des étudiants : le ministère de l'Éducation Nationale diffuse chaque année un annuaire dans lequel sont réperto-

riés les effectifs des élèves et étudiants fréquentant différents types d'établissements d'enseignement. Malheureusement ces statistiques n'apportent pas d'information sur le milieu social des élèves et étudiants, ni sur la localisation de leur domicile. Obtenir une liste de la population des élèves et étudiants est du domaine de l'impossible. De plus, les statistiques de l'Éducation Nationale enregistrent des inscriptions et non des individus. Un étudiant peut figurer sur plusieurs listes, celle de la grande école qu'il fréquente et celle de la faculté où il s'est inscrit. Cet état de fait ne peut être connu qu'a posteriori, lors du dépouillement du sondage.

La représentativité d'un échantillon par quotas ou sur liste d'élèves ou d'étudiants est le plus souvent sujette à caution. Quelles consignes donner aux enquêteurs ? Le porte-à-porte s'avère vain. Quelle proportion adopter quant au lieu d'hébergement ? Chez les parents, en ville, dans les cités universitaires ou les foyers d'étudiants etc. ? Les interviews dans la rue, dans les cafés proches des établissements d'enseignement touchent un milieu dont la représentativité ne peut être assurée.

Je laisse au lecteur le soin d'imaginer d'autres exemples qui se prêtent mal à la constitution d'échantillons représentatifs quelle que soit la méthode d'échantillonnage préconisée. Je pourrais citer des dizaines et des dizaines d'exemples qui tous ont fait l'objet de demandes réelles et sont traités tant bien que mal. Je me rassure en dispersant au maximum les points d'enquête.

Bannir le sondage par quotas est une chose, renoncer à de nombreuses demandes en est une autre. Les ouvrages consacrés aux sondages et qui tiennent à garder un caractère scientifique se gardent bien d'évoquer la multitude des problèmes relevant des études d'opinion publique ou de marchés.

Sur une autre planète, la théorie des sondages est peut-être applicable dans toute sa rigueur, sur la terre c'est rarement le cas.

2e PARTIE
RECUEIL DES DONNÉES
ET QUESTIONNAIRES

1re SECTION
LES DIFFÉRENTES FORMES DE RECUEIL
DES DONNÉES

1. L'ART DU QUESTIONNAIRE

Stanley Payne est l'auteur d'un ouvrage classique, édité pour la première fois en 1951, ''The Art of Asking Questions'' (Princeton University Press). La dernière édition de ce livre a été préfacée par George Horace Gallup, quelques années avant sa mort survenue en 1984. Il a consacré soixante années de sa vie à l'étude des sondages. Ses premières recherches l'ont orienté vers les études d'efficacité de la publicité, à l'époque (dans années 1920) où Daniel Starch mettait au point les questionnaires de ''readership'' de la publicité (lecture et souvenir de la publicité). La collection, ''The Gallup Polls'', neuf volumes couvrant la période 1935-1981, regroupe des milliers de questions et de résultats issus des travaux de l'American Institute of Public Opinion, plus souvent connu sous le nom de Gallup Poll ou d'Institut Gallup.

J'extrais dans les pages qui suivent quelques lignes de la préface de l'édition de 1980 du livre de Stanley Payne, dans laquelle Gallup constate avec amertume une dégradation dans l'art de créer un questionnaire. S'agissant du questionnaire, les mots ''art'' et ''artistic'' sont évoqués dans les textes américains. L'ouvrage édité par Jean Converse et Stanley Presser en novembre 1986, ''Survey questions. Handcrafting the standardized questionnaire'' permet de lever l'ambiguïté sur la notion d'art. Ces auteurs emploient les termes ''Handcrafting'' (travail manuel) ou ''The tools at hand'' (les outils en mains) ou encore ''The polishing pretest'' qui traduisent le souci d'insister sur le caractère artisanal et non artistique ou scientifique de la confection d'un questionnaire. Deroo et Dussaix dans leur ouvrage sur la pratique des sondages donnent une large place aux outils statistiques au service des sondages et semblent regretter l'absence d'une théorie du questionnaire.

La réalisation d'un questionnaire est un travail d'artisan. Tout travail artisanal exige un minimum de règles ou de normes, de tours de main, d'expérience, sans que l'on puisse mesurer la part de ces différents éléments. L'expérience ne suffit pas, loin de là ! Elle permet à cer-

64

tains de s'adapter et d'éviter les errements du passé, à d'autres de se scléroser.

La finalité d'un questionnaire de sondage est de répondre à son objet : le problème posé. Ceci sous-entend une formulation conçue en vue d'atteindre l'objectif assigné, admise et comprise du public consulté. L'apparition de nouveaux outils statistiques, grâce à la capacité croissante des ordinateurs et à la création de logiciels d'analyse statistique, a modifié le paysage. L'objectif du sondage demeure inchangé ; en revanche, la volonté, a priori, d'introduire dans le traitement une analyse sophistiquée conduit à l'administration d'un long questionnaire comprenant plusieurs centaines de points d'interrogation. Le souci d'un traitement élaboré, peu coûteux, l'emporte sur la nécessité d'adapter le questionnaire aux possibilités d'acceptation et de compréhension du public.

Dans les chapitres consacrés à l'élaboration du questionnaire, fruits de mon expérience, j'essaierai d'attirer l'attention sur les multiples ''outils'' et ''matériaux'' disponibles. Les écrits auxquels je me réfère viennent tantôt à l'appui de ce que je suggère, tantôt en contradiction avec ce que je conseille. Mon objectif est de sensibiliser le lecteur aux multiples aspects du questionnaire de sondages, de l'inciter à réfléchir. Lors de la rédaction de chaque question ou groupe de questions on vérifiera si :

— La question contribue à l'objectif de l'étude, directement ou indirectement.
— La question est suffisamment claire et précise pour être administrée en l'état, sans commentaire ou explication.
— La question est adaptée à la forme de recueil choisie.
— La question se prête à un traitement facile (codification, saisie, dépouillement, analyse des données).

Plusieurs chapitres sont consacrés à l'étude des formes du recueil des données et du questionnaire. Je pouvais, sans grand effort, multiplier le nombre des chapitres.

J'ai limité le nombre des sujets traités en m'orientant vers des problèmes dont la solution n'est pas toujours satisfaisante et fait l'objet de controverses. Les solutions que je propose ne sont jamais issues d'expérimentations en laboratoires. Chaque exemple, chaque solution suggérée, est le fruit du travail de tous les jours. On ne trouvera dans cet ouvrage aucune trace de travaux que je n'aurais pas exécutés ou dirigés moi-même. Sont restées dans l'ombre, ou sommairement décrites, les formes de recueil des données que je n'ai pas ou

que j'ai peu utilisées, d'où l'absence de toute évocation des interviews cliniques, des interviews non directives, des entretiens semi-
directifs, des tables rondes ou réunions de groupes, du jeu d'entreprise ou jeu de rôles, de la méthode Delphi, etc... qui, de toute façon
ne relèvent pas du domaine des sondages.

2. LES DIFFÉRENTES FORMES DE RECUEIL DES DONNÉES

Les expressions : recueil des données, saisie et traitement des données, banque de données, base de données, analyse des données, font partie du langage habituel du chargé d'études et de l'informaticien. Le statisticien usera du terme ''unité statistique'', l'Anglais ou l'Américain emploiera le mot ''data'' (data base, data bank, research data etc.).

La forme populaire du recueil des données par sondage repose sur l'interview : un dialogue entre un enquêteur et un enquêté. En réalité, depuis plus d'un siècle, on a eu recours à différentes formes de consultation du public. J'en ai retenu une dizaine.

1. Les données, sous-produits de documents administratifs, commerciaux etc.

Les bons de livraison sélectionnés par sondage dans une entreprise, permettent de déceler l'importance du marché pour des produits dont la destination est mal connue (voir chapitre relatif aux études de marchés dans l'industrie).

Les bons de caisse et leur contenu servent à l'étude du marché des magasins et des rayons de ces magasins.

L'analyse par sondage (échantillon de bureaux de vote) des listes électorales permet de dresser le profil ''sexe et âge'' des électeurs et des abstentionnistes.

L'analyse du contenu des messages publicitaires, dans la presse, à la radio, à la télévision, permet une évaluation du marché publicitaire par secteur d'activité, par produit, par producteur ou vendeur. L'analyse des ventes est le préalable à toute étude de marché.

Je ne citerai qu'un seul exemple : un fabricant français de matériel frigorifique destiné au commerce de détail, aux restaurants, aux collectivités etc., se proposait de prospecter le marché allemand. Il souhaitait disposer d'une étude de ce dernier. Avant de satisfaire sa demande, un de mes collègues lui a demandé de décrire le contenu de sa clientèle en France. Il ne disposait pas d'analyse précise de ses ventes : répartition des installations par secteur d'activité, taux de pénétration de ses produits, secteur par secteur, par référence aux statistiques issues du fichier des établissements industriels et commerciaux de l'INSEE. On a prélevé par sondage plusieurs milliers de fiches-clients qui, saisies sur cartes perforées, à cette époque, ont fait l'objet d'une analyse du marché français, avant d'étudier le marché allemand.

L'analyse de l'adresse des clients relevée sur les chèques permet d'établir la zone de chalandise d'un point de vente, en formulant l'hypothèse que le paiement en espèces ou par carte bancaire n'est pas spécifique d'un ou de plusieurs quartiers.

2. Les études d'observation et de comptage

L'observation est un mode de recueil des données d'étude de marchés souvent négligé.

Dans les années 60, la société Boussac confiait à un groupe d'enquêteurs le soin d'observer et de noter, sur un document préparé à l'avance, la manière dont les femmes étaient habillées selon les saisons, ceci dans de multiples lieux répartis sur l'ensemble de la France.

Un chapitre spécial sera consacré aux études d'observation dans des domaines où l'interview, quelle que soit sa forme, ne fournit pas de renseignements précis et fidèles.

La recherche des meilleurs supports d'affichage s'appuie sur des comptages de voitures ou de piétons.

3. Les études par correspondance (questionnaire auto-administré à domicile)

C'est la forme originelle des études de marchés. Elle date de plus d'un siècle aux États-Unis, où les associations de consommateurs exerçaient déjà leur activité. Dans les années 30, on dénombrait plusieurs centaines de journaux ou revues de ces associations. Les études par correspondance, sur les goûts et opinions des consommateurs, avaient pris le nom de "consumers jurys studies". Les "straw votes" (votes de paille) étaient aussi le fait de certaines revues à grande diffusion, études par correspondance auprès des électeurs potentiels, avant les grandes consultations électorales.

Les travaux de George Gallup, le plus connu, mais aussi d'Elmo Roper et d'Archibald Crossley, lors de la première réélection de Franklin Delano Roosevelt, sur la base de sondages auprès de quelques milliers de personnes, ont sonné le glas des études par correspondance à grande échelle pour évaluer les chances des différents candidats à une élection. Néanmoins, les consultations par correspondance continuent d'être utilisées dans le domaine des études de marchés ; le prix de revient est jugé plus important que la représentativité des résultats.

4. Le questionnaire auto-administré en salle

Les personnes consultées sur leur lieu de travail ou d'études, au cours de la visite d'un salon ou d'une exposition, ou recrutées spécialement, sont invitées à "remplir" un questionnaire sans l'intervention d'un enquêteur. Cette forme de recueil est objective, sous réserve que la représentativité de l'échantillon ait été préservée et que l'on ait pris un certain nombre de précautions, quant à la présentation du questionnaire (voir chapitre : Le questionnaire auto-administré en salle).

5. Les questionnaires distribués de la main à la main et récupérés par correspondance ou dans des lieux prévus à l'avance

Forme de recueil dérivée de l'étude par correspondance, à ceci près qu'on ne dispose pas de la liste nominative de la population consultée. Elle est le fait des sociétés de transports (air, chemin de fer, autobus).

6. Les questionnaires par interview en tête-à-tête

Il n'est pas nécessaire de développer ici cette forme de recueil, inséparable dans l'esprit du public de la notion du sondage. Elle fait l'objet de nombreux chapitres.

7. Les interviews par téléphone

Un chapitre spécial leur est consacré. Ce type de recueil, en développement constant, est d'une pratique quasi exclusive aux États-Unis.

8. Les panels

Consultation régulière d'un échantillon initial soit par :
— interview en tête-à-tête,
— interview par téléphone,
— consultation par correspondance.

9. Recueil mixte

Interview en tête-à-tête complétée par un questionnaire auto-administré, récupéré en mains propres ou réexpédié par la poste. La longueur du questionnaire justifie cette approche.

10. Les formes nouvelles de recueil des données : Télématique et ordinateur

Nous entrons dans un domaine relativement récent où l'électronique est reine ; papier et crayon n'ont plus leur place.

LES AUDIMÈTRES. Utilisés dès 1950 par la société Nielsen, aux États-Unis, pour mesurer l'audience des chaînes de radio. Il s'agit d'appareils automatiques enregistrant, d'une manière continue, le branchement d'un récepteur (de radio d'abord, de télévision ensuite) sur une station émettrice ou sur aucune. Produisant jadis une bande imprimée récupérée périodiquement, ou transmettant aujourd'hui directement à un centre serveur (ordinateur central), ces appareils ne permettent pas d'identifier l'auditeur ou le téléspectateur. Comme disait Roger Veillé, un des premiers directeurs du service des études de la RTF : ''L'audimètre enregistre l'écoute du chien, la famille est dans le jardin''. L'audimètre, instrument précis d'enregistrement, doit être complété par une autre forme de recueil individuel : journal d'écoute, ou début et fin d'écoute individuelle signalés en actionnant un commutateur personnel relié à l'audimètre etc.

LA CONSULTATION SUR ÉCRAN. Le système C.A.T.I. (Computer Assisted Telephone Interviewing) très répandu aux États-Unis en 1987, et en voie d'expansion en Europe, notamment en France, est en fait une aide à l'enquêteur réalisant une interview par téléphone. La personne interrogée n'est pas impliquée dans la procédure. Les caractéristiques essentielles du système C.A.T.I. sont les suivantes :

1. Sélection automatique et au hasard de l'échantillon.
2. Appel et rappel automatiques des abonnés au téléphone, sans intervention humaine.
3. Défilement sur écran du questionnaire, avec choix des questions utiles en fonction des réponses aux questions précédentes.
4. Enregistrement des réponses sur clavier.
5. Transfert, immédiat ou différé des réponses sur ordinateur à des fins de comptage ou de traitement statistique.

La consultation sur écran prend tout son sens quand la personne consultée dispose elle-même d'un clavier et d'un écran et répond directement au questionnaire qui défile devant ses yeux. En 1987, en France, ce type de recueil est peu développé.

La consultation par ''Minitel'' souffre de trois inconvénients majeurs :

1. Le parc de minitels est peu développé en 1987. Quelques millions de foyers équipés sur un total de plus de vingt millions : la représentativité des sondages n'est pas assurée.
2. Il faut au préalable avertir la personne à interroger, soit par lettre, soit par téléphone, du moment où elle devra brancher son minitel. L'affichage, sur écran ou imprimante, des foyers défaillants contraint à rappeler à l'ordre des retardataires.
3. Comme dans toute interview sans témoin (à l'image de l'étude par correspondance) on ignore qui répond : la personne souhaitée, plusieurs personnes se consultant etc.

Quoiqu'il en soit, la formule d'avenir est celle qui consiste à installer dans des foyers (selon un plan d'échantillon précis) un système bidirectionnel par lequel un opérateur entre directement en contact avec la personne interrogée, alertée par un signal sonore ou l'éclairage de son écran, en vue d'une consultation immédiate ou programmée. Les réponses sont soit transmises en temps réel, soit stockées provisoirement.

Il est difficile de prévoir quand cette forme de consultation et de recueil aura un développement suffisant, pour supplanter l'interview en tête-à-tête ou par téléphone avec ou sans système C.A.T.I.

Elle est cependant pleine de promesses. Les interviews par téléphone souffrent actuellement de lacunes majeures :

— impossibilité d'utiliser des dessins et reproductions d'annonces publicitaires, de films ou d'extraits de films publicitaires.
— difficulté d'utiliser des questions entraînant un choix ou un classement entre une série d'éventualités.

L'identité réelle du répondant reste un obstacle (sauf développement du téléphone avec visualisation de l'interlocuteur).

Ce système est particulièrement bien adapté aux études de panels (particuliers, exploitants agricoles, entreprises). La nécessité de déplacer le matériel d'un foyer à l'autre est une contrainte coûteuse lors de la réalisation de sondages ponctuels.

3. LE ''JEU'' DU QUESTIONNAIRE

Commençons par quelques citations de divers auteurs évoquant la préparation d'un questionnaire d'étude par sondage.

JEAN M. CONVERSE et STANLEY PRESSER, Survey Questions. Handcrafting the Standardized Questionnaire (Sage Publications, novembre 1986, 1ere éd.) :

''Trente-cinq ans se sont écoulés depuis la dernière édition de l'ouvrage devenu classique de Stanley Payne : The art of asking questions. Le présent ouvrage est un digne héritier de Payne. Il partage son point de vue, à savoir que la formulation des questions doit être guidée non seulement par l'intuition et l'expérience, mais aussi par une expérimentation rigoureuse'' (extrait de l'introduction de l'éditeur de la collection).

''Ce livre pose comme prémices que les sondages sont habituellement effectués en vue d'objectifs précis. Ce n'est pas désobligeant de toujours dire que formuler des questions est simplement un art. C'est vrai, mais il y a aussi quelques lignes directrices qui ont émergé de l'expérience artisanale et de la recherche collective.''

ALFRED SAUVY dans la revue L'Économie du 27 novembre 1972 :

''Toutes les règles qui président à l'établissement du questionnaire sont issues de la double nécessité suivante : trouver les questions qu'il faut poser pour résoudre le problème d'étude de marché qui se pose, les formuler et les organiser en questionnaire, de telle sorte que les enquêtés soient dans les meilleures conditions pour exprimer avec précision les informations que l'on attend d'eux. Quel que soit le thème de l'enquête, il faut le présenter de manière à ce que l'enquêté y trouve un intérêt, même si l'on doit, pour obtenir cela, rajouter des questions qui n'ont pas ou ont très peu d'intérêt pour l'objet de l'étude''.

JEAN STOETZEL et ALAIN GIRARD, Les Sondages d'opinion publique (Collection SUP, P.U.F., 1973) :

''De grandes difficultés se présentent pour construire un questionnaire valide et fidèle. Il n'existe pas de règle absolue, encore moins de recette. L'art, appuyé sur le savoir et sur une longue pratique, demeure un guide indispensable''.

MARC DEROO et ANNE-MARIE DUSSAIX, Pratique et analyse des enquêtes par sondage (P.U.F., 1980) :

''On peut parfois redresser les résultats d'une enquête si l'échantillon, pour des raisons diverses, n'a pu être exploité comme il avait été prévu de le faire ; en revanche, il paraît impossible, à moins de tout recommencer, de corriger les résultats fournis par une mauvaise question : il existe une théorie mathématique de l'échantillonnage, il n'existe aucune théorie de la mise en forme d'un questionnaire.

STANLEY PAYNE, The art of asking questions (Sage Publications, réédition de 1980) : J'extrais l'avant-propos de George Gallup :

''Payne souligne l'importance de la formulation des questions en montrant qu'une différence de formulation peut entraîner des écarts de 20 % ou davantage ; différentes procédures d'échantillonnage donnent des résultats dont les écarts atteignent rarement la moitié du montant évoqué ci-dessus.''

Dans ce même avant-propos, George Gallup ajoute :

''Il y a un léger doute dans mon esprit quant au fait que les futurs professionnels du sondage apporteront autant d'attention à la formulation des questions que dans le passé. Quand des organismes de sondage réputés publient des résultats sur le comportement, les attitudes, opinions qui varient largement, la validité de l'ensemble de la procédure du sondage est contestable.''

Je pourrais multiplier à satiété ce type de citations. Quels enseignements en tirer ?

1. La construction d'un questionnaire est un art. Il y a ''art'' et ''art''. Dans le cas présent, l'art en question relève de l'œuvre d'un artisan et non d'un artiste.
2. Il n'y a pas de théorie de la mise en forme du questionnaire. Les mots : intuition, expérience, savoir-faire, tour de main, expérimentation, reviennent sous la plume de différents auteurs. S'il s'agit d'universitaires participant d'une manière épisodique ou d'assez loin au travail de tous les jours des instituts de sondages, l'expression ''expérimentation rigoureuse préalable'', ou ''réalisation de tests multiples'' prend de l'importance. S'il s'agit de professionnels, ''sur le tas'', le savoir-faire et l'expérience sont des mots clés. Les uns et les autres ont à la fois raison et tort. Un questionnaire est une mosaïque, un ensemble plus ou moins logique de questions. Les expérimentations relatives à l'ordre des questions ou des mots à l'intérieur d'une question, à l'incompréhension de certains mots ou expressions, à la meilleure procédure pour nuancer une opinion (note, hiérarchie des réponses, échelle de valeur etc.) sont parcellaires. L'expérience est souvent invoquée par les professionnels : ''cela fait dix ans que l'on pose cette question,

cela donne de bons résultats''. En effet, je ne connais pas de question sans résultat. A l'expérience, je préfère le savoir-faire initial enrichi par l'expérience.

3. Un questionnaire a un objet précis mais il doit être compris, ''de telle sorte que les enquêtés soient dans les meilleures conditions pour exprimer avec précision les informations que l'on attend d'eux'' (A. Sauvy). C'est un point fondamental sur lequel je m'appesantirai longuement et que je résume ainsi : le langage du consommateur est le plus souvent différent du langage du producteur.

4. George Gallup souligne le fait qu'une erreur dans la formulation des questions a plus d'incidence sur les résultats que le choix d'un échantillonnage.

Cette remarque est fondamentale. Des milliers d'ouvrages, d'articles, de colloques, plus particulièrement aux États-Unis, ont été consacrés à la statistique appliquée aux sondages (échantillonnage, tests de validité, analyse de données, etc.). On a mis au pilori certaines procédures d'échantillonnage dont l'usage a néanmoins confirmé le bien fondé, et on ne s'est pas suffisamment préoccupé de la fiabilité du questionnaire.

> ''Il y a un léger doute dans mon esprit, quant au fait que les futurs professionnels du sondage apporteront autant d'attention à la formulation des questions que dans le passé.'' (Gallup - 1980)

Pourquoi ? A l'ère des pionniers, l'usage des sondages était peu répandu, la préoccupation première était de se mettre à la portée de la personne interrogée, en utilisant des termes simples, immédiatement compréhensibles, car grande était la crainte d'essuyer de nombreux refus ou dérobades. Paul Nicolas, fondateur de la revue ''Vendre'' et inventeur de l'indice de richesse vive, écrivait dans un éditorial de sa revue, vers 1950 :

''Un questionnaire ne doit pas dépasser sept questions, il appartient à l'enquêteur de les apprendre par cœur, et de les introduire dans la conversation.''

Dès 1945, en France, on ne procédait pas ainsi, mais cela traduit l'appréhension avec laquelle on abordait un questionnaire et le soin que l'on mettait à sa préparation. Les choses ont bien évolué. Le souci, exagéré chez certains, d'aboutir avant tout à un traitement sophistiqué des données, fait oublier qu'en face d'un enquêteur, en tête-à-tête ou au téléphone, il y a une personne qui, pour répondre, a besoin de comprendre ce qu'on lui demande. Le jargon du journaliste, du producteur, du publiciste, du médecin, de l'économiste, etc. n'a pas sa place dans un questionnaire, même si ce dernier s'adresse à des professionnels au vocabulaire riche et varié. En décembre 1986, dans l'émission de télévision ''L'Enjeu'', à propos de la concurrence entre les différents matériaux utilisés dans le conditionnement et l'emballage, une courte séquence mettait en scène une enquêtrice sollicitant, d'une manière agressive et péremptoire, le choix d'une personne entre quatre formes de flacons : ''Quel type de packaging préférez-vous ?''

Faire un questionnaire c'est effectivement un jeu :

1. UN JEU POUR LES PÉDANTS, à la recherche de procédés originaux pour nuancer une attitude, une opinion, cerner une intention d'achat...
2. UN JEU POUR LE PLAISIR QU'IL PROCURE. Assister à une réunion de plusieurs personnes bâtissant un questionnaire procure du plaisir pour les participants : client et fournisseur de l'étude, mais aussi pour l'observateur.

— ''Ce n'est pas tout à fait dans le sujet, mais on pourrait ajouter cela...''
— ''Tiens, si on formulait cela comme cela... Qu'en pensez-vous ?''
— ''Vous avez tort, tout le monde connaît ce mot là''.

Expérience faite, l'élaboration d'un questionnaire en commun est effectivement une partie de plaisir, mais un plaisir douloureux :

— on y passe beaucoup de temps.
— on bute sur des obstacles : les difficultés de formulation, qui engendrent la nervosité et les conflits de personnes et aboutissent à : ''Bon, on reverra cette question plus tard''.
— le plaisir douloureux est ressenti en fin de séance, par le jeune chargé d'études qui n'a pas ou a peu parlé et auquel on dit : ''Vous avez tout noté, vous remettrez tout cela en ordre.''

Un enseignement important à tirer de cette digression :

— Un questionnaire ne se ''fait'' pas en réunion. Le but de la réunion est d'énoncer un certain nombre de thèmes devant aboutir à la formulation des questions.

— La formulation est l'œuvre d'un homme seul, travaillant dans le calme, ayant à sa disposition la documentation appropriée relative à la formulation éprouvée de certaines questions ou au compte rendu d'études qualitatives.

— La première élaboration du questionnaire est soumise à une ou plusieurs personnes dont le rôle consistera :
  - à vérifier que le questionnaire répond bien à son objet.
  - à signaler les oublis, maladresses, etc.
  - à se mettre à la place de la personne interrogée et répondre elle-même au questionnaire.
  - à réfléchir aux problèmes de saisie et de traitement des données posés par le questionnaire.

L'auteur du questionnaire doit avoir ces différentes préoccupations, mais il est toujours utile de solliciter l'avis d'un collègue.

3. ''FAIRE'' UN QUESTIONNAIRE EST AUSSI UN JEU, PARCE QUE TOUT JEU A SES RÈGLES.

S'il est vrai qu'''il n'y a pas de règle absolue, encore moins de recettes, pour construire un questionnaire'', il n'en demeure pas moins comme l'écrivent Jean M. Converse et Stanley Presser, déjà cités, qu'il y a aussi ''quelques lignes directrices qui ont émergé de l'expérience artisanale et de la recherche collective''.

En fait, la création d'un questionnaire est soumise à un certain nombre de règles et l'utilisation de recettes ne doit pas être rejetée.

Parmi les règles qui régissent l'élaboration d'un questionnaire, et ceci fera l'objet des chapitres suivants, je citerai :

1. La prise de conscience du problème posé.
2. L'adaptation du questionnaire à la forme de recueil des données adoptée (autoadministré par correspondance, autoadministré en salle, interview en tête-à-tête dans la rue ou à domicile, interview par téléphone, document d'observation)
3. L'adaptation du questionnaire à la population consultée (l'échantillon). Ceci concerne le langage, la longueur du questionnaire, etc.
4. L'adaptation du questionnaire au personnel qui l'administre (l'enquêteur).
5. L'adaptation du questionnaire aux problèmes de saisie et de traitement des données.

Le lecteur, je l'espère, aura compris dès maintenant le sens de ma démarche. J'exposerai des règles, des façons de faire, fruits de mon expérience personnelle, mais aussi du savoir-faire et de l'expérience des autres. J'utiliserai aussi des recettes, qui, comme toutes recettes de cuisine, peuvent être modifiées, améliorées, ignorées. Dans certains cas mes recettes s'appuient sur une longue pratique, dans d'autres cas mes recettes ont eu peu souvent l'épreuve de feu. Les cas concrets examinés dans ce texte résultent d'un choix délibéré.

4. L'INFLUENCE DU QUESTIONNAIRE

Les tenants de l'interview libre, les champions de la question ouverte ont raison de dire que le questionnaire de sondage, à base de questions fermées, conditionne les personnes interrogées.

L'interview libre, rigoureusement non-directif et dont l'entrée en matière se résume à une seule question : ''Parlez-moi de la machine à laver. Dites-moi tout ce que cela évoque pour vous.'' est par hypothèse dénué de tout conditionnement, bien que la présence d'un interlocuteur peut conduire la personne interrogée à se mettre en valeur, à dissimuler ses pensées.

A partir du moment où un enquêteur énonce une série de questions ouvertes ou fermées, il place la personne interrogée dans une situation artificielle. Il lui demande de répondre à des questions qu'elle ne s'était peut-être jamais posées auparavant.

Le questionnaire apporte une information. L'exposé d'une liste de marques, de qualificatifs ou d'expressions définissant une image de marque ou une attitude, constitue un faisceau d'informations dont l'apport successif a une incidence sur le contenu des réponses, au fur et à mesure du déroulement de l'interview.

Sachant qu'on ne peut se résoudre à poser une seule question, il importe de prendre un minimum de précautions, soit pour éviter le conditionnement, soit, au contraire, pour le provoquer lorsque le sujet de l'étude entraîne une dissimulation des opinions ou du comportement réel.

On conseillera d'aller du GÉNÉRAL AU PARTICULIER par la procédure dite de l'entonnoir : commencer par des questions en apparence vagues pour aller progressivement dans le détail.

Les questions de notoriété ou celles qui permettent d'apprécier le niveau d'information de la personne interrogée précèdent les questions relatives au comportement, aux intentions ou aux prises de position.

De nombreux auteurs se sont penchés sur le problème de l'influence du questionnaire et de la non-adaptation des questions au niveau d'information des personnes interrogées. La revue américaine ''Public Opinion Quartely'', entre autres, fourmille d'articles sur le sujet, depuis une quarantaine d'années.

Certains ont proposé, expérience à l'appui, de faire précéder chaque question du préalable : ''Avez-vous une opinion sur... ?'' avant de solliciter l'opinion elle-même. Il s'est vite révélé que cette procédure encourageait certaines personnes à éluder la réponse à la question suivante.

D'autres auteurs ont conseillé d'accompagner chaque question d'un corollaire sur le niveau d'intérêt ou d'implication du répondant.

Dans les deux cas, il s'agit de procédures lourdes et fastidieuses. En revanche, s'agissant d'un questionnaire à contenu politique, il est conseillé de prévoir plusieurs questions, d'ordre général, destinées à mesurer le degré d'intérêt des personnes interrogées, pour tout ce qui touche au domaine politique.

Commencer l'interview par ''Dans quelle mesure êtes-vous intéressé par tout ce qui touche à la politique ?'' revient à ''donner des verges pour se faire battre''. On donne à la personne qui n'est pas intéressée par la politique l'occasion de rompre l'interview. Ce type de questions prend place à la fin du questionnaire.

Dans certains cas, le conditionnement progressif de la personne interrogée est utile dès qu'on aborde des sujets à propos desquels une partie du public rechigne à dire exactement ce qu'elle pense. J'ai à ce sujet un exemple précis.

Le sondage avait pour objet de connaître l'opinion des Français sur les différentes options des partis politiques dans des domaines aussi variés que la politique étrangère, la politique du gouvernement en place, l'opinion sur certaines personnalités, les problèmes sociaux et économiques, les différentes formes de sociétés, etc. En fin de questionnaire la personne interrogée donnait le contenu de son vote lors des dernières élections et ses intentions dans l'hypothèse de nouvelles élections. Alors que, traditionnellement, la déclaration du vote communiste était sous-estimée au profit du vote socialiste, on a eu la surprise de constater que le taux du vote communiste aux dernières élections était conforme aux résultats connus. Pendant près d'une demi-heure, la personne interrogée était soumise à un faisceau de questions dont les réponses conduisaient à deviner le sens de son option politique.

Dans le chapitre consacré aux sujets tabous j'aurai l'occasion de proposer l'utilisation du conditionnement progressif afin de cerner l'opinion ou le comportement réels du public consulté en évoquant souvent le comportement des autres avant de s'intéresser au comportement de la personne soumise à l'interview.

5. LE QUESTIONNAIRE AUTO-ADMINISTRÉ PAR CORRESPONDANCE

Je rappellerai que les études par correspondance ont plus de cent ans d'existence, à l'initiative des associations américaines de consommateurs. Leur représentativité statistique reste du domaine de l'incertain, eu égard au taux de réponse obtenu (rapport nombre de questionnaires expédiés/nombre de questionnaires reçus). Cet aspect est évoqué dans la partie consacrée à l'échantillonnage.

Les articles — d'origine essentiellement américaine — sur les études par correspondance sont particulièrement nombreux, bien qu'ils insistent davantage sur les procédures propres à améliorer le taux de rendement que sur le contenu du questionnaire. En me référant à une communication faite à Amsterdam en octobre 1973, j'ai l'occasion d'exprimer un point de vue quelque peu différent.

Dans la conclusion de son exposé, le conférencier déclare :

> *"Aussi à l'inverse d'une opinion fréquemment reçue, nous pensons que le niveau d'exigence requis pour concevoir et préparer un bon questionnaire de ce type est bien supérieur à celui nécessaire pour mettre au point un questionnaire de qualité équivalente posé par enquêteur."*...

> *"Mais les techniques ne sont pas vraiment différentes : le rôle de dernier verrou de sécurité que joue l'enquêteur n'étant plus rempli, rien ne peut plus être laissé au hasard ou traité avec à peu près."*

ou encore :

> *"Le chargé d'études doit approfondir ses analyses, aller plus loin dans sa réflexion, mais la technique mise en œuvre est la même dans les deux cas (interview par enquêteur ou par correspondance). D'ailleurs, il est peu d'exemples d'un bon questionnaire auto-administré qu'un enquêteur n'accepte de poser avec joie."*

J'ai introduit cet ouvrage en soulignant que la représentativité d'un sondage était sujette à trois biais possibles :
1. La représentativité de l'échantillon.
2. La forme du recueil des données.
3. Le document de recueil lui-même, le questionnaire.

Je suis étonné de lire qu'un questionnaire auto-administré par correspondance demande plus de soin dans sa formulation qu'un questionnaire posé oralement. Il évoque ''le verrou de sécurité que joue l'enquêteur'', ''sa joie à l'idée de poser un questionnaire à l'image du document auto-administré''. Cette prise de position est en contradiction avec les principes que j'ai toujours défendus. On doit consacrer autant de soin à un questionnaire posé oralement qu'à un questionnaire auto-administré. Le verrou de sécurité de l'enquêteur n'a pas sa raison d'être, car en cette matière, il n'y a pas un verrou, mais des verrous différents, compte tenu du nombre des enquêteurs participant à un sondage. Tout questionnaire, quelle que soit la forme de recueil doit être soigné, clair et précis, sans possibilité d'interprétations, d'explications, de procédures de sauvetage etc.

Ceci étant dit, un questionnaire auto-administré par correspondance est spécifique quant :

1. au contenu des questions et non à leur formulation ;
2. à la présentation.

1. Le contenu des questions propres à un questionnaire auto-administré par correspondance

Dans l'interview orale, la personne interrogée découvre le contenu du questionnaire au fur et à mesure qu'il est énoncé. En revanche, elle a tout loisir de parcourir l'ensemble du questionnaire reçu, avant de répondre à la première question. Ceci entraîne les conséquences suivantes :

— Impossibilité de prévoir une série de questions destinée à déceler le niveau d'information par des questions de plus en plus précises.
— Rejet, en général, des questions de notoriété ''Connaissez-vous ?'', ''Avez-vous entendu parler de ?''etc. En matière d'étude par correspondance, on ne sait jamais si une ou plusieurs personnes ont aidé celle qui a été sélectionnée. Il est parfois difficile d'éliminer la présence d'une tierce personne lors d'une interview en tête-à-tête, qu'en est-il alors dans le cas d'une étude par correspondance ? On ne le sait pas, on ne le saura jamais.
— Les questions relatives à des faits ou à des opinions constituent la matière essentielle du questionnaire auto-administré par correspondance. On évite les séries de questions traitant d'un même thème dans lesquelles chaque question donne des éléments d'information pour répondre à la suivante.

Il n'est pas nécessaire de développer davantage ces remarques on doit se souvenir avant tout d'une chose que : un questionnaire par correspondance a les plus grandes chances d'être lu ou parcouru avant qu'il y soit répondu. Le rédacteur du questionnaire en tiendra compte et veillera à ce que chaque question d'opinion soit indépendante non seulement de celles qui la précèdent, mais aussi de celles qui lui succèdent.

2. La présentation du questionnaire

Le questionnaire par correspondance est en général de présentation plus soignée qu'un questionnaire posé en tête-à-tête. Il est plus souvent imprimé que dactylographié, imprimé en deux couleurs, le texte est davantage aéré mais sans excès. J'avais pour habitude d'user de fioritures : encadrer chaque question d'un rectangle aux côtés arrondis. En revanche, d'une part pour limiter les frais d'affranchissement et d'autre part pour annihiler l'impression désagréable laissée par de nombreux feuillets, je n'hésite pas à conseiller l'impression des questions sur deux colonnes par page.

La notation des réponses aux questions fermées est faite par cerclage d'un chiffre-code. La manière de noter est indiquée en tête du questionnaire, en prenant comme exemple une question, sans rapport avec le contenu de l'étude. Certains auteurs, particulièrement scrupuleux, rechignent à utiliser des numéros de codes progressifs sous prétexte que l'énumération 1, 2, 3 etc suggère une hiérarchie préétablie. C'est faire peu de cas de la consistance de l'opinion de nos concitoyens.

On évitera le recours aux filtres en cascade et la présentation des questions sous forme de tableaux. Il est préférable d'ordonner les questions les unes derrière les autres, chaque fois que cela est possible. Je sais que les sociétés de panels de consommateurs recourent abondamment à la présentation de tableaux à remplir. Le cas est différent, les membres d'un panel, sollicités de répondre à intervalles réguliers, ont suivi un apprentissage.

En fin de questionnaire, il est recommandé de laisser un espace libre afin de donner à la personne qui répond l'occasion de faire des remarques personnelles.

Le questionnaire étant réputé anonyme on se dispensera de toute possibilité d'indentification a posteriori de la personne consultée. La présence d'un numéro d'ordre, discret ou peu discret, provoque des refus de répondre. On constate que le numéro a été soigneusement biffé ou découpé à l'aide de ciseaux.

En conclusion et pour ce qui concerne le questionnaire auto-administré par correspondance je rappellerai que :

1. Un questionnaire auto-administré ne demande ni plus ni moins de soin, quant à la formulation des questions, qu'un questionnaire destiné à une interview orale.
2. Certaines questions ne peuvent figurer dans une étude par correspondance : celles faisant appel à la connaissance, au contenu de messages publicitaires. Le répondant a toujours la possibilité de s'informer auprès de son entourage ou de consulter une documentation.
3. La présentation du questionnaire est particulièrement soignée. Comme dans un questionnaire posé oralement, le document nécessite le minimum d'instructions dans le corps du texte. Une succession d'instructions disséminées dans le questionnaire est l'indice d'un questionnaire mal conçu.

6. LE QUESTIONNAIRE AUTO-ADMINISTRÉ EN SALLE

J'ai consacré un exposé aux questionnaires auto-administrés en salle, lors d'un séminaire ESOMAR, à Amsterdam en 1973. Je n'ai pas l'intention de décrire à nouveau les multiples cas concrets d'utilisation du questionnaire auto-administré en salle, qui se révèle être la forme de recueil la plus objective, la moins entachée de biais : pas d'intervention d'un enquêteur, pas de tierce personne assistant à l'interview ou suggérant des réponses, comme cela est sans doute le cas dans une étude par correspondance. La personne consultée est seule devant un questionnaire, comme l'élève ou l'étudiant devant sa copie d'examen. Les enquêteurs présents jouent le rôle de personnel d'accueil et de surveillance. Les personnes interrogées sont réunies dans une salle sur leur lieu de travail ou d'études, ou recrutées et invitées à se présenter un jour donné pour répondre à un questionnaire dont ils ignorent le contenu, voire même l'objet. Comme dans tout sondage, la constitution de l'échantillon prend des formes variées. S'agissant d'élèves, de militaires, d'ouvriers, d'employés ou de cadres, sachant lire et écrire, la représentativité des échantillons est assurée, l'univers de référence est connu, le nombre des refus particulièrement faible. Les conditions sont différentes lorsqu'il y a recrutement et invitation à se présenter dans une salle : on n'est jamais sûr d'atteindre le nombre d'interviews souhaité.

Avant de rappeler les particularités du questionnaire, je donne quelques exemples de ce type de recueil :

— Élèves des classes de 4e des lycées et collèges français et de leurs homologues allemands répondant, pendant une heure de cours, à un questionnaire réalisé à la demande du comité franco-allemand de la jeunesse (années 60).
— Officiers supérieurs de l'armée française convoqués sur ordre, rassemblés dans différentes salles réparties sur l'ensemble du territoire français et de la zone d'occupation française en Allemagne, à la fin de la guerre d'Algérie, à un moment où se posait le problème de la reconversion d'un certain nombre d'officiers.
— Mineurs de fond de plusieurs bassins houillers, et répondant à un questionnaire relatif au problème de la reconversion professionnelle.
— Tests de produits en salle. Ces tests sont nombreux et fréquents, qu'il s'agisse d'évaluer les chances d'un nouveau modèle de voi-

ture, d'un produit d'alimentation, d'un appareil ménager etc. Les personnes recrutées se présentent à des heures différentes de la journée. Quelques enquêteurs se bornent à distribuer les questionnaires, à les récupérer et à veiller à interrompre toute conversation entre les participants. La pratique du test de produits en salle existe depuis plusieurs décennies.

Ce ne sont ici que quelques exemples. La procédure du questionnaire administré en salle trouve sa justification lorsqu'il s'agit de réaliser un sondage auprès de visiteurs d'un salon ou d'une exposition dont certains parlent anglais, allemand, italien, espagnol. L'enquêteur polyglotte est une espèce rare. J'ai utilisé cette forme de recueil des données lors de plusieurs sondages à la sortie du salon de l'agriculture en accord avec les organisateurs de cette manifestation (années 80). Le champ d'application de cette formule est très vaste elle est beaucoup utilisée par les transporteurs : compagnies d'aviation, S.N.C.F., métro, autobus etc, à ceci près que la personne consultée est généralement sans surveillance, d'où l'intervention éventuelle du voisin.

C'est à dessein que j'ai longuement évoqué une partie du champ d'application du questionnaire administré en salle, auquel on ne recourt pas suffisamment. Sauf dans le cas où il y a recrutement préalable, le recueil des données est particulièrement économique. De plus, l'ensemble du sondage peut être réalisé très rapidement avec un personnel en nombre réduit.

Je n'insisterai pas sur la formation spécifique de ce type de questionnaire ; il est à l'image du questionnaire auto-administré par correspondance.

La consultation présente les avantages suivants :

1. Les conditions d'interview sont identiques pour tous ; absence de biais dû à l'enquêteur et à l'intervention de tierces personnes.
2. Possibilité de traiter des sujets tabous ; l'anonymat des réponses est assuré par les conditions mêmes de la consultation.
3. Tous les types de questionnaires sont utilisables. La sensibilité de riverains au bruit de certains aéroports parisiens a pu être étudiée grâce au passage d'un test psychologique connu, sous forme auto-administrée. Je rappellerai les questionnaires de tests de produits, de tests messages publicitaires, d'opinion sur un film en fin de séance etc.
4. Enfin, on peut utiliser plusieurs formes de questionnaires pour atténuer les effets dus à l'ordre des questions ou au contexte. Il est classique dans les interviews en salle de fractionner le question-

naire en plusieurs parties. La personne consultée répond à une partie du questionnaire, récupère une seconde partie en rendant la première. J'ai l'exemple d'un questionnaire présenté sous 80 formes différentes à un échantillon de 800 personnes, lors d'un test de voiture. L'ordre des thèmes, mais aussi l'ordre des questions à l'intérieur des thèmes, variaient d'un questionnaire à l'autre.

La consultation en salle a toutefois ses limites lorsque l'on se trouve en face de personnes illettrées ou lorsque le recrutement d'un public spécifique s'avère difficile et coûteux. Paradoxalement, le demandeur de l'étude oppose parfois une résistance à la formule de l'interview collective en salle. Un effort lui est demandé : convaincre différents services du bien fondé de la recherche, trouver une ou plusieurs salles etc. C'est en 1950 que j'ai eu l'idée pour la première fois de consulter une clientèle sur le point de vente, au moment du règlement de l'achat. Le client disposait de 250 succursales, inégalement réparties sur le territoire français. L'objet du sondage était de délimiter l'aire commerciale (on dit aussi zone de chalandise) de chaque succursale et de décrire le profil de la clientèle. Pour cela il était prévu de demander à chaque client, au moment de régler son achat, de remplir une fiche comprenant quelques questions : sexe, âge, situation professionnelle, localité habitée, fréquence des achats dans le magasin. Mon interlocuteur a opté en faveur d'un sondage national de 2 000 personnes clientes et non clientes, beaucoup plus coûteux que l'approche initiale, moins précis et pour tout dire inadapté à l'objectif de l'étude.

On ne fait pas 150 km pour acheter un produit courant. Dans plusieurs départements une seule succursale représentait la marque.

7. LE RECUEIL DES DONNÉES PAR TÉLÉPHONE ET LE CARACTÈRE SPÉCIFIQUE DU QUESTIONNAIRE D'INTERVIEW PAR TÉLÉPHONE

1. Le téléphone, instrument de recueil des données

L'interview par téléphone a pris une extension considérable aux États-Unis, au point d'éclipser presque totalement l'interview classique à domicile. Cette situation résulte de l'addition de causes indépendantes entre elles :

1. L'équipement téléphonique de plus de 90 % des foyers et ceci depuis au moins 10 ans.
2. Un coût téléphonique réduit.
3. Le recours au téléphone permet la réalisation d'échantillons aléatoires. Plusieurs firmes spécialisées ont créé des banques de données pour la constitution d'échantillons ''cibles'' et mis au point des procédures automatiques de sélection et d'appel des personnes à interroger. L'enquêteur se trouve mis en contact avec un foyer dont il ignore a priori le numéro de téléphone, la localisation, le nom de l'abonné.
4. L'augmentation du coût de l'interview en tête-à-tête, dans un pays qui a recours aux échantillons sur adresses ou par random route (route au hasard), a conduit à recourir à l'interview par téléphone, moins onéreux.
5. La difficulté croissante de pénétrer dans les immeubles, le sentiment d'insécurité particulièrement vif dans les grandes villes, ont contribué au déclin de l'interview en tête-à-tête.
6. Le contrôle permanent de la qualité du travail des enquêteurs est un argument supplémentaire pour privilégier le recours au téléphone.

La pratique augmente ; elle est le fait d'organismes spécialisés ayant une activité de marketing téléphonique, de sociétés ayant opté pour la réalisation exclusive d'interviews par téléphone, mais aussi des principaux instituts de sondages.

Les freins à une progression rapide des interviews par téléphone en France sont connus :

1. La pénétration de l'équipement téléphonique dans les foyers français est restée longtemps à un niveau modeste.

2 . Le coût des communications à moyenne et à longue distance rend plus onéreux l'interview par téléphone que le recours à un enquêteur local. La décentralisation des lieux d'appel, qui réduit le coût des communications, entraîne l'utilisation de la poste pour l'acheminement et le retour des questionnaires ou de liaisons informatiques coûteuses. La tarification des communications téléphoniques ne laisse pas de surprendre. En 1987, on peut téléphoner de n'importe quel endroit de la Creuse, sans sortir du département, pour le prix d'une unité de base par fraction de 6 minutes. En revanche, l'abonné Marseillais est pénalisé en appelant un abonné de Vitrolles ou de Martigues, ville particulièrement proches de Marseille. L'habitant de Paris est privilégié, plusieurs dizaines de localités très peuplées sont accessibles, à peu de frais. On pourrait multiplier les exemples qui rendent particulièrement ardu le calcul du devis téléphonique d'un sondage.

3 . L'inertie et le conservatisme des professionnels des sondages : il va falloir changer les habitudes, repenser les méthodes de travail quant à la constitution des échantillons, utiliser des taux de sondage variables eu égard au coût des communications, concevoir différemment les questionnaires, ne plus compter sur la débrouillardise des enquêteurs pour dénicher les oiseaux rares, enfin prévoir des équipements lourds en matériel téléphonique, matériel informatique et logiciels appropriés. En 1987 on assiste à des solutions plus ou moins bâtardes qu'on espère voir disparaître dans les cinq prochaines années.

Parmi les procédures actuellement pratiquées, sans que l'une ou l'autre soit utilisée seule la plupart du temps, on note :

— l'interview par téléphone sur la base d'une liste préétablie d'abonnés ou de consignes de tirage au sort à l'aide d'un questionnaire papier, peu différent du questionnaire prévu pour l'interview en tête-à-tête, d'où source de multiples problèmes résolus tant bien que mal.

— la même procédure que ci-dessus, l'effort étant consacré à la formulation et à la présentation du questionnaire.

Dans ces deux cas, de nature archaïque, l'échantillonnage, la saisie, le dépouillement des données sont traités séparément.

Les procédures modernes commencent à voir le jour en France.

— questionnaire présenté et saisi sur écran relié ou non à un ordinateur. La sélection des abonnés n'est pas réalisée automatiquement.

Une interface est rendue nécessaire pour traiter le fichier (bande, cassette, disquette) à l'aide du logiciel habituel de traitement.
— système intégré, visualisation du questionnaire sur écran, contrôles logiques, saisie, contrôle permanent de la représentativité de l'échantillon, traitement à la demande avec récupération des libellés des éventualités, et possibilité de transfert du fichier en vue d'un traitement sur ordinateur de moyenne ou de grande capacité utilisant des logiciels appropriés. Le sigle C.A.T.I. (Computer Assisted Telephone Interviewing) recouvre plusieurs configurations aux performances variables. Certains logiciels offrent la possibilité de contrôler le travail des enquêteurs : nombre de refus d'interviews, temps d'interviews etc. Les logiciels mis au point, tant à l'étranger qu'en France, sont d'inégale valeur. Certains privilègient la présentation du questionnaire, son enchaînement, d'autres le traitement instantané ou le traitement différé. Il n'y a pas un seul programme C.A.T.I., mais déjà de multiples versions.

A ma connaissance, les programmes français n'intègrent pas encore, en 1987, le tirage au sort des abonnés à partir d'une banque de données épurée des numéros des entreprises, des administrations, des associations etc. Ceci existe déjà dans des logiciels américains qui, par contre, pèchent souvent par l'insuffisance des programmes de traitement de base.

Coût de la communication mis à part, la réalisation des interviews par téléphone a permis des gains importants de productivité et de temps d'exécution : plus d'impression, de manutention, d'enregistrement des questionnaires, plus de délais postaux à l'aller et au retour, plus d'aller et retour des questionnaires d'un service à l'autre (enquêteurs, relecture, saisie, ordinateur, archivage).

Le caractère séduisant du sondage par interview au téléphone, au prix d'un investissement en matériel et en logiciel, a sa contrepartie : le danger de l'amateurisme. Avec ou sans équipement de pointe, le sondage par téléphone est à la portée du premier venu. La prise de contact par téléphone paraît facile, le porte-à-porte qu'impose l'interview en tête-à-tête rebute nombre de candidats qui essuient des refus en cascade. On sélectionne les numéros d'abonnés au hasard, en donnant au mot ''hasard'' son sens populaire.

Les sondages par minitel sont une des variantes de l'interview par téléphone, où la voix humaine est remplacée par la visualisation à domicile du questionnaire. Ceci sous-entend la mise en place d'un panel d'abonnés que l'on prévient par correspondance ou par téléphone du jour et de l'heure auxquels ils auront à répondre à un questionnaire.

La consultation par minitel offre des similitudes avec la consultation par correspondance : répond qui veut, seul ou à l'aide de l'entourage familial. La prise en charge du coût de la transmission téléphonique, les capacités du centre serveur en nombre de portes d'accès à l'ordinateur conduisent à la prise en compte d'un échantillon réduit. La procédure rejette dans l'ombre les préoccupations de représentativité de l'échantillon et de rigueur. L'utilisation du minitel, séduisante en apparence, n'autorise pas la réalisation de sondages représentatifs, car moins d'un foyer sur cinq, en 1987, dispose du matériel. Même lorsque le taux de pénétration d'un équipement atteint 40 % des ménages on doit s'interdire de prononcer le mot de ''sondage représentatif'' ou de s'exprimer ainsi : ''Les Français estiment que etc...'' Dans le même ordre d'idées, au début des années 50, un ''office'' réalisait des sondages nationaux, dans lesquels le département de Seine et Marne était censé représenter, à lui seul, le quart Est de la France. Un rapport illustré de graphiques coloriés à la gouache ''donnait du sérieux'' à l'étude, ''une robe du soir, sur des dessous douteux''.

2. La spécificité du questionnaire par téléphone

J'évoquerai plus loin les qualités exigées d'un enquêteur réalisant des interviews par téléphone ; je me limiterai ici aux spécificités du questionnaire. Elles concernent les questions préliminaires de prise de contact, le type, le contenu et la présentation.

— LE CONTACT, LES QUESTIONS PRÉLIMINAIRES

La ligne téléphonique conduit à un logement. La personne qui décroche le combiné n'est pas nécessairement celle qui sera interrogée. En se fiant ''au hasard'', c'est-à-dire en proposant l'interview à la personne qui répond, on s'expose à des mécomptes quant à la représentativité du sondage.

L'entrée en matière, indispensable pour sélectionner la personne utile provoque plus ou moins de refus ; il est plus facile de raccrocher son téléphone que de renvoyer sans ménagement quelqu'un auquel on a ouvert sa porte. Une étude comparative faite aux États-Unis par le Survey Resarch Center de l'Université du Michigan fait état de 22 % de refus lors d'un sondage, par échantillon au hasard à domicile (random sampling ou échantillon aléatoire) contre 40 % de refus lors d'un sondage par téléphone auprès d'un échantillon, semblable au premier (Public Opinion Quartely, printemps 1986). Une partie des refus est imputable à la prise de contact, indépendamment de la personnalité de l'enquêteur. Lors de la prise de contact, l'enquêteur formulera une ou plusieurs questions, afin de s'assurer de la présence de la personne utile.

Dans un article issu du P.O.Q. de l'été 1983, Charles T. Simon et John Spicer Nicols recommandent, comme procédé de sélection au hasard, l'interview de la personne dont on doit prochainement fêter l'anniversaire (titre de l'article : The next birthday method of respondent selection) de préférence à la méthode Troldahl Carter, inspirée de la méthode de Kish (voir chapitre dans la première partie : la sélection des personnes interrogées à l'intérieur d'un foyer). Trodahl Carter propose, dès la prise de contact par téléphone, de s'informer sur la composition du foyer, par sexe et par âge, en vue de sélectionner la personne à interroger par référence à un plan de travail. Il faut beaucoup de doigté, de la part de l'enquêteur, pour introduire un sujet digne d'intérêt par des questions inquisitoriales. Par analogie, seuls les néophytes débutent un questionnaire d'interview en tête-à-tête par les données de sexe, d'âge, de profession etc. Les auteurs cités ci-dessus présentent les résultats d'une étude expérimentale réalisée dans le Kentucky selon quatre entrées en matière :

1. Aucune sélection a priori, interview de la première personne adulte qui décroche le combiné.
2. Sélection selon le sexe des adultes par référence à un quota à respecter.
3. Interview de la personne dont on fêtera prochainement l'anniversaire.
4. Méthode Troldahl, sélection d'après une table prenant en compte le nombre d'adultes d'un foyer et la répartition par sexe et par âge de ses membres.

Les résultats ci-dessous présentent le taux d'acceptation de l'interview, ainsi que les écarts entre la distribution par sexe et âge du sondage et la distribution souhaitée dans le plan de sondage.

	Aucune sélection	Sélection Homme/ Femme	Le prochain anni- versaire	Méthode Troldahl
Taux d'acceptation	69 %	43 %	69 %	41 %
Écarts en + ou en − par rapport au plan de sondage				
Hommes	− 16	− 5	− 5	− 8
Femmes	+ 16	+ 5	+ 5	+ 8
18 à 24 ans	− 8	+ 7	0	− 12
25 à 34 ans	+ 1	− 13	+ 5	− 7
35 à 49 ans	0	− 2	− 2	0
50 ans et plus	+ 7	+ 8	− 3	+ 19
Nombre d'interviews	72	46	69	43

J'ai tenu à reproduire une partie des résulats de l'étude expérimentale faite dans le Kentucky. Elle souffre de deux défauts majeurs :

1. Un nombre d'interviews trop faible.
2. Les écarts importants constatés dans les trois approches avec sélection de l'interviewé par rapport au plan de sondage.

Les revues spécialisées, les compte-rendus de congrès ou de séminaires sont encombrés de résultats de travaux expérimentaux réalisés pour les besoins de la cause, avec du personnel inexpérimenté. Quel professionnel sérieux peut accepter de tels écarts entre le plan de sondage et les résultats réels ? Dans cet ouvrage, je me refuse à prendre en compte les études expérimentales dont l'objet est de vérifier des hypothèses de portée limitée avec des moyens réduits, un personnel enthousiaste, certes, mais néophyte.

Pour en terminer avec la prise de contact dans un sondage par téléphone, je conseille, pour l'avoir utilisé maintes et maintes fois, de laisser l'enquêteur procéder à sa manière dès les premiers interviews et de s'appliquer, chemin faisant, à respecter la grille de référence (croisement sexe et âge). Le choix des heures d'interview maximise ou minimise les chances de contacter des hommes ou des femmes, des jeunes ou des personnes âgées. En procédant comme je le suggère (et je ne suis pas le seul) le taux de refus reste stable, le taux de personnes éliminées par l'enquêteur augmente au fur et à mesure que son travail progresse. L'enquêteur confirmé n'a réellement pas besoin, dans la majorité des cas, de s'enquérir de la catégorie d'âge de son interlocuteur, il le devine à la voix. Parfois, dans le doute, il demandera timidement la précision qu'il attend.

— LA LONGUEUR DU QUESTIONNAIRE

Il y a dix ou vingt ans, j'estimais qu'une interview par téléphone ne devait pas durer plus de dix minutes ; j'ai ensuite étendu cette durée à 20 puis 30 minutes. Est-il raisonnable d'aller au-delà ? L'intérêt présenté par le sujet de l'étude rend acceptable un long entretien, mais aucun sujet n'intéresse tout le monde à la fois.

— LES QUESTIONS

Les règles qui s'attachent à la formulation d'un questionnaire posé en tête-à-tête valent pour un questionnaire posé par téléphone. La brièveté de l'intitulé et des items, la précision des mots, le langage simple et direct ont force de loi. On ne doit pas se trouver dans la situation de devoir répéter le texte d'une question.

La présentation de textes écrits, de schémas, de photographies étant impossible, sauf artifices (expédition préalable par la poste de quelques documents, dictée au téléphone de qualités ou expressions à classer) on renoncera aux questions :

— de classement,
— de notation sur des échelles symbolisées par des cases, des lignes et autres représentations imagées,
— à la plupart des questions ouvertes dont l'enregistrement des réponses prend du temps et rompt le rythme de l'interview. En effet l'enquêteur, pour masquer un temps mort annonce le contenu de la réponse tout en l'écrivant, au risque de provoquer une réaction chez la personne interrogée à l'écoute d'une restitution incomplète ou altérée de sa réponse.
— de notation d'une série d'items relativement longue (plus de 10 items). Le support écrit d'une liste, lors d'une interview en tête-à-tête, ne prend pas la personne au dépourvu. Au téléphone, non seulement l'enquêté ne voit pas son interlocuteur, mais il est complètement démuni d'éléments visuels : coût d'œil sur le nombre de pages restant, soulagement lors de saut de questions ou de page au passage de zones filtrées etc.

— LA PRÉSENTATION DU QUESTIONNAIRE

Le déroulement sur écran du questionnaire facilite la tâche de l'enquêteur. J'ai prôné la présence de plusieurs questions par page d'écran, bien qu'on affirme que le changement de page est pratiquement instantané, aux erreurs de manipulation près.

Sur papier ou sur écran, je conseille d'éviter les questions sous forme de tableau. Un tableau (lignes et colonnes) peut être présenté comme un tableau de lignes. L'interview par téléphone ne tolère pas les hésitations, les retours en arrière. En tête-à-tête, la personne interrogée se moquera en riant de l'enquêteur dans l'embarras ou attendra patiemment la résolution du problème. Au téléphone, les temps morts sont mal supportés, donnant l'impression d'une coupure dans la communication. En conséquence, la présentation du questionnaire doit permettre un débit et un enregistrement rapides. L'enquêteur commence à lire le texte de la question suivante au moment même où il note la réponse à la question qu'il vient de poser.

La pratique des interviews au téléphone ne remet pas en cause les principes de base de la formulation et de la présentation des questions. Une adaptation et une transposition intelligente sont nécessaires. L'adoption d'un moyen nouveau de recueil des données conduira à des changements d'habitude. Il est à souhaiter que les défauts constatés dans les questionnaires actuels prévus pour l'interview en tête-à-tête, longueur et complexité excessives, méconnaissance de la situation d'interview, inadaptation du langage, ne se retrouvent pas dans les questionnaires destinés à l'interview par téléphone. Si le chargé d'études rechigne à faire du porte-à-porte pour tester son questionnaire, j'espère qu'il n'hésite pas à éprouver celui-ci lors d'un entretien téléphonique.

8. L'OBSERVATION ET LES COMPTAGES : DEUX MODES DE RECUEIL SANS PRESTIGE

Sauf erreur de ma part, l'observation et les comptages qui figurent dans la panoplie des modes de recueil des données sont rarement mis en vedette dans les articles, les ouvrages spécialisés, les colloques et les séminaires divers. Séduit par cette technique, j'avais, au début des années 50, écrit un article dans la revue VENDRE de Paul Nicolas, paru sous le titre « Une technique nouvelle au service de l'étude des marchés, l'observation ». Le rédacteur en chef de la revue avait estimé utile de modifier le titre de mon cru : « Une technique simple ».

La technique de l'observation constitue, soit un élément intégré dans un sondage par une interview en tête-à-tête, soit le contenu essentiel de l'étude.

1. L'observation intégrée dans un sondage par interview en tête-à-tête.

L'inventaire des produits d'entretien, d'hygiène et de beauté, des conserves, des marques et types d'appareils ménagers, des produits pharmaceutiques etc, est souvent inclus dans un questionnaire d'études de marchés (pantry check, disent les anglo-saxons). Le rôle de l'enquêteur consiste à obtenir l'autorisation d'observer le contenu des placards, armoires de toilette, celliers et autres endroits disséminés dans un logement et ses annexes.

Obtenir l'adhésion d'une ménagère pour mettre le nez dans ses réserves, n'est pas à la portée de tout le monde. En général les enquêteurs y sont mal préparés, lorsque l'essentiel de leur activité est orientée sur l'interview. J'ai en mémoire des appareils de format 6 x 6, que Kodak n'a jamais fabriqués et déclarés « pris entre les mains », ou d'une marque de riz long, dit de luxe, censé figurer sur le rayon d'un magasin de détail, alors que cette marque ne commercialisait, à l'époque, que du riz rond de Camargue. Les pseudo-observations, minoritaires dans un sondage, traduisent le désarroi de certains enquêteurs motivés pour conduire une interview, mais peu préparés à se servir de leurs yeux et enclins à croire ce qu'on leur dit. L'auteur de la bévue relative au riz, devenu depuis acteur de cinéma et de séries télévisées, avait déclaré pour sa défense « Le commerçant m'avait affirmé qu'il s'agissait de riz de luxe, c'est comme si j'avais vu ». Cet exemple illustre le fait que l'observation objective ne s'improvise pas, ce n'est pas une annexe dans une interview.

J'ai, en général, une confiance limitée dans les résultats d'inventaire complétant un sondage à sujets multiples (études périodiques, études omnibus etc.). Lors de la prise de contact, l'enquêteur annonce une interview orale et non pas un repérage systématique de produits ou d'appareils, d'où l'attitude de refus de certaines personnes interrogées ou le caractère approximatif de l'inventaire réalisé par l'enquêteur. L'observation est un procédé de recueil qui ne saurait être traité à la légère ; c'est une fin en soi, d'ou ma préférence pour un sondage centré uniquement sur ce que l'on constate.

2. L'observation, seul procédé de recueil des données

Dans de nombreux cas les consommateurs ne sont pas en mesure de restituer avec suffisamment de précision les caractéristiques des appareils ou produits qu'ils utilisent, ou de rendre compte de la durée de vie d'un produit de consommation courante. Les exemples que je donne peuvent être étendus à d'autres produits.

— Depuis juillet 1986, la loi impose aux possesseurs d'une automobile, ou d'un véhicule deux roues à moteur, de coller une vignette-d'assurance sur le pare-brise, ou sur le réservoir de la moto. Grâce à la connaissance de la structure du parc des véhicules en circulation, on est en mesure de déterminer le marché de chaque compagnie d'assurances (part des sociétés mutualistes et des sociétés dites capitalistes) et même de connaître le type de contrat souscrit. Chaque compagnie d'assurances repère le type de contrat à l'aide de lettres ou de chiffres-clés intégrés dans le numéro de police.

— Au début des années 1960, une manufacture de pneus, alors concurrente de la société Michelin, désirait surveiller la pénétration du pneu à carcasse radiale (le pneu X) dans le parc des véhicules de tourisme et des véhicules utilitaires. L'automobiliste connaît mal, en général, la marque, le type et la dimension des pneumatiques qui équipent son véhicule. Lui poser la question conduit à enregistrer une réponse erronée, imprécise ou le mutisme complet. L'observation des véhicules en stationnement dans plusieurs centaines de localités réparties sur le territoire, avec un quota de marques et de modèles de véhicules de toutes catégories, dispense de toute interview. Sur le document d'observation les principaux dessins de la bande de roulement du pneu aidaient à l'identification précise du type de pneus. Cette étude réalisée six années de suite a permis de mettre en évidence la progression du pneu à carcasse radiale.

— L'observation des consommateurs dans les cafés, facile à réaliser, est révélatrice de la nature des boissons commandées par les clients. Une étude de ce type a été réalisée dans plusieurs villes de France, à l'occasion du lancement d'une boisson, genre soda, dont la promotion avait été faite dans la presse locale et par voie d'affiches. Un échantillon de bars et de cafés (plusieurs dizaines dans chaque ville) avait été constitué. Un observateur, placé dans la salle du café, notait la nature des boissons commandées, le sexe et l'âge des consommateurs. Il limitait son observation à un petit nombre de tables, toujours les mêmes. Le patron de l'établissement ignorait la présence de l'observateur. Ce dernier avait deux consignes à respecter : commander de l'eau minérale plate et rester présent pendant une heure dans chaque débit de boissons. L'étude, répartie sur plusieurs semaines, a permis de mettre en valeur l'évolution de la consommation du produit étudié, avec comme corollaire la mesure de l'effet produit sur la consommation d'autres boissons. L'heure et la température extérieure étaient prises en compte. Ne disait-on pas chez Perrier, autrefois, que les ventes augmentaient d'une manière sensible dès que la température extérieure atteignait ou dépassait 24 degrés ? Entre autres résultats qui, à l'époque, allaient à l'encontre des idées reçues : la consommation des hommes et des femmes dans les cafés présentent une grande similitude quant à la part des différentes boissons alcoolisées. Seule différence notable, les débits de boissons sont davantage fréquentés par les hommes que par les femmes.

— Une forme de panel, de durée limitée, a eu son heure de gloire "le panel poubelles". A l'occasion du lancement d'un produit de consommation courante, surveiller la pénétration initiale du produit, sa durée de vie et son éventuel remplacement. Dans plusieurs milliers de foyers, répartis sur l'ensemble du territoire, effectuer plusieurs visites afin de repérer la présence du produit étudié et des produits concurrents. A cet effet, l'enquêteur enregistre la présence des produits, marque d'un repère (pastille de couleur différente lors de chaque passage) les produits existants et invite la ménagère à conserver un morceau de l'emballage des produits en fin d'utilisation d'où le nom de « panel poubelles » donné à cette forme de recueil par observation.

On peut étendre la technique de l'observation à l'étude de nombreux problèmes d'études de marchés, ne serait-ce qu'à titre de complément. Je citerai pour susciter l'imagination :

— Les études de relevés de prix, base de calcul de l'indice des prix de l'INSEE.
— Le contenu des vitrines et des rayons de magasins.
— L'observation des voitures pour repérer la présence d'éléments ajoutés aux modèles de série : phares additionnels, pare-vents, auto-radio, radio-téléphone etc.
— La tenue vestimentaire des hommes et des femmes dans la rue à différentes saisons et à différents endroits telle que l'observait la société Boussac, au moment de sa splendeur.
— La présence d'un interphone ou d'un portier électronique à code dans les immeubles.
— La durée d'utilisation des parkings gratuits (marquage des véhicules à l'arrivée).

Le recueil des données par l'observation impose :

— La rédaction d'un document précis avec schémas ou photos,
— Une formation du personnel d'observation, quelques heures suffisant pour apprendre à se servir de ses yeux.

A l'avantage de ces méthodes on notera un prix de revient peu élevé, compte tenu du nombre important d'observations réalisé dans le cours d'une journée.

Les opérations de comptages relèvent de la technique d'observation. Les comptages routiers sont d'utilisation fréquente pour enregistrer les flux de véhicules en vue de la mise en place de nouveaux équipements, de la prévision du trafic etc. Les sondages de « Bison fûté » auprès des automobilistes, afin de connaître leurs projets de déplacements jouent un rôle de complément et d'ajustement. Ils ne sont pas suffisants.

Le directeur d'une salle de cinéma est en mesure de connaître pour chaque séance la répartition de sa clientèle par sexe et catégorie d'âge selon les jours, heures et genre de film. La caissière ou le préposé à l'entrée dans la salle peut, en une seconde, noter dans la case prévue sur une feuille le sexe et l'âge du spectateur. L'analyse d'une série de données lui permettra d'orienter, en connaissance de cause, sa politique de prix d'entrée et de publicité locale.

Le commerçant traditionnel a une image déformée de la composition de sa clientèle. L'affirmation ''ma clientèle est surtout composée de clients fidèles et réguliers'', fréquemment émise, résulte d'une mauvaise perception. La clientèle des films photographiques est composée d'une minorité de clients, gros consommateurs (ils absorbent près de la moitié des films), et d'un grand nombre de clients occasionnels. Le commerçant reconnaît le visage des familiers et ne garde pas en mémoire la foule des clients occasionnels. A l'époque où la structure de la clientèle des films photographiques avait attiré mon attention, j'ai rendu visite à un détaillant photographe de ma connaissance, afin de lui montrer combien le contenu de sa vitrine était inadapté. J'ai ostensiblement marqué d'une croix plusieurs appareils de haute gamme vendus très chers qui, un an après ce marquage, étaient toujours invendus, à une période où les appareils de bas de gamme représentaient 80 % du marché. La vitrine attire, mais peut aussi jouer le rôle de repoussoir par méconnaissance de la clientèle. On garde en mémoire le client qui vient souvent discuter technique, on oublie et néglige les clients occasionnels, nombreux, et qui contribuent à plus de la moitié du chiffre d'affaires.

En matière d'observation et de comptages, les procédures d'enregistrement automatique sont légion. De nombreux prétests de messages publicitaires ont été réalisés dans les trente ou quarante dernières années en utilisant des appareils de visualisation plus ou moins complexes (appareils photos, caméras de télévision, surveillance du cheminement du regard etc.). On a vu et on voit encore l'observation du comportement de la clientèle à l'intérieur d'un magasin à l'aide de caméra-vidéo à des fins de contrôle de sécurité, mais aussi d'études. Dans ce cas précis, l'observation instantanée est préférable au visionnage a posteriori qui prend autant de temps que le visionnage sur le vif et irrite par l'abondance d'éléments parasites que l'œil humain occulte : présence et passages répétés du personnel d'entretien, de réapprovisionnement des rayons etc. Par analogie, l'œil humain oublie dans un paysage la présence des pylônes de lignes électriques, pour se concentrer sur l'essentiel ; la photographie ou le film témoignent de leur présence. L'usage des moyens matériels sophistiqués doit être fait à bon escient.

S'habituer à regarder autour de soi les affiches, le public dans la rue, au spectacle, les films publicitaires, les annonces de presse, les nouvelles financières, est une forme d'apprentissage pour le chargé d'études ou le spécialiste d'études de marchés. Cela participe de l'observation dont on tire toujours profit, cette connaissance vulgaire se marie très bien avec la culture livresque.

LE CONTENU ET LA PRÉSENTATION D'UN QUESTIONNAIRE

1. LES DIFFÉRENTS TYPES DE QUESTIONS

Au vu d'un questionnaire d'opinion ou d'études de marchés, les questions peuvent être classées soit d'après leur contenu ou leur finalité, soit d'après leur forme.

Finalité, on distinguera :

1. Les questions factuelles (présence ou utilisation d'un produit et par analogie fréquence d'utilisation, ancienneté de l'achat).
2. Les questions relatives à des opinions ou des attitudes.
3. Les questions d'information (Avez-vous entendu parler de ... ?) et de mémorisation (souvenir du contenu d'un message, d'un événement).
4. Les questions d'intentions (intentions d'achat, projet d'avenir, etc.)

Forme des questions. La forme des questions a une incidence sur la conduite de l'interview et le traitement des données recueillies : c'est cette deuxième classification que j'évoquerai dans ce chapitre.

Deux grandes catégories de questions sont à considérer, les questions ouvertes à réponse libre et les questions fermées (un choix d'éventualités ou une règle du jeu est proposée à la personne interrogée).

• LES QUESTIONS OUVERTES

1. LA QUESTION OUVERTE CLASSIQUE A RÉPONSE LIBRE.
   Pour quelles raisons approuvez-vous cette mesure ?
   Quels sont les avantages que vous procure l'utilisation de... ?
2. LA QUESTION OUVERTE D'INFORMATION : Elle concerne les marques connues, le prix d'un appareil acheté récemment, le dernier livre ou film vu etc. Ce type de question ne soulève pas de contestations sérieuses quant à sa codification et son dépouillement, si ce n'est le risque d'une mauvaise interprétation de la part des personnes interrogées, les erreurs de transcription des enquêteurs (notation illisible, fautes d'orthographe, transcription mal cadrée des sommes et quantités).

3. LA QUESTION OUVERTE-FERMÉE. La question est de type ouvert dans son intitulé : la personne interrogée répond librement. Elle est fermée au niveau de l'enquêteur, qui classe la réponse donnée dans une ou plusieurs des éventualités figurant en-dessous du texte de la question.

— Marques connues — Notoriété spontanée. La réponse donnée figure ou non dans la liste inscrite sur le questionnaire ; une rubrique "autre marque" permet d'inscrire en clair la marque citée, non prévue dans la liste (voir chapitre sur la réponse "autre").

— Motifs d'utilisation ou justification d'une opinion ou d'un comportement. L'enquêteur doit interpréter la réponse libre qui lui est donnée et la classer dans une des rubriques prévues dans le questionnaire. Le rédacteur d'un questionnaire a sélectionné les réponses les plus probables à la suite d'une étude qualitative, d'une étude pilote préalable ou d'une étude antérieure. Cette procédure est délicate. Elle laisse une grande initiative à l'enquêteur, si on tient compte du fait que les réponses libres données par la personne interrogée utilisent des termes ou tournures différents de ceux inscrits dans le questionnaire.

— Contenu d'un message publicitaire évoqué spontanément. Ce type de questions suggère les mêmes remarques que dans l'exemple ci-dessus.

Commode d'emploi (pas de codification a posteriori), ce type de question doit être utilisé avec discernement. Mises à part les questions dites de notoriété de marques ou de produits (modèles de voiture par exemple) qui peuvent se prêter sans trop de risques à la forme ouvert/fermé, je déconseille cette forme de question lorsqu'il s'agit de recueillir une opinion, une motivation, le contenu d'un message. Dans ce dernier cas, j'opte pour la question fermée : on joue "cartes sur table".

• LES QUESTIONS FERMÉES

Une question est dite fermée, lorsque l'on ENFERME la personne interrogée dans un choix, parmi plusieurs réponses possibles.

— LA QUESTION DICHOTOMIQUE SIMPLE

La réponse, présumée sincère, résulte d'un choix entre OUI et NON "L'absence d'opinion" n'ayant pas sa place.
Connaissez-vous, ne serait-ce que de nom la marque X ? Il n'y a pas de "sans réponse" possible contrairement à ce que j'ai vu dans des questionnaires. On connaît ou on ne connaît pas.

Certaines questions, dichotomiques par essence, sont souvent accompagnées, de l'absence de réponse : ''refus ou ne sait pas'' ; c'est la réponse ni oui, ni non ; ni juste, ni faux ; ni d'accord, ni pas d'accord etc...

— LES QUESTIONS A PLUSIEURS ÉVENTUALITÉS MAIS A RÉPONSE UNIQUE.

Envisagez-vous dans les douze prochains mois d'acheter un... ? certainement, peut-être, certainement non.

— LES QUESTIONS A CHOIX MULTIPLES DITES ''CAFETERIA''

La personne choisit dans une liste d'éventualités celle(s) lui convenant. Parmi les qualités que certaines personnes attribuent au produit X... avec lesquelles êtes-vous d'accord ?
Parmi les marques suivantes de ..... lesquelles connaissez-vous, au moins de nom ?

— LES QUESTIONS DE CLASSEMENT

Parmi les qualités suivantes que vous attendez d'un chef de gouvernement, quelle est la plus importante, et ensuite ? Classez les sept qualités de 1 à 7.

— LES QUESTIONS DE NOTATION.

Qualifier son opinion à l'aide d'une échelle verbale, numérique, symbolique.

Un chapitre spécial est réservé aux questions de classement et de notation dont l'usage est de plus en plus fréquent, compte tenu des traitements statistiques auxquelles elles se prêtent. L'utilisation de ces batteries de questions a permis, grâce au traitement statistique, de renoncer, en grande partie, à l'utilisation des questions ouvertes.

— LES QUESTIONS FILTRES

Elle jouent un rôle d'aiguillage dans le questionnaire. Un chapitre spécial leur est consacré.

2. QUESTIONS OUVERTES OU FERMÉES. UNE LONGUE POLÉMIQUE

En schématisant, deux types de questions coexistent dans un questionnaire.

LES QUESTIONS OUVERTES : à l'énoncé d'un thème, la personne interrogée formule librement sa réponse.

Quel est actuellement selon vous le problème le plus important que le gouvernement devrait résoudre ?

Et ensuite ? Et ensuite ?

LES QUESTIONS FERMÉES : plusieurs possibilités de réponses sont proposées, la personne interrogée choisira la ou les réponses qui correspondent le mieux à son opinion du moment.
J'ai pris, à dessein, cet exemple en apparence simple, il se prête à plusieurs présentations ''fermées''.

1ère forme

Quel est, actuellement, selon vous, le problème le plus important que le gouvernement devrait résoudre ? Dans cette liste de problèmes possibles, quel est le plus important ? Et ensuite ? (Dans une liste de 8 à 10 ''problèmes'', la personne interrogée a le choix du nombre de réponses.)

2e forme

Quel est, actuellement, selon vous, le problème le plus important que le gouvernement devrait résoudre ? Voici une liste de 8 problèmes possibles. Pouvez-vous les classer de 1 à 8 en mettant en premier celui que vous considérez comme le plus important à résoudre par le gouvernement et en mettant en dernier le moins important.

3e forme

Pour chacun des problèmes suivants que le gouvernement devrait résoudre, dites-moi s'il est, selon vous, très important, assez important, peu important ou pas important du tout ?

Le lecteur peut de son côté imaginer d'autres formes de cette question.

LA QUESTION OUVERTE : laisse le champ libre à la personne interrogée quant au choix des ''problèmes'' et au vocabulaire qui les définissent. On relèvera, par exemple, les réponses suivantes :

le chômage des jeunes, l'emploi des jeunes, les problèmes de l'emploi, la vague des licenciements, etc.

ou encore : le problème du logement, le prix des loyers, les taux d'intérêt élevés pour l'achat d'un appartement.

LA QUESTION FERMÉE : place la personne interrogée dans un système ; son choix n'est pas libre. Les problèmes proposés ne correspondent pas toujours à la manière dont elle les perçoit. Si le problème de l'emploi et du chômage est présenté sous cette forme elle n'a pas la possibilité de nuancer sa réponse. Est-ce l'emploi des jeunes, des personnes de plus de 40 ans, des femmes, etc. qui la préoccupent davantage ? Même dans le cas où l'auteur du questionnaire prend le soin de multiplier le nombre des problèmes à résoudre il y aura toujours matière à contestation.

En fait, les deux types de questions soulèvent des problèmes d'interprétation. Lors de la quantification des réponses à la question ouverte on aura à regrouper dans un plan de code des formulations jugées voisines, en sacrifiant une partie de l'information recueillie. S'agissant de la question fermée, on a fait un choix a priori en ignorant volontairement qu'un problème recouvre une gamme d'éventualités que la question ouverte est censée révéler.

La polémique entre questions ouvertes et questions fermées fait partie de l'histoire des sondages. On aura aussi l'occasion de constater que la querelle entre ''questions ouvertes'' et ''questions fermées'' a des fondements qui dépassent le cadre strictement méthodologique. La querelle se poursuit, les arguments restent inchangés.

Lors de l'entrée des États-Unis d'Amérique dans la deuxième guerre mondiale, le gouvernement fédéral s'est vu offrir les services de deux groupes de chercheurs et praticiens, en vue d'étudier l'opinion du peuple américain en temps de guerre.

Le premier groupe THE POLLING DIVISION, créé à l'initiative d'Elmo Roper était dirigé par Elmo Wilson : il avait comme consultant George Gallup et quelques autres ''commercial figures''. Il s'agissait de professionnels déjà bien connus, dont l'outil de base consistait en sondages de 5 000 personnes ou davantage, sélectionnées par ''quotas'' et interrogées à l'aide de questionnaires comprenant essentiellement des questions fermées. Les résultats de ces sondages étaient fournis au gouvernement fédéral à un coût jugé raisonnable et dans un délai de quelques semaines.

Le second groupe SURVEY DIVISION était dirigé par Rensis Likert, professeur de psychologie sociale. Il s'était entouré d'universitaires de la même discipline que lui, les uns bénéficiant d'une expérience dans l'étude des attitudes (*attitude measurement*), les autres, sans expérience professionnelle, mais dotés d'un solide bagage universitaire. Rensis Likert, bien qu'il ait créé dès 1932 "The Likert Scale" (échelle de Likert) entièrement composée d'items fermés, s'était ensuite orienté, à l'occasion de travaux pour le Département de l'Agriculture, vers la procédure de "l'open-ended questionning". Les enquêteurs, étudiants pour l'essentiel, réalisaient des interviews ou entretiens libres (on dirait aujourd'hui non-directifs) ou sur la base d'une série de thèmes, dits de mémoire, ou lus au "sujet". Pendant la guerre, dans le cadre du groupe SURVEY DIVISION, Rensis Likert entreprit, concurremment avec le Groupe POLLING DIVISION, des sondages dont les caractéristiques étaient les suivantes :

— Échantillon aléatoire (random sampling) : 1 500 à 2 000 personnes consultées.
— Questionnaire essentiellement construit à partir de questions ouvertes.
— Quantification des résultats après codification des réponses libres.
— Résultante : long délai d'exécution dû aux opérations de codification, coût élevé.

Les rivalités entre les deux organisations (chacune ayant ses farouches supporters), les résultats discordants entre les deux approches ont conduit le gouvernement fédéral à confier au printemps 1942 une mission d'"audit" à Paul Lazarsfeld, consultant de l'O.W.I. (Office of War Information). Paul Lazarsfeld était déjà connu grâce à des articles importants sur le questionnaire (1935-1937).

Lazarsfeld estima que, dans la grande majorité des cas, les deux organisations faisaient double emploi. Il proposa une division des tâches :

— deux études, à base de questions "ouvertes", chacune auprès de 300 personnes, la première jouant le rôle de prétest et destinée à bâtir un questionnaire fermé, la seconde du même type jouant, a posteriori, le rôle d'aide à l'analyse et à l'interprétation du sondage principal auprès de 300 personnes. Réduit au rôle de maître-d'œuvre du prétest et de l'étude pilote, Likert abandonna la partie. Des membres de son équipe rejoignirent la POLLING DIVISION.

Je résume ainsi brièvement un article de Jean Converse publié dans la P.O.Q. (Public Opinion Quartely) du printemps 1984, et intitulé :

"Strong arguments and weak evidence : The Open/Closed Questionning controversy of the 1940's."

Sommes-nous loin du choix entre questions ouvertes et questions fermées ? Certainement pas. Tel le serpent de mer, ce dilemne réapparaît périodiquement.

Dans la controverse évoquée ci-dessus, que remarquons-nous ?

1. Une querelle d'école, c'est une vision noble.
2. L'opposition entre des universitaires, forts de leur science, et impliqués dans la recherche, et des professionnels ayant une activité rémunérée par des clients et pour qui un contrat sous-entend un objectif à atteindre, un coût et un délai à respecter.
3. Une querelle méthodologique : échantillon par quotas de grandes dimensions, rapide et économique, contre échantillon aléatoire de dimension plus réduite, long et coûteux dans la réalisation.
4. Enfin opposition entre questions ouvertes et questions fermées, les premières réputées aptes à sentir, comprendre et expliquer, les secondes simplistes, artificielles, ambiguës, tout juste bonnes à décrire des apparences sans aller au fond des choses.

Au début des années 1950, Ernest Dichter, le pape des études qualitatives, apparut en Europe et devint le champion des interviews approfondies (ou non-directives). — ''Après moi, disait-il, il n'y a plus place pour les sondages''.

Il est de bon ton, en France, de se gausser des sondages, bien qu'ils envahissent la presse, la radio et la télévision. Nous détenons un record du monde en la matière. A l'occasion de chaque élection nationale, la presse accueille les articles de personnalité des mondes politique, universitaire, publicitaire, mais aussi de professionnels de l'approche qualitative de la communication. Ces articles dénient la valeur probante des sondages publiés (Quantification de questions fermées) et vantent les mérites de l'approche qualitative qui met en évidence les courants de pensée, l'état des mentalités, les centres d'intérêt, les courants socio-culturel.

Oui, mais voilà ! On a toujours besoin de chiffres, d'un thermomètre, d'une courbe de température.

J'entre maintenant dans la controverse question ouverte ou question fermée. S'il s'agit de mesurer l'étendue d'un marché, les intentions de vote, l'état de l'opinion à un moment donné sur des problèmes précis, l'image d'un produit ou d'une firme, il faut choisir délibérément la question fermée. L'activité d'une entreprise est sanctionnée par son bilan : quelques chiffres. Le discours du président du conseil d'administration aide à la compréhension et à la signification du résultat, mais il ne peut s'y substituer.

La part des questions ouvertes diminue dans les questionnaires d'études par sondages. On leur a souvent substitué les batteries de questions à contenu qualitatif destinées à révéler des motivations, des points d'image, des intentions, ou à expliquer des comportements.

Cela n'a jamais été un secret pour mes collaborateurs : ''je n'aime pas la question ouverte dans un sondage quantitatif''. J'ajoutais souvent : ''C'est un aveu de faiblesse, quand on ne sait pas formuler une question fermée, on l'ouvre, on fait confiance au public pour résoudre le problème.'' Je donne deux exemples :

— Les avantages qui justifient l'achat ou l'utilisation d'un produit. La question ouverte vient immédiatement à l'esprit. En fait c'est la preuve d'une mauvaise connaissance du produit. La notice d'emploi, le contenu des messages publicitaires, mais aussi ce qu'en dit le producteur, donnent matière à énumérer des avantages essentiels. Dans le chapitre consacré à la codification des questions ouvertes, je montrerai à quel appauvrissement aboutit la codification des questions ouvertes.
— Restituer le contenu d'un message publicitaire. Que disait-il ? Que montrait cette annonce ? Les fanatiques de la question ouverte sont sensibles à la spontanéité des réponses, aux mots, tournures et nuances, à la ''saliance'', au fameux ''top of mind'', ce qui vient d'abord à l'esprit.

A deux ou trois questions ouvertes, je préfère une série de questions fermées, standards (je reviendrai sur cette notion de questions standards dans le chapitre destiné aux questions régulières).

— Était-ce une annonce en noir et blanc, ou en couleur ?
— Avec ou sans personnages etc.

La série de questions fermées est accompagnée de questions ouvertes simples pour faire apparaître éventuellement le nom de l'acteur mis en scène, de l'argument essentiel, du prix, etc.

Autant je suis d'accord pour bâtir un questionnaire essentiellement ouvert, posé à quelques dizaines ou centaines de personnes afin de cerner ce que veut, pense, comprend le public en vue d'expliquer un comportement, une opinion, une attitude, autant je rejette l'introduction de questions ouvertes dans le corps d'un questionnaire comportant une bonne centaine de questions fermées. Un questionnaire fermé, à base de questions simples et immédiatement compréhensibles, se prête à une interview qui, dès la première minute, se déroule sur un rythme rapide. La personne interrogée se familiarise très vite avec la règle du jeu qu'on lui propose : question-réponse, question-réponse... Une question ouverte apparaît ; prise par le rythme de l'interview, la personne interrogée répond trop vite, les relances successives apporteront un faible enrichissement. Une certaine complicité s'établit entre enquêteur et enquêté, l'enquêteur ne tient pas à s'attarder.

La preuve de ce que j'affirme m'a été donnée plusieurs fois. Le chargé d'études se plaint de la pauvreté du contenu des réponses aux questons ouvertes dans un questionnaire essentiellement fermé. Quelque temps après, il ne tarira pas d'éloges adressés aux enquêteurs, les mêmes que les précédents venant de réaliser des interviews largement ouvertes. La règle du jeu n'est pas la même.

En résumé, la question ouverte a sa raison d'être dans des cas bien précis, son exploitation est souvent décevante (cela part dans tous les sens, voire en dehors du sujet), elle résulte trop souvent d'un manque de réflexion.

3. LA NOTION DE FILTRE
OU LE BON USAGE DES QUESTIONS-FILTRES

Une question filtre oriente l'interview sur les questions suivantes ou sur d'autres questions, en fonction de la réponse donnée.

UNE QUESTION EST DITE ''FILTRÉE'' dans la mesure où le fait de la poser ou de ne pas la poser est lié à une ou plusieurs réponses précédentes.

La notion de filtre intervient à plusieurs niveaux.

1. Niveau global ou filtre général

La population interrogée ne concerne qu'une partie de la population de base (personnes âgées de 15 ans et plus, femmes actives de 15 à 64 ans, personnes inscrites sur les listes électorales, possesseurs d'une voiture, d'un magnétoscope, etc.).

Il est assez courant de rencontrer dans les questionnaires d'études par sondage des mentions préliminaires du type :
— interview à réaliser uniquement auprès des femmes âgées de 15 à 64 ans.
— interview à réaliser auprès d'un habitant de la ville de...

Cette procédure est insuffisante, elle laisse à l'enquêteur le soin de formuler « à sa manière » la ou les questions préliminaires destinées à sélectionner la personne utile.

DANS TOUS LES CAS, ET J'Y INSISTE, il appartient au responsable de l'étude de faire figurer dans le texte du questionnaire les questions jouant le rôle de filtre général.

Un seul exemple suffira : il s'agit de limiter l'interview aux seules femmes actives âgées de 15 à 64 ans.

Les questions préalables posées sont les suivantes :

Pas de question relative au sexe, c'est évident, mais, et la question est posée, avec doigté par l'enquêteur :

''Avez-vous moins de 65 ans, ou avez-vous plus de 14 ans''. Il est ridicule et mal venu de demander directement à une personne son âge dès le première question ou de dire ''Dois-je situer votre âge entre

15 et 64 ans''. Le doute existe seulement aux deux extrêmes. ''Avez-vous une activité professionnelle que vous exercez chez vous ou ailleurs, à temps partiel ou à temps complet ?''.

Les réponses des personnes hors cible ne sont pas notées, sauf si on désire les dénombrer.

Il arrive fréquemment que la population filtrée (ou population cible) soit décelée à la suite de 4, 5 ou 6 questions préliminaires. C'est un impératif absolu : ces questions doivent se suivre, sans insertion d'autres questions. On s'efforcera de plus d'ordonner les questions en commençant par celle qui élimine le plus grand nombre de personnes, il n'y aura ainsi qu'une question à leur poser. Par exemple, si la population cible concerne les possesseurs d'une automobile, achetée neuve, au cours des deux dernières années et utilisant du gazole comme carburant. L'ordre logique est le suivant :

— Possède-t-on dans votre foyer une voiture diesel de tourisme, j'exclus les fourgonnettes, camionnettes ou camions ?

> OUI
> NON, stop interview

Le ''NON'' élimine tous les non-possesseurs d'une voiture de tourisme et les possesseurs d'une voiture dont le carburant est l'essence ou le gaz, c'est-à-dire beaucoup de monde.

— Cette voiture a-t-elle été achetée neuve ?

> OUI
> NON, stop interview

— Cette voiture a-t-elle été achetée depuis moins de deux ans c'est-à-dire...

> OUI
> NON, stop interview

Vouloir profiter de cette énumération pour intercaler d'autres questions est une démarche trop souvent rencontrée dans des questionnaires français, anglais, allemands, etc. C'est plus tard dans l'interview que l'on se préoccupera de savoir si la voiture a été achetée, au comptant ou à crédit, de quelle marque etc... La consigne, donnée à l'enquêteur, étant de ne poursuivre l'interview qu'auprès des seules personnes répondant aux quatre conditions ci-dessus, les questions-filtres doivent se suivre et figurer en-tête du questionnaire. Pourquoi perdre son temps à poser la question n° 8 à quelqu'un que l'on abandonne à la question n° 10.

2. Niveau intermédiaire, une partie ou plusieurs parties du questionnaire sont filtrées

Dans le cours d'une interview, il est fréquent d'observer que seules certaines parties du questionnaire sont à poser "à tout le monde". Plusieurs questions filtres réparties dans le questionnaire aiguilleront l'interview vers telle ou telle partie. Supposons que nous traitions du problème des plats préparés, achetés en l'état chez un traiteur ou un autre détaillant, en produit surgelé, en boîte métallique ou en bocal. Une série de questions spécifiques concernera chacun de ces modes de préparation.

Les questions filtres seront alors clairement mises en valeur ainsi que les questions communes à l'ensemble de l'échantillon (voir chapitre relatif à la présentation du questionnaire).

Il est parfois difficile de regrouper dans une seule question les éléments conduisant à une partie filtrée du questionnaire. Certaines parties du questionnaire, pour être posée à la personne "utile", nécessitent le recours à plusieurs réponses antérieures et non consécutives.

Par exemple il n'est pas rare de rencontrer la situation suivante :

Les questions 18 à 23 sont à poser uniquement aux personnes qui ont répondu OUI à la question 2 et CERTAINEMENT à la question 10 et NON à la question 17. Pour les autres passer directement à la question 24.

La logique de l'interview excluait la possibilité de regrouper les questions 2, 10 et 17.

Cette situation m'a toujours embarrassé :
— elle oblige l'enquêteur à revenir en arrière, feuilleter plusieurs pages, donc à rompre le rythme de l'interview.
— elle est source d'erreurs, une partie de l'information pouvant être perdue.
— elle est source de négligence éventuelle de l'enquêteur qui, se fiant à sa mémoire, ne consulte pas les réponses antérieures.

La solution que je propose : "Pour nous résumer, et avant de vous poser quelques autres questions, vous trouvez-vous dans la situation suivante ? Vous m'avez dit que vous étiez fidèle à une marque de gazole et que votre prochaine voiture serait certainement ou peut-être une voiture diesel et que vous ne l'achéteriez pas d'occasion. Est-ce bien cela votre réponse sur ces différents points ?"

Cette question ne fera pas l'objet d'un dépouillement (présentation différente des autres questions), mais elle permet :

a) d'éviter à l'enquêteur de revenir en arrière au risque de se tromper
b) de bien centrer l'interview sur le contexte des questions suivantes.

Je préfère courir le risque d'un trop grand nombre d'élus par cette procédure (les ''élus en trop'' seront éliminés au traitement) que de perdre un certain nombre de candidats.

3. *Niveau partiel, unique question filtrée ou question filtrée en cascade*

1. Êtes-vous allé au cinéma depuis huit jours ?

OUI   Q.2
NON   Q.4

2. Était-ce en semaine ou le dimanche ?
3. Si le dimanche ''Était-ce dans l'après-midi avant 18 heures (6 heures du soir) ou après 18 heures.'' (et passer à la question 5).
4. Si n'est pas allé au cinéma depuis huit jours ''Quand êtes-vous allé au cinéma pour la dernière fois ?, etc.''

Dans cette série de questions j'ai volontairement commis une faute. J'interdis à la personne interrogée de me dire si elle est allée au cinéma, en semaine l'après-midi ou en soirée. Pourquoi se priver d'une information même si elle paraît ''hors sujet'' ? La préparation sophistiquée de certains questionnaires conduit trop souvent à sélectionner à l'avance les questions réservées aux consommateurs actuels, aux anciens consommateurs, aux non-consommateurs actuels ou passés. On prépare un plan d'expérience dans lequel chaque public se voit réservé certains thèmes et pas d'autres. Cette démarche est le plus souvent néfaste. Elle suppose que l'on connaît à l'avance ce qui préoccupe et ce que pense chaque catégorie du public. J'opte délibérément pour poser le maximum de questions communes, quel que soit le comportement de la personne interrogée.

Limiter, par exemple, les avantages retirés d'un produit ou d'un appareil aux seuls utilisateurs est une erreur. On a souvent, grâce au témoignage d'autrui, une idée des avantages que procure tel ou tel produit que l'on n'utilise pas. Qu'est-ce qui distingue l'opinion des uns et des autres ? Enregistrer une proposition notable de ''sans opinion'' auprès des non utilisateurs n'est pas un mal, c'est une information. En matière d'études d'opinion ou d'études du comportement, les réponses des uns prennent toute leur signification si on peut les comparer aux réponses des autres. Tout est dans le relatif, comparaison dans le temps, comparaison d'un groupe à l'autre.

Chercher à sélectionner les thèmes et les questions en fonction des différents publics traduit :

1 . Une attitude aprioriste contraire à l'esprit même de la recherche, on croit tout savoir à l'avance.
2 . La crainte de devoir payer trop cher chaque interview. En segmentant le questionnaire, on réduit la durée de l'interview et son coût par voie de conséquence.

Je garde en mémoire une citation issue d'un ouvrage remarquable :

Effective Advertising de Harry Walker Hepner, édité par Mac Graw Hill (2ᵉ édition en 1949). ''Le propre des véritables experts en matière d'étude d'efficacité publicitaire est de se remettre constamment en question, d'expérimenter toujours et de ne rien considérer comme acquis ou évident''.

En conclusion : User des filtres mais ne pas en abuser. Filtrer c'est trop souvent rejeter une information dont on regrettera l'absence au moment de la rédaction du rapport d'étude.

4. LA LONGUEUR DU QUESTIONNAIRE

La longueur du questionnaire, avec comme corollaire la durée de l'interview, a cru au fil des années. L'évolution des possibilités de traitement des données explique, à elle seule, cette croissance.

En 1945 un questionnaire dactylographié ou imprimé tenait sur une page recto-verso ; en 1987 un questionnaire nécessite souvent 16 à 20 pages.

On a constaté, au fil des années, que la bonne volonté du public interrogé était très grande. Il accepte une durée d'interview atteignant, ou dépassant, largement 45 minutes. Les refus d'interview sont plus nombreux, dès la prise de contact, qu'en cours d'entretien.

La mise sur ordinateur des logiciels de traitements statistiques multidimensionnels a entraîné une abondance de questions de notation. A-t-on atteint la limite de ce qui est acceptable ?

Pour vaincre la lassitude des personnes interrogées, on accompagne l'interview orale d'une phase de questionnaire auto-administré, réexpédié par la poste ou récupéré par l'enquêteur les jours suivants. L'étude Simson, réalisée aux États-Unis et qui a inspiré les études média-marchés en France, reposait sur l'interview de la même personne, plusieurs jours de suite. Dans les années 70, l'étude périodique, à sujets multiples, de l'institut néerlandais d'opinion publique (NIPO) crée par Win de Jong et Jan Stapel en 1945, nécessitait une interview de près de deux heures. Mille enquêteurs réalisaient chacun une interview, un jour déterminé (échantillon aléatoire par tirage au sort d'adresses).

La longueur d'un questionnaire et, par voie de conséquence, sa durée ont-elles une incidence sur la fiabilité des réponses recueillies ? C'est vraisemblable. Toutefois, j'ai rarement remarqué que les résultats de questions régulières, incluses tantôt dans des questionnaires courts (20 à 30 minutes d'interview), tantôt dans des questionnaires longs (de l'ordre de 45 minutes à 1 heure) étaient altérés par l'effet de lassitude des personnes interrogées. Il n'en demeure pas moins que le seuil de saturation est parfois atteint. Il se manifeste pas le taux de ''sans réponse'' à la notation d'items d'attitude ou d'image de marque. J'ai en mémoire la question 10 d'un questionnaire posé à un échantillon d'agriculteurs. Cette question (si l'on peut dire !) comprenait en fait 342 questions élémentaires : 19 points d'image à noter de 1 à 10 pour 18 marques différentes. Des résultats antérieurs permettaient de prévoir que les agriculteurs étaient en mesure de répondre, en moyenne, sur 10 marques qu'ils connaissaient, soit 190 notes à donner.

Les possibilités offertes par les logiciels de traitement statistique expliquent cette manière de procéder. Les satisfactions attendues d'un traitement informatique l'emportent sur le souci de recueillir une information fidèle.

L'analyse du contenu des articles, des sujets présentés dans les congrès, les séminaires, les colloques, montre la place prépondérante accordée au traitement des données, beaucoup moins au document de recueil de l'information ou à la forme de consultation. L'abondance des questions traduit souvent un aveu de faiblesse, ''on mettra tout cela dans la machine et on verra bien''.

Le recours de plus en plus important à l'interview par téléphone conduira à plus de sagesse. L'entretien au téléphone provoque une plus grande lassitude que l'interview en tête-à-tête, tant de la part de l'enquêteur que de la personne interrogée.

La longueur d'une interview est-elle perçue d'une manière précise par la personne interrogée ? L'expérience montre qu'il n'en est rien. Très souvent, à la suite d'une interview en ma présence, j'ai demandé à la personne interrogée d'estimer la durée de l'entretien auquel elle s'était prêtée. Dans la grande majorité des cas, la durée de l'interview était sous-estimée (20 minutes pour 30, 30 pour 45, par exemple).

Il est admis que l'intérêt porté au sujet de l'étude rend acceptable la durée de l'entretien. Quel sujet intéresse tout le monde à la fois ? La bonne volonté de la personne interrogée et le savoir-faire de l'enquêteur jouent un rôle essentiel dans le déroulement d'une interview. Certains, conscients de la nécessité de rompre la monotonie de l'interview et d'en rendre plus acceptable la durée, ont imaginé plusieurs procédés. J'extrais d'une conférence faite à Amsterdam en octobre 1973 par J.M. BOWEN, du ''Marketing Advisory Services LTD (U.K.)'' les citations suivantes :

> ''Des idées sont émises actuellement pour aboutir à un raccourcissement du questionnaire et aussi pour le rendre plus court en apparence, soit en variant les types de questions, soit en utilisant des aides visuelles''.

L'auteur signale les procédés suivants pour donner l'impression d'allégement du questionnaire :
— Varier les formes de questions,
— utiliser des aides visuelles,
— éparpiller les questions relatives à un thème plutôt que de les regrouper,
— introduire les questions qui suscitent l'intérêt le plus tôt possible,
— s'assurer que le questionnaire "coule bien".

J.M. Bowen insiste sur la nécessité de varier les types de questions relatifs à la mesure des attitudes (dichotomies, échelles verbales, notes, rangs de classement). Il affirme que l'usage d'une métrique homogène ennuie la personne interrogée. En résumé, il conseille d'utiliser des artifices pour maintenir l'attention et l'intérêt de la personne interrogée.

On peut prendre la position contraire. Comment vouloir maintenir un intérêt soutenu et assurer un flux ininterrompu, en s'ingéniant à varier constamment la règle du jeu, donc à rompre le rythme de l'interview ? Une interview se déroule d'autant mieux que les questions proposées suscitent des réponses rapides, bâties sur un seul moule. Passer d'une notation "oui" ou "non", à une échelle de 1 à 7, puis à un rang de classement, revenir à "oui" ou "non" etc. fatigue la personne interrogée et rompt le rythme normal. Éparpiller les items d'un thème donne l'impression de passer du coq à l'âne. Enfin, si on réfléchit à l'exploitation des résultats, comment comparer des réponses obtenues à l'aide de métriques différentes ?

Dans le chapitre consacré aux questions de classement et aux échelles de notation, j'insiste sur la notion d'homogénéité du recueil et du traitement. Au fil des ans, les questionnaires s'évadent du concret et de la simplicité, pour tomber dans le travers intellectualiste. Le rédacteur du questionnaire ne doit pas chercher à vaincre la monotonie de son travail par des astuces ou trouvailles ingénieuses, mais se mettre constamment à la place de l'enquêteur et de la personne interrogée.

5. LA LONGUEUR ET LA PRÉCISION DES QUESTIONS

Stanley Payne, auquel la plupart des écrits sur le questionnaire de sondage se réfèrent, recommandait en 1951 le recours à des questions courtes, de vingt mots au maximum. Une question brève et précise sera toujours bien acceptée par l'enquêteur et par la personne interrogée. Une question ''bavarde'' n'atteint pas son but. Contraint le plus souvent de relire le texte de la question, l'enquêteur adoptera une formulation réduite, au risque d'en déformer le sens. Certaines précisions apportées au texte d'une question sont utiles, d'autres sont superflues, voire même nuisibles.

Commençons par les précisions ou mentions superflues et nuisibles. Un exemple montrera comment un professionnel averti, soucieux de précision et de rigueur, encombrait le texte de ses questions de membres de phrases inutiles qui disparaissaient le plus souvent lors de l'interview.

''Vous dites que vous regardez souvent à la télévision l'émission A sur la chaîne B. Parmi les qualificatifs suivants que je vous énumère quels sont ceux qui s'appliquent le mieux à cette émission ?

— L'émission A est intéressante du début à la fin.
— L'émission A met en scène des acteurs de talent.
— L'émission A s'améliore de semaine en semaine.
— L'émission A aurait besoin d'être renouvelée, elle s'use.   etc.

Il ne faut pas être grand clerc pour suggérer de supprimer dans chaque éventualité le membre de phrase : ''l'émission A'' et d'adopter tout simplement :

— intéressante du début à la fin.
— met en scène des acteurs de talent etc...

Un autre exemple d'excès de précision qui a de grandes chances de disparaître lors de l'interview :

''Vous trouverez sur cette carte une série d'opinions que certaines personnes ont de la marque X. A l'aide d'une note allant de 1 à 10 vous me direz dans quelle mesure vous êtes d'accord ou pas d'accord. La note 1 exprime votre désaccord total, la note 10 sera votre accord total, les notes 2 à 9 permettent de nuan-

cer votre opinion. Les notes 2 à 4 expriment un certain désac-
cord etc...''

La phrase commençant par ''Les notes de 2 à 4 etc.'' est inutile et
ce d'autant plus que le texte de la question et la manière d'y répondre sont inscrits sur la carte présentée à la personne interrogée.

Je citerai un autre exemple. Il s'agissait de répondre à une série de
questions relatives à un produit. L'enquêteur devait lire un texte d'une
vingtaine de lignes d'explication préalable (la personne interrogée
avait, en plus, le texte sous les yeux). En fin d'exposé, l'enquêteur
demandait à son interlocuteur s'il avait bien compris le mode d'emploi ;
dans le cas contraire l'enquêteur devait reprendre l'explication. Cette
démarche se condamne d'elle-même pour les raisons suivantes :

1. Vingt lignes d'explication pour comprendre la manière de répondre à une série de questions, c'est beaucoup trop.

2. Devoir reprendre l'explication dès le début en cas d'incompréhension de la règle du jeu, c'est s'exposer à trois situations possibles :

— L'enquêteur passe outre et imagine que la règle du jeu est
  comprise.

— La personne interrogée ne veut pas donner une mauvaise impression et dit avoir tout compris.

— La personne interrogée accepte la répétition.

En conclusion, l'ensemble des questions est à rejeter. Une question
doit être immédiatement comprise, les explications quant à la manière
d'y répondre doivent être brèves. N'ayant en tête que le traitement
sophistiqué des données, certains sont déconnectés de la réalité.

Une question doit être courte mais précise et répondre à son objet.
Prenons l'exemple classique de l'écoute de la radio la veille. C'est
un domaine qui m'est familier, depuis 1948. Les questions actuellement utilisées ont repris, en la complétant parfois, la formulation que
j'y adoptais :

> ''Hier, je dis bien hier, même si ce jour avait pour vous, un carac-
> tère particulier avez-vous écouté la radio, ne serait-ce que quel-
> ques instants, chez vous ou ailleurs, sur le lieu de travail etc. ?''

Le texte de la question que l'enquêteur lit lentement insiste sur trois
éléments :

— le souvenir d'une écoute de la radio,
— hier et pas un autre jour,
— les différents lieux d'écoute de la radio.

Le membre de phrase ''même si ce jour avait un caractère particulier'' est indispensable. Un auditeur fidèle aura quelques scrupules à avouer qu'il n'a pas écouté la radio la veille, contrairement à l'habitude. J'ai souvent eu la preuve que certaines personnes évoquaient leur comportement habituel au lieu de comportement de la veille en signalant l'écoute d'une station qui n'avait pu émettre pour fait de grève, incident technique etc. Il est frustrant de ne rien répondre ''Ah si vous étiez venu hier, j'en aurais eu des choses à vous dire'' dira une autre personne.

La longueur d'une question s'applique à plusieurs éléments :
— le texte de la question,
— les éventuelles instructions sur la manière d'y répondre,
— la longueur et le nombre des éventualités ou items proposés.

Ce qu'on appelle souvent improprement ''question'' recouvre en fait une série de points d'interrogation. Faire classer ou noter selon une échelle plusieurs éventualités aboutit à enregistrer autant de réponses que d'éventualités. La longueur et la durée d'interview qui en découle dépendent du nombre de notes. On lira dans le chapitre ''La longueur de l'interview'' jusqu'à quel point on ose aller dans le nombre des items et des marques auxquelles ces items se rapportent. Pour ces questions, à multiples éventualités de réponses, je conseille de retenir au maximum :

— 8 à 10 éléments dans une question de classement. Sous prétexte d'alléger la saisie et le dépouillement, le classement des 3 items les plus importants, dans une liste de 15 ou 20, ne change rien au fait que la personne interrogée est dans l'embarras.

— 12 à 15 éventualités à noter selon une échelle verbale ou numérique pour 2 ou 3 marques, et c'est déjà beaucoup, soit entre 24 et 45 points d'interrogation sous un seul numéro de question.

En conclusion de ce chapitre, je résume la position commune à tous ceux qui se sont penchés sur l'étude du questionnaire. Pour recueillir des réponses fiables, il faut :

— Un texte de question relativement court, sans périphrases inutiles.
— Des instructions relatives à la manière de répondre simples et rapides. Des instructions trop longues, qu'il faut relire, sont l'indice d'une mauvaise question.
— Des éventualités peu nombreuses et concises dans leur libellé.

J'ai souvent remarqué que le perfectionnisme inutile dans la formulation des questions allait de pair avec l'emploi de fioritures superflues dans la présentation du questionnaire (voir chapitre : présentation et mise en page du questionnaire).

6. L'ORDRE DES QUESTIONS

L'effet dû à l'ordre des questions a fait l'objet de nombreux articles qui, comme tout ce qui relève de l'étude du questionnaire, fourmillent d'exemples issus de sondages à contenu politique ou social auxquels ont contribué des sociologues, psycho-sociologues, statiticiens etc.

J'extrais de l'ouvrage récent ''Handcrafting the standardized questionnaire'' (1986) de Jean M. Converse et Stanley Presser, déjà cité, deux remarques, l'une en tête, l'autre en conclusion du chapitre :''The problem of question order'' (2 pages) :

1) ''Les personnes interrogées sont sensibles au contexte dans lequel s'inscrit la question posée autant qu'aux mots utilisés dans l'énoncé de la question. Il en résulte que : la signification de n'importe quelle question peut être modifiée par une question précédente''.

2) ''En dehors des règles de formulation des questions que nous avons passées en revue, il n'y a pas de règles générales fondées sur l'expérience pour ordonner les questions... Même, là où il est démontré que le contexte joue un rôle, il n'est pas clairement établi qu'un ordre dans l'énoncé des questions soit meilleur qu'un autre''.

L'expérience montre en effet qu'il n'y a pas de recette magique et universelle pour ordonner les questions. En fait, la notion d'ordre s'applique, d'une part, aux items ou éventualités inclus dans une question fermée, d'autre part, à la succession des différentes questions.

— L'ORDRE DES ITEMS :

Dans la pratique courante, les échelles verbales du degré de satisfaction sont orientées du positif vers le négatif : ''Etes-vous très satisfait'', ''plutôt satisfait'', ''plutôt mécontent'' ou ''très mécontent de....''. C'est un usage très répandu. L'erreur consisterait à adopter, pour le même type de question, tantôt un ordre, tantôt son contraire. Il ne faut pas jouer avec plusieurs ''métriques'' en même temps, sous prétexte de vaincre la lassitude de la personne interrogée et de rompre la monotonie d'une interview (voir chapitre sur la durée de l'interview et les procédures pour maintenir l'intérêt de la personne interrogée).

Les items soumis à classement sont ordonnés, là encore, du plus important au moins important. En revanche, lorsqu'il s'agit de donner une note, les réponses s'ordonnent des notes basses vers les notes élevées, ou du moins (–) vers le plus (+) à l'image de la notation algébrique.

La mise en ordre des items est plus complexe lorsque ces derniers sont nombreux entre 10 et 20 par exemple, sans notion de hiérarchie à priori. Les exemples abondent :
— présentation d'une liste de marques pour déceler la notoriété, les marques usuelles, la marque préférée etc.
— présentation d'une liste de qualificatifs ou d'expressions pour cerner l'image d'un produit, les qualités ou la personnalité d'un homme politique, les problèmes les plus importants qu'un gouvernement doit résoudre etc.
— présentation d'une longue liste de revues ou d'un petit carnet, chaque page reproduisant le titre d'une publication,
— présentation d'une liste de motifs de satisfaction,
— présentation d'une liste de moyens publicitaires (télévision, presse quotidienne etc.)

Dans ce type de situation, l'effet d'ordre n'est pas à démontrer. Il est réel, bien que difficilement mesurable avec rigueur. On ne teste pratiquement jamais l'effet dû à l'ordre, en présentant à des sous-échantillons semblables toutes les combinaisons possibles dans la présentation.

Si l'on ne peut jamais éliminer l'effet dû à l'ordre de présentation des items, on peut cependant en limiter les conséquences en présentant des ordres différents. Pour cela deux procédures courantes :
— Créer plusieurs formes de questionnaires : deux, quatre, six... chacune avec un ordre différent dans la présentation des items. On doublera artificiellement le nombre des formes en demandant à l'enquêteur d'inverser l'ordre de présentation des items une interview sur deux. C'est une procédure économique dont on ne peut garantir la stricte application sur le terrain.
— Présenter chaque item sur un petit carton. L'enquêteur bat les cartons avant de procéder à une interview, sans que l'on sache quel a été l'ordre adopté. On fait confiance au hasard. La tâche de l'enquêteur se complique lorsqu'il doit noter les réponses dont l'ordre est quelconque, sans rapport avec ce qui est imprimé sur le questionnaire. Cela prend du temps, rompt le rythme de l'interview et peut conduire l'enquêteur à négliger la consigne donnée. J'insiste à nouveau sur le fait que l'on doit faciliter au maximum le travail de l'enquêteur. Les ''trucs et astuces'' conçus, dans le calme du bureau, n'atteignent pas toujours l'objectif recherché.

— LA MISE EN ORDRE DES QUESTIONS

Un certain nombre de règles de base sont issues de l'expérience acquise dans différents pays.

1) *Les caractéristiques personnelles : âge, situation socioprofessionnelle, revenu, éléments du niveau de vie, figurent à la fin du questionnaire*

Introduire l'interview par l'énoncé de ces questions choque la personne interrogée ''Où veut-il en venir ?'' L'interview prend, dès le début, une forme inquisitoriale déplaisante. Certaines méthodes de sélection des personnes interrogées à l'intérieur d'un foyer (méthode de Kish, pour les interviews en tête-à-tête, ou de Trodahl Carter, pour les interviews par téléphone) n'évitent pas cet écueil (voir chapitres ''Échantillonnage aléatoire'' et ''Spécificité du questionnaire adapté à l'interview par téléphone'').

2) *La première question est d'ordre général.*

Elle n'implique pas directement la personne interrogée. Son objet est de détendre l'atmosphère, de mettre à l'aise l'interlocuteur. En d'autres termes, éviter de commencer un entretien par :

— des questions d'information trop précises qui prennent l'aspect d'un examen,
— des questions strictement personnelles telles que la possession d'un compte bancaire, du recours à un organisme de crédit etc...,
— des questions d'apparence complexe qui mettent en jeu un classement, une hiérarchie, la notation d'une série d'items.

A la limite, la première question, volontairement anodine, ne fera pas l'objet d'un dépouillement. Tous les enquêteurs vous le diront, la première question ''rompt la glace'' ; l'apparition d'un sourire, lors de l'énoncé de la première réponse, est un bon point pour la poursuite de l'interview.

3) *Un dilemne : par quoi commencer ?*

L'incertitude est réelle. Doit-on solliciter l'opinion de la personne interrogée sur les avantages et inconvénients d'un produit ou d'une série de produits avant de s'intéresser à l'usage et à la fréquence d'utilisation du produit ? Ou doit-on s'intéresser d'abord aux données factuelles ?

Bien qu'il n'y ait pas de règle absolue en la matière, différents spécialistes estiment que la sensibilisation progressive à un produit : degré de connaissance, opinion sur différentes marques, mémorisation des

campagnes et messages de publicité, crée un véritable conditionnement qui risque d'altérer, par effet de prestige, le contenu réel des
questions factuelles.

A contrario, entreprendre dès le début de l'interview le recensement
des données de fait (usage, fréquence d'utilisation, lieu d'achat, marque utilisée etc.) pour une série de produits, provoque un désintérêt
croissant de la personne interrogée peu familière avec les produits
étudiés et risque d'induire une série de ''sans réponses'' en chaîne.

Un dosage astucieux des deux types de question s'impose.

Lorsque le questionnaire est entièrement composé de questions de
fait ou de questions d'opinions, le problème se pose différemment.
Là aussi, il faut faire preuve d'imagination pour doser la difficulté.
De toute manière certains questionnaires relatifs à la diffusion des
différents médias, à l'utilisation de produits fertilisants ou phytosa-
nitaires etc. demeurent rébarbatifs. Dans cette situation, seul le savoir-
faire de l'enquêteur entre en jeu.

4) *La procédure de ''l'entonnoir''*

Cette procédure classique est l'évocation imagée de la démarche :
''aller du général au particulier''. En d'autres termes : toute question
a un caractère plus général ou plus large que la question suivante ;
la réponse à une question n'est pas suggérée implicitement par la
question précédente. Le passage à ''blanc'' du questionnaire auprès
d'une ou de deux personnes révèle, très vite, les anomalies criantes
dans l'ordre des questions.

Il ne nous viendrait pas à l'idée de présenter une liste de marques
de produits, afin de noter la marque utilisée actuellement, et de poser
ensuite une question ouverte sur la notoriété spontanée des marques.
Et pourtant, ce genre d'erreurs, dont certaines sont caricaturales, existent ! Le rédacteur du questionnaire est, parfois, davantage motivé
par la logique du questionnaire, reflet des thèmes énumérés dans le
projet soumis à son client, que par la logique de l'interview.

5) *L'ordre des sujets dans les sondages périodiques*

Passer du coq à l'âne dans une étude à sujets multiples (études périodiques ou études omnibus) ne pose pas de réels problèmes.

Dans ce type d'études, pratiqué régulièrement par plusieurs sociétés françaises, l'effet dû à l'ordre des sujets n'est pas déterminant.
Le reflexe habituel d'un client est de souhaiter que ''ses'' questions
figurent en tête du questionnaire. Étant donné que tout le monde ne

peut figurer en tête d'un questionnaire, certaines questions, posées à intervalles réguliers, seront situées à des places différentes, d'un sondage à l'autre. J'ai rarement constaté des anomalies dans la série des résultats de questions placées en tête, au milieu ou en fin d'interview. Les anomalies troublantes et accidentelles ont le plus souvent d'autres causes (voir chapitre : « Les questions régulières ou les grandeurs et servitudes des questions répétitives'').

7. LES AIDES VISUELLES : LISTES, CARTONS, SCHÉMAS ET DESSINS, PHOTOGRAPHIES, OBJETS RÉELS.

Un dessin, vaut souvent, mieux qu'un long discours. L'interview en tête-à-tête prend la forme d'un dialogue organisé, mais l'expression orale ne suffit pas ; il est utile, voire même indispensable, de présenter à la personne interrogée une liste de noms, de mots ou de phrases, de schémas, dessins, reproductions photographiques, produits ou objets divers.

Dans quel cas l'aide visuelle se justifie-t-elle ?

1. Lorsqu'il s'agit de solliciter une opinion sur une marque, une personnalité dont le nom, d'origine étrangère, prête à confusion quand il est prononcé.
2. Lorsqu'un choix est à faire entre une série de phrases, de marques, d'appareils, dont le nombre dépasse trois ou quatre.
3. Lorque le nom donné recouvre des appareils, objets ou produits mal définis. Dans ce cas le schéma ou la reproduction photographique s'impose. On citera parmi d'autres :

— les modèles de cafetières,
— les mixers, batteurs, etc.
— le type de carrosserie pour une voiture : 2 portes, 3 portes, 4 portes, 5 portes, coupé, etc.,
— les sous-vêtements,
— les différents produits laitiers du type yaourt, entremets desserts.

Ce ne sont ici que quelques exemples. Bien souvent un schéma neutre ne suffit pas, une présentation en photo-couleurs s'impose : marque, aspect du conditionnement, nom spécifique donné, autant d'éléments indispensables pour aider la personne interrogée à identifier, sans ambiguïté, le produit auquel on se réfère.

PRÉSENTATION DE LISTES, PLANCHES OU D'ÉLÉMENTS SÉPARÉS

Doit-on présenter une liste de noms, de qualités, de phrases, dans un ordre prévu à l'avance, ou une série de petits cartons ?

— L'utilisation d'une liste ou d'une planche de plusieurs dessins ou photos présente l'avantage d'une économie de moyens dans la préparation du dossier de l'enquêteur (manipulation lors de l'expédition) et facilite le travail de l'enquêteur : moins de choses à étaler devant lui et a récupérer en cours d'interview. L'effet d'ordre est aussi à prendre en considération, la personne interrogée exprime une opinion ou un choix avant d'avoir pris connaissance de l'ensemble des éventualités proposées. On y remédie en partie en utilisant plusieurs formes de questionnaires.

— L'utilisation de cartons, photos ou dessins séparés a comme avantage :
• pas d'ordre de présentation imposé,
• la personne interrogée a la possibilité de faire plusieurs "tas", en classant ce qu'elle aime, sur quoi elle hésite, ce qu'elle rejette.

Les inconvénients son réels :
• coût de préparation (reprographie, découpage, assemblage) relativement élevé,
• erreurs possibles dans l'expédition, car certains cartons se perdent, et il faut prévoir autant d'enveloppes que de jeux de cartons,
• nombreuses manipulations de la part de l'enquêteur et nouveaux risques de perte (carton oublié chez la personne interrogée, disparu sous une table ou sous un napperon). Dans certains cas on crée des liasses, mais alors l'effet d'ordre joue à plein.

Si la présentation de cartons ou d'éléments séparés recueillent l'essentiel des suffrages, un point important est à considérer :

La multiplicité des questions avec présentation de cartons dans le corps d'un questionnaire, majore le coût de la reproduction et de préparation du dossier de chaque enquêteur, conduit souvent à renoncer aux cartons individuels au profit des listes ou planches, ou d'une formule mixte : cartons pour quelques questions, listes et planches pour d'autres questions.

Il n'y a pas de règle absolue en ce domaine. S'il s'agit de connaître la marque et la variété de cigarettes achetées par la personne interrogée, la présentation de planches où les marques sont classées par famille s'impose. En effet, 5 à 10 variétés peuvent exister sous la même marque ; le fait de les rassembler minimise le taux d'erreur. Il en va de même pour les modèles de voitures, les appareils de photographie, les produits d'entretien, etc.

En choisissant le regroupement ou la présentation d'éléments isolés, on devra tenir compte :
1. de la solution qui offre le plus de sécurité quant à la fiabilité des réponses et l'examen de chaque cas d'espèce s'impose,

2. de la multiplicité des listes, cartons à montrer dans un question-naire. Si 30 questions nécessitent ce type de matériel, cela donne à réfléchir, 30 listes ou 200 à 400 cartons, photos etc,
3. du coût de reproduction et de manutention. C'est un poste que l'on néglige et sous-estime souvent dans la préparation des devis, surtout si on utilise des dessins et photographies polychromes,
4. d'une sous-estimation du temps de préparation du matériel, d'où risque de retard dans le départ d'un sondage,
5. du travail de l'enquêteur, risque d'erreurs dans la présentation du matériel, perte de matériel, temps perdu.

Dans ce domaine le mieux est parfois l'ennemi du bien. De multiples articles prônent, expériences à l'appui, les avantages de telle ou telle procédure. Il s'agit d'expériences limitées, sorties du contexte réel et sans prendre en compte les contraintes d'exécution à différents niveaux. Ici comme ailleurs, il y a à distinguer l'expérience faite en laboratoire et sa transposition dans la chaîne de fabrication.

L'avantage de la photo en couleurs ou de l'objet lui-même sur le noir et blanc ou le schéma simplifié.

S'il s'agit d'une annonce de publicité, d'extraits de films publicitai-res, de journaux ou revues, la page extraite d'une revue ou la repro-duction sous forme de photographie en couleurs (avec ou sans réduc-tion) l'emportent sur la photo en noir et blanc ou le dessin simplifié. Le coût s'en ressent si le nombre des enquêteurs intéressés dépasse quelques dizaines.

La présentation de la page de couverture d'une revue ou de la pre-mière page d'un quotidien, en vue de déceler la lecture, est à l'évi-dence préférable à la présentation de la reproduction du titre sous forme de photocopie réduite en noir et blanc.

Prenons l'exemple de la presse agricole. S'agissant de diverses pro-ductions coexistent des revues, magazines, journaux à périodicité variable, de diffusion nationale, régionale, départementale.

Dans le dernier cas ci-dessus trois solutions s'offrent à nous.

1. Création d'un cahier où sont dactylographiés ou reproduits en trai-tement de texte, les noms des publicitaires classés de la manière suivante :
   — A diffusion nationale : par lettre alphabétique et par périodi-cité de publication
   — A diffusion régionale et départementale : une ou plusieurs pages par département.

2. Création d'un cahier organisé comme le précèdent, mais reproduction du titre sous forme de photocopie réduite. Ceci nécessite de se procurer un exemplaire de chaque publication chez l'éditeur ou, pour certaines, de reproduire les logos présentés dans les différents annuaires de la presse. Le cahier sera plus volumineux, nécessitera plusieurs journées de préparation avant d'être reproduit ensuite en plusieurs dizaines ou centaines d'exemplaires.

3. Recueillir un exemplaire récent de chacune des publications et en conserver la première page. Solution idéale, mais à quel prix ! Autant d'exemplaires de chaque publication que d'enquêteurs réalisant le sondage. Cette solution est à retenir, parce que la meilleure, lorsque l'étude est limitée à une petite région et que le nombre d'enquêteurs est lui aussi limité.

La deuxième solution, exposée ci-dessus est à conseiller si :
1. on s'est assuré au préalable de la possibilité de rassembler, dans un délai raisonnable, les logos de toutes les publications.
2. on a prévu dans son budget le coût de reproduction, assemblage, agrafage du cahier en ''n'' exemplaires.

Il est parfois possible d'utiliser la présentation de l'objet étudié, ce qui est la solution idéale. Cela s'impose chaque fois que le produit est léger, de petites dimensions :
— plusieurs modèles de montres, différents de forme et de présentation,
— plusieurs modèles de rasoirs ou briquets jetables, etc.

Il va sans dire qu'en matière de test de produits on présentera l'objet lui-même. Ceci est un autre problème. Les professionnels ont le souvenir de plusieurs tonnes de couches pour bébés, de boîtes de lait, d'aliments pour chiens et chats, à devoir expédier dans différentes villes.

— LA TRANSCRIPTION DES RÉPONSES
Chaque fois qu'une longue liste est soumise à une personne interrogée en vue de solliciter un rang, une note, une utilisation, chaque élément de liste est affecté d'un code figurant en face du mot ou de la phrase, sur le dessin ou la photo. L'enquêteur se contentera de reporter sur le questionnaire le n° de code correspondant à la réponse. On doit toujours éviter d'avoir à reproduire en clair le nom du journal ou de la marque et sa variété.

— LA DÉTECTION DE L'ANALPHABÉTISME

Dans nombre de pays, le taux de personnes illettrées atteint ou dépasse 50 %. Ceci pose à l'évidence des problèmes pour la présentation de documents écrits. En conséquence tout questionnaire doit tenir compte de cette situation. La présentation d'un document écrit permet à elle seule de dénombrer les personnes illettrées. C'est ainsi, qu'ayant à étudier la clientèle d'un journal quotidien dans un pays du Moyen-Orient, j'ai pu isoler la population des personnes sachant lire en formulant une question de la manière suivante :

Voici une liste de journaux quotidiens, lesquels connaissez-vous au moins de nom.

Le test est infaillible et ce d'autant plus que les enquêteurs avaient pour consigne de présenter la liste à l'envers. Il fallait la mettre dans le bon sens avant de pouvoir répondre.

En fait, cette question avait été précédée d'une autre, formulée à peu de choses près, comme ceci ''Savez-vous lire''.

Sur 100 personnes déclarant savoir lire, 92 ont été en mesure de déchiffrer la liste présentée ensuite.

L'UTILISATION DES PLANS DE VILLE ET DES CARTES GÉOGRAPHIQUES

Les sondages sur les moyens de transport, les déplacements et leurs itinéraires nécessitent parfois l'utilisation de plans ou de cartes que l'on présente aux personnes interrogées. si en France la proportion de personnes ne sachant pas lire un texte est considéré comme négligeable, la proportion de celles qui ne sont pas en mesure de lire un plan de ville ou une carte est nettement plus élevée.

Autant que possible, il faut éviter de présenter des plans de ville ou des cartes sur lesquels de nombreuses informations sont reportées : lignes de transports en commun, voies de chemin de fer, routes, canaux et rivières, etc.

La tâche devient pratiquement impossible lorsque la population consultée appartient à certains pays d'Afrique ou d'Asie, même parmi les lettrés. C'est un problème purement culturel, l'organisation de l'espace géographique, reportée sur une carte ou un plan, est perçue de différentes manières.

8. LES INSTRUCTIONS ACCOMPAGNANT UN QUESTIONNAIRE ET L'UTILITÉ DES BRIEFINGS

Commençons par poser quelques principes de base :

— Un questionnaire bien fait, clair et précis ne nécessite aucune instruction complémentaire.

— Les rares instructions relatives à la sélection des personnes interrogées, au guidage des questions, au système de notation de certaines réponses figurent sur le questionnaire.

— Un briefing ou une séance de formation préalable s'impose dans quelques cas, toujours lorsque le personnel dévolu à la réalisation des interviews a été recruté pour les besoins de l'étude.

Les instructions jointes au dossier d'un enquêteur sont, en principe, lues et assimilées par l'enquêteur, chez lui, avant de procéder à sa première interview. Elles ne l'accompagnent pas sur le terrain. J'ai en mémoire l'exemple d'un enquêteur qui, non seulement, emportait avec lui l'ensemble du dossier, mais aussi ''le manuel de l'enquêteur'' qu'il lui arrivait de consulter en cours d'interview. Cet enquêteur, converti depuis au journalisme, faisait montre d'un comportement scrupuleux.

Je pourrais citer des exemples d'instructions de 80 pages, 5 à 6 fois plus abondantes que le questionnaire lui-même. Quelle serait votre réaction si, sous un panneau de signalisation routière, était inscrit l'avertissement suivant ? : ''ce panneau signifie que vous ne devez pas tourner vers la droite'', ou ''attention le feu vert vous donne le passage'' etc. Trop souvent les instructions indispensables, peu nombreuses, sont noyées dans un ensemble de redites qui traduisent l'anxiété du chargé d'études et le peu de confiance accordée au personnel d'exécution du sondage.

Lorsque la réalisation du sondage est sous-traitée à un confrère étranger, ou lorsqu'elle est supervisée étroitement par le client, le document d'instructions prend valeur de cahier des charges : on est prêt à prendre le parapluie pour se couvrir. D'autres feront, de cette manière, étalage de leur professionnalisme et de leur savoir-faire.

Les instructions s'imposent, en revanche, chaque fois que le sujet a un contenu technique. L'enquêteur est alerté sur les différents systèmes d'unités, de conditionnement, sur la spécificité des produits. Le plus souvent ces instructions portent leurs fruits lorsqu'elles figurent sur le questionnaire.

La manière de conduire les interviews, le respect du plan de travail, la liste des documents du dossier de l'étude constituent la trame des instructions.

Je ferai les mêmes remarques en ce qui concerne les briefings ou réunions d'instructions préalables à l'étude. Les briefings sont indispensables lorsque le personnel d'enquête est novice, ils se révèlent insuffisants, s'ils ne sont pas précédés ou suivis d'exercices sur le terrain. Le briefing est parfois imposé par le client.

Le coût d'un briefing d'une demi-journée ou d'une journée est particulièrement élevé, lorsque le nombre des enquêteurs atteint ou dépasse la centaine. A la rémunération de la journée s'ajoutent les frais de transport et d'hébergement. En revanche, chaque fois qu'il s'agit d'une étude locale, nécessitant un petit nombre d'enquêteurs, une séance de mise en train est toujours utile, afin de permettre au chef d'équipe de prendre connaissance de ses enquêteurs et d'orienter son discours sur la manière d'appliquer les consignes d'échantillonnage et d'organiser la journée de travail.

Nombre d'enquêteurs chevronnés et sûrs ont "craqué" lors de briefings interminables, conduits par du personnel extérieur, prolixe, hésitant, ne dominant pas le sujet, interrompant la réunion pour solliciter un avis extérieur, vu leur incapacité de répondre à des questions pertinentes.

En résumé, les instructions et les séances d'information ont leur raison d'être ; on appréciera dans chaque cas d'espèce leur bien fondé et leur contenu. On rejettera les procédures de pure forme.

9. LE TEST DU QUESTIONNAIRE

La mise à l'épreuve d'un questionnaire avant la réalisation d'un sondage en vraie grandeur est une pratique courante. Toutefois, la technique du test prend deux formes extrêmes :

— la répétition du test, conséquence d'une formulation hâtive, d'ajouts successifs et de suppressions de questions ;
— le pseudo-prétest réalisé auprès de quelques personnes et dont on attend peu d'enseignement, la plupart des questions étant réputées intouchables.

Le test a plusieurs objets :

1. Signaler les questions obscures, mal comprises ou ambiguës.
2. Proposer des modifications dans le vocabulaire ou tout au moins relever les mots et expressions qui nécessitent une explication de l'enquêteur, explication non prévue dans le questionnaire.
3. Vérifier le déroulement logique du questionnaire : opportunité des zones filtrées, influence réciproque de plusieurs questions etc.
4. Alléger les formulations ''bavardes''
5. Évaluer la durée de l'interview.

De mon point de vue, la réalisation d'un test est bénéfique si le chargé d'études respecte un certain nombre de règles :

1. Le questionnaire du test est à l'image du questionnaire définitif quant à la formulation et à la mise en ordre des questions. On ne teste pas un brouillon en disant : ''Je fignolerai le questionnaire après le test''.
2. Quatre ou cinq enquêteurs chevronnés participent au test et réalisent chacun cinq interviews au minimum. Certains enquêteurs, inaptes à formuler un questionnaire, se révèlent être des auxiliaires utiles.
3. Une séance d'instruction permet au chargé d'études, accompagné d'un membre du service des enquêteurs, d'exposer le but du sondage et d'attirer l'attention sur les particularités du questionnaire. Les instructions et informations verbales sont consignées dans un texte.
4. La présentation du questionnaire de test laisse une large place aux remarques de l'enquêteur. Si l'on a prévu de présenter le questionnaire définitif sur deux colonnes, le questionnaire du test n'occupera qu'une colonne par page.

5. En bas de chaque page et pour chaque interview, l'enquêteur note le temps passé à poser les questions, seul procédé valable pour apprécier la durée de l'interview et le temps consacré aux différentes parties du questionnaire.

6. Les enquêteurs du test répondent à un questionnaire-type sur lequel ils consigneront :
   — le degré d'intérêt de la personne interrogée manifesté en cours d'interview,
   — les questions obscures, répétitives, mal placées,
   — les mots mal compris ou ambigus.

7. Outre les remarques notées en marge du questionnaire, les réponses au questionnaire-type, chaque enquêteur rédige un rapport dans lequel il exprime librement son point de vue. Ce rapport est indispensable. J'ai souvent interrompu les commentaires oraux d'un enquêteur qui négligeait de présenter un rapport écrit. Il espérait se satisfaire de ses remarques orales, quitte à répéter les remarques faites devant lui par un autre enquêteur.

8. La réunion des enquêteurs après la réalisation du test (debriefing) est parfois dominée par l'un d'entre eux, d'où la nécessité de disposer du rapport de chaque enquêteur.

9. Le travail de compilation des rapports des enquêteurs, des remarques générales sur le questionnaire, des notes en marge de différentes questions prend du temps et conduit à revoir le questionnaire point par point.

Certains rédacteurs de questionnaires, débutants ou praticiens occasionnels, n'hésitent pas à soumettre au test un document touffu avec des questions surabondantes. Ils espèrent que, grâce au test, ils seront en mesure d'élaguer le questionnaire. Ils demandent à quelques enquêteurs de faire le travail qu'ils ont négligé de faire eux-mêmes. Parfois le test a un rôle magique et devient le prétexte à supprimer plusieurs questions suggérées ou imposées par le client. L'argument "le test a prouvé que" arrange bien les choses quand on veut éliminer des questions en dehors du sujet, tendancieuses ou obscures.

Un deuxième test est-il nécessaire ? Oui, si les résultats du premier ont révélé des lacunes importantes qui justifient la rédaction de nouvelles questions. Oui, si le questionnaire initial est mal conçu et qu'il faut repartir à zéro. Non, si le travail a été bien préparé et si avant le test on a soi-même réalisé une ou deux interviews auprès de collègues. J'ai toujours eu pour habitude de soumettre à des collaborateurs ou collègues le texte de certaines questions.

Le test du questionnaire fait partie intégrante de la réalisation d'un sondage, son coût et son délai d'exécution ont été prévus. Les personnes interrogées sont sélectionnées comme elles le seront dans le sondage lui-même.

10. LA PRÉSENTATION ET LA MISE EN PAGE DU QUESTIONNAIRE

La présentation d'un questionnaire destiné à l'interview en tête-à-tête, impose un certain nombre de règles simples dont le respect a une incidence sur :

— le temps et le coût d'impression ou de reproduction,
— la lisibilité et la clarté,
— la bonne conduite de l'interview,
— la commodité de la saisie sur bande magnétique, sur disque etc.

Les caractéristiques propres à la présentation d'un questionnaire auto-administré en salle ou à domicile (étude par correspondance), posé par téléphone avec, ou sans, l'assistance d'un programme de visua-lisation sur écran des données, sont examinées dans les chapitres consacrés à ces formes de recueil des données.

1. Les indicatifs indispensables

L'homogénéité de présentation d'un questionnaire est un impératif absolu pour éviter une succession d'erreurs en chaîne au niveau de l'enquêteur, du personnel de saisie, du programmeur. La fantaisie et la marque personnelles n'ont pas leur place ici, cela peut revenir très cher. Chaque société de sondages adopte un type de présentation familier à l'ensemble des services, depuis le service de dactylogra-phie ou de traitement de textes, le service des enquêteurs, les servi-ces de codification, de saisie (des sous-traitants le plus souvent) jusqu'au service de programmation.

En-tête du questionnaire et sous une forme condensée figureront :

— LE NOM, L'ADRESSE, LE N° DE TÉLÉPHONE de la société de sondages.
— LA DATE de l'exécution du sondage ou le mois, indication utile.

La date apporte une information complémentaire au numéro de l'étude.

— LE NUMÉRO DE L'ÉTUDE (série chronologique de chiffres ou com-binaison de lettres et chiffres). Chaque étude doit porter un numéro indispensable à différents titres :

— pour le service de reprographie, le service d'expédition, le service d'enregistrement au retour des interviews et pour l'enquêteur. Un numéro identique, reporté sur tous les éléments d'un dossier (questionnaire, listes et documents à présenter, instructions, plan de travail des enquêteurs, bordereaux de paiement, enveloppes de retour, saisie de programmes et listing d'ordinateur) facilite le travail de tous.

— LE NUMÉRO D'INTERVIEW. Il y a tout avantage à prénuméroter au départ les questionnaires par des moyens automatiques (se faire livrer du papier prénuméroté). Cette prénumérotation automatique évite les doublons, causes de rejet des interviews lors du traitement informatique. La numérotation du questionnaire est l'unique moyen d'identification d'une interview par le logiciel de traitement ; elle offre de plus la possibilité de recourir au document de base (le questionnaire) en examinant la liste des interviews incomplètes ou mal saisies, éditée par l'ordinateur.

— LE NUMÉRO DE L'ENQUÊTEUR. Le nom de l'enquêteur n'est généralement pas saisi. L'enregistrement de ce numéro permet le contrôle informatique du travail de l'enquêteur (voir chapitre sur le contrôle du travail des enquêteurs).

— UNE PHRASE définissant la population concernée par l'étude. Cette mention est facultative.

L'ensemble de ces indicatifs ordonnés convenablement de la gauche vers la droite et de haut en bas prend peu de place (6 à 8 cm. de hauteur). Il est inutile de consacrer une demi-page pour cela.

Exemple :

X.Y.Z.
A rue Dupont   Étude ⎣ H ⎢ 0 ⎢ 0 ⎢ 1 ⎦ → N° 4525
75000 PARIS
                 N° Enquêteur   Forme du
Tél. 44.44.44.44.   ⎣_⎢_⎢_⎢_⎦   questionnaire

                                      ⎣_⎢_⎦ ⎢

Questionnaire à poser à un adulte (18 ans et plus) homme ou femme.

2. *La définition de la population interrogée*

Les phrases du type ''Questionnaire à poser à un adulte'' ou ''Questionnaire à poser à des hommes de 15 ans ou plus'' suffisent lorsque la population, support du sondage, est facilement décelable par l'enquêteur, sans initiative de sa part lors de la prise de contact.

Dans les cas du type :

— questionnaire à poser à une femme adulte sans activité professionnelle,

ou

— questionnaire à poser à un étudiant inscrit en sciences dans une université.

ou

— questionnaire à poser à un retraité

il est indispensable de formuler une ou plusieurs questions, sans laisser à l'enquêteur le soin d'en énoncer une de son cru. Cette formulation manque assez souvent. Les exemples ci-dessus sont traduits comme suit :

1. Avez vous actuellement une activité professionnelle que vous exercez ''régulièrement'', à ''temps partiel'' ou à ''temps complet'' ?

$$\begin{array}{ll} \text{OUI} & \rightarrow \text{Stop interview} \\ \text{NON} & \rightarrow \text{Poursuivre} \\ \text{aucune} & \end{array}$$

---

1. Êtes-vous inscrit actuellement en sciences dans une université ?

$$\begin{array}{ll} \text{OUI} & \rightarrow \text{Question 2} \\ \text{NON} & \rightarrow \text{Stop.} \end{array}$$

2. Assistez-vous au moins de temps en temps aux cours de cette université ?

$$\begin{array}{ll} \text{OUI} & \rightarrow \text{Question 3} \\ \text{NON} & \rightarrow \text{Stop} \end{array}$$

---

1. Êtes-vous actuellement en retraite, c'est-à-dire, bénéficiez-vous personnellement d'une pension de retraite, versée régulièrement ?

$$\begin{array}{ll} \text{OUI 1} & \rightarrow \text{Question 2} \\ \text{NON 2} & \rightarrow \text{Stop.} \end{array}$$

2. Cette pension de retraite est-elle à
   votre nom ou était-elle celle de votre
   mari ?

                       à son nom 1   → Question 3
                       nom du mari 2 → Stop

Il va de soi que les questions servant à isoler la population utile figurent toutes en tête du questionnaire. Les réponses qui conduisent à
rompre l'entretien ne seront pas notées, sauf si l'on désire dénombrer la population en-dehors de la cible.

3. La présentation des questions — l'utilisation de la page

La manière de mettre en page un questionnaire est rarement exposée dans les articles et ouvrages consacrés au questionnaire de sondage. Toutefois, dans l'exposé fait par J. Bowen à la conférence
d'Amsterdam en octobre 1973, je relève quelques observations sur
la mise en page du questionnaire :
1. ''Rendre le questionnaire aussi clair que possible''.
2. ''Ne pas utiliser de petits caractères et ne pas serrer les questions
   les unes derrière les autres ; laisser suffisamment de place, même
   si une grande quantité de papier doit être utilisée. Autrement dit,
   éviter la fatigue des yeux de l'enquêteur, qui oublierait probable-
   ment quelques questions qu'il n'aurait pas vues.''
3. ''Laisser suffisamment de place pour la réponse aux questions
   ouvertes''.

En dehors des remarques de bon sens relatives à la clarté, à la lisibilité des caractères, à la place réservée aux questions ouvertes, je
considère que le gaspillage de papier ne sert à rien. Il engendre des
coûts supplémentaires inutiles. Pour ce qui me concerne, la présentation et la mise en page d'un questionnaire reposent sur un certain
nombre de principes qui, jusqu'à preuve du contraire, n'ont pas été
mis en doute par ceux qui ont eu à les manipuler : personnel de la
reprographie et de l'expédition, enquêteur, personnel de codification
et de saisie.

Voici les principes de base dont je donnerai quelques exemples dans
ce texte :
a) PAS DE PLACE PERDUE génératrice d'une augmentation du temps
de reproduction, d'un coût supplémentaire d'affranchissement, de

temps passé à tourner les pages lors des opérations de codification et de saisie. La présentation de multiples feuillets, supports de l'interview, ne laisse pas indifférente la personne interrogée qui a entendu son interlocuteur affirmer "je n'en ai pas pour longtemps ». En conséquence, j'ai toujours prôné la présentation des questions en deux colonnes (EXEMPLE N° 1) telle que je l'ai remarquée dans les questionnaires de l'American Institute of Public Opinion en 1945 mais aussi dans ceux de A.B.C. (American Broadcasting Corporation) lors des élections présidentielles américaines de 1984 (sondage à l'intérieur des bureaux de vote). Le confort de l'enquêteur, l'impression favorable de la personne interrogée, le confort du personnel de codification et de saisie ont priorité sur le confort de la secrétaire. Le personnel est irrité quand il ne doit "saisir" que deux ou trois chiffres dans une page. Le fait de tourner les pages prend plus de temps que la saisie elle-même.

b) ALIGNEMENT DES CHIFFRES. La notation et la saisie rapides des réponses codées sur le questionnaire supposent un alignement des chiffres. L'œil de l'enquêteur et de l'opérateur de saisie ne balaie pas la page de gauche à droite, en passant par le milieu (EXEMPLE N° 2).

c) UN QUESTIONNAIRE N'EST PAS UNE ŒUVRE D'ART. Le soin apporté dans la présentation d'une lettre, d'un projet, d'un rapport, n'a pas sa place dans la frappe d'un questionnaire. Les encadrés, les fioritures, les effets de mise en page prennent du temps et n'apportent rien quant à la qualité de l'interview et à la fiabilité de la saisie. Le recours aux filets verticaux séparant des colonnes de chiffres n'a pas de sens. L'œil saisit la notion de verticalité. En revanche, le recours à des filets horizontaux, parsemés dans une liste d'items, guident l'œil et évitent de noter une réponse au mauvais endroit (EXEMPLE N° 3).

d) UTILISER DES REPÈRES VISUELS AIDANT L'ENQUÊTEUR DANS LA CONDUITE DE L'INTERVIEW :

— Écrire en caractères différents le texte lu oralement et le texte d'instruction (exemple de notation, partie filtrée etc.).
— Séparer les parties filtrées d'un questionnaire par des doubles traits ou un filet gras précédant les mentions telles que "A tous", "Aux femmes seulement", "Aux possesseurs d'un lave-vaisselle" etc.
— L'énoncé des parties filtrées doit être clair, sans répétition inutile (EXEMPLE N° 4).

J'espère que les exemples, fournis à la fin de ce chapitre, suffiront pour illustrer les principales règles de présentation d'un questionnaire. Il ne faut jamais oublier que la mise en page d'un questionnaire a une

incidence directe sur le travail d'un enquêteur, simplifie ou complique la tâche du personnel de codification et de saisie. Souvent hosti-
les au début, par les contraintes que cela implique, les secrétaires
s'habituent très vite à une présentation standard des questionnaires
et en acquièrent une certaine fierté.

4. La notation des réponses

La saisie d'un questionnaire est à base de chiffres ou de nombres.
Chaque éventualité d'une question fermée est suivie d'un chiffre-code
que l'enquêteur cerclera. Cette notation est universelle, facile à réaliser et immédiatement perçue par le personnel de saisie. L'utilisation de croix dans des cadres prévus, le fait de rayer des mentions
inutiles, relèvent de la période pré-informatique, mais persistent dans
les documents administratifs et dans les questionnaires des néophytes. Le cerclage du chiffre correspondant à une réponse est le mode
de notation que j'ai adopté dans mes premiers questionnaires auto-
administrés par correspondance ou en salle. Une instruction brève
donne le mode d'emploi :

''Si vous êtes un homme, répondez en entourant le chifffre, comme
ceci :

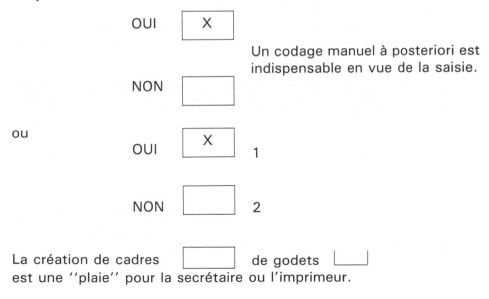

On jettera aux oubliettes les systèmes suivants :

La création de cadres [   ] de godets [   ]
est une ''plaie'' pour la secrétaire ou l'imprimeur.

5. Les caractéristiques ou le signalétique

Les données socio-démographiques telles que le sexe, l'âge, la situation professionnelle, le niveau d'études, la catégorie d'agglomération (unité urbaine), le numéro de département etc. figurent en fin de questionnaire. Quelques règles s'imposent quant à leur présentation.

1. Adopter un ordre immuable, l'enquêteur et le programmeur y sont habitués. Bouleverser l'ordre habituel entraîne des erreurs coûteuses dans le dépouillement.
2. Dans le cas où, pour certaines études, on réduit ou augmente les éventualités d'une caractéristique d'âge, de situation professionnelle, de taille d'agglomération, mettre une instruction précise avant le texte de la question telle que ''Attention, présentation inhabituelle (ou nouvelle) de la question.
3. L'utilisation de questionnaires sur le modèle d'études réalisées dans d'autres pays, et qui impose une présentation commune, a souvent les conséquences suivantes :

   — ordre différent dans la présentation des caractéristiques personnelles,
   — éventualités différentes,
   — intervalles de classes d'amplitude différente.

Dans la mesure où la prestation d'un institut français recouvre la réalisation des interviews et la fourniture d'une bande-fichier, il est recommandé d'adopter l'ordre habituel, d'intégrer les éventualités nouvelles dans le cadre des éventualités habituelles par la création d'éventualités plus fines. Lors de la création de la bande fournie au client, l'ordre souhaité et les éventualités proposées seront conformes à la demande formulée.

Il arrive aussi qu'un client étranger ne souhaite pas enregistrer la région ou le département. Il est indispensable de l'ajouter en vue d'un contrôle de la répartition de l'échantillon ou de la création d'un coefficient de redressement. L'oubli de caractéristiques de base se rencontre encore trop souvent. La demande d'un client étranger qui impose son questionnaire doit le plus souvent être interprêtée au mieux des intérêts communs.

La marge de manœuvre est très réduite lorsque le client étranger souhaite disposer du contenu des interviews, à charge pour lui de réaliser la codification et la saisie des données.

6. La pagination et l'utilisation du papier de couleur

Les copieurs actuels ont peu à peu remplacé le recours à l'imprimerie traditionnelle, coûteuse et nécessitant un délai de plusieurs jours. Au bénéfice de l'imprimerie de labeur on notera :

— la présentation des questionnaires en cahier avec agrafage central (format d'imprimerie 29 × 42 cm. ou double format commercial).

— la possibilité d'utiliser des couleurs différentes dans l'impression des textes.

Les copieurs permettent l'impression des questionnaires dans des délais rapides, lorsqu'ils sont intégrés dans la société d'études. Le format commercial est seul utilisable en 1987, à de rares exceptions près, d'où agrafage latéral ou en coin, qui rend la manipulation du questionnaire moins agréable. L'utilisation de l'impression recto-verso ne pose aucun problème ; elle réduit les coûts de papier et d'affranchissement et, fait non négligeable, divise par deux les volumes de stockage. Dans un institut de sondages important, on manipule plusieurs centaines de kilos de papier chaque jour. Un sondage auprès de 2 000 personnes, utilisant un questionnaire de 20 pages (10 feuilles recto-verso) complété par des listes à présenter, des instructions, une enveloppe de retour largement dimensionnée etc., nécessite l'emploi de 8 à 10 sacs postaux. Le jour du départ de ce sondage, une visite dans les différents services de l'institut donnera l'occasion de remarquer les piles de questionnaires en retour d'interviews, les piles de questionnaires en cours de relecture et de codification, les piles de questionnaires au départ et en retour de saisie.

• L'impression recto-verso des questionnaires trouve ici sa justification essentielle. J'ai insisté sur ce détail pour bien mettre en valeur le fait que la réalisation d'un questionnaire ne consiste pas seulement à aligner des questions sur papier mais à se préoccuper de toutes les parties prenantes en aval.

Dans certains cas l'usage de papier de différentes couleurs s'impose quand :

1. Le sondage nécessite plusieurs formes ou sous-échantillons (ordre de présentation différent des items d'une ou de plusieurs questions, questionnaires à contenu variable).

2. Le questionnaire comporte de larges parties filtrées. L'utilisation de plusieurs couleurs sert de repère visuel pour la conduite de l'interview.

7. Exemples de présentation du questionnaire

1er exemple : LA CRÉATION DE DEUX COLONNES DE QUESTIONS DANS UNE PAGE de format commercial ne nuit en aucune manière à la clarté du questionnaire. Les questions présentées sous forme de tableaux nécessiteront parfois l'utilisation de toute la largeur de la page, lorsque le texte de chaque item s'écrit sur plus de deux lignes ou lorsque le nombre de colonnes est élevé.

Je souligne au passage qu'il est parfaitement inutile de faire précéder le n° de question de la lettre Q (pour question). A l'évidence un questionnaire ne contient que des questions.

	passer à		passer à
1. Quel est actuellement le problème le plus important pour vous ?		4. Avez-vous l'intention de prendre ou de reprendre une activité professionnelle ?	
Et encore		OUI 1	5
Et encore		NON 2	
2. Avez-vous actuellement une activité professionnelle ?		5. Quel est, selon vous, l'âge auquel il est sage de prendre une retraite, c'est-à-dire en cessant toute activité professionnelle ?	
OUI 1	3	|____|____| ans	
NON 2	4		
3. L'exercez-vous à temps complet ou partiel ?			
complet 1			
partiel 2	5		

On remarquera la présence de deux "rails de guidage" afin d'orienter l'enquêteur vers les questions utiles et qui dispensent des textes intermédiaires : "Si OUI à la question 2, passer à la question 3 ; si NON, passer à la question 4" etc. Ce procédé, que j'ai emprunté à la société allemande Infratest, est d'une pratique courante dans plusieurs instituts de sondages français.

La solution gaspilleuse de cet exemple est donnée ci-dessous ; j'y ajoute les fioritures inutiles "Q 2", "Q 3", ainsi que l'alignement à gauche du texte des éventualités, fausse élégance recourant à l'utilisation de points de conduite mal venus lorsqu'ils sont nombreux ; l'œil perçoit mal l'horizontalité.

Q. 2 — Avez-vous actuellement une activité professionnelle ?

OUI ——————— 1

NON ————— 2

Q. 3 — *Si OUI (si NON passer à la question 4)*
L'exercez-vous à temps complet ou à temps partiel ?

temps complet __ 1

temps partiel __ 2

Si 2 passer à la question 5.

Cet exemple n'est pas artificiel. Il est très répandu. Il prend beaucoup de place (pages nombreuses et peu de chiffres à saisir par page).

2e exemple : L'ALIGNEMENT INDISPENSABLE DES CHIFFRES A SAISIR. La rapidité et la sécurité dans la saisie est assurée par l'alignement vertical des chiffres. L'opérateur n'a pas à dénicher le code à gauche, à droite ou au milieu ; erreur malheureusement trop fréquente, par négligence du chargé d'études.

BON EXEMPLE	MAUVAIS EXEMPLE
1. ———————	1. ———————
———————	———————
OUI 1	OUI 1
NON 2	NON 2
2. ———————	2. ———————
———————	———————
très satisfait 1	très satisfait 1
plutôt satisfait 2	plutôt satisfait 2
plutôt mécontent 3	plutôt mécontent 3
très mécontent 4	très mécontent 4
? 5	? 5
3. Combien de personnes vivent dans votre logement, enfants et vous compris ?	3. ———————
	———————
	———————
⎣⎦	⎣⎦

145

3e exemple : PAS DE FIORITURES, DE CADRES, DE MENTIONS SUPERFLUES. On constate souvent la transposition de la présentation des rapports d'études à la présentation des questionnaires. C'est inutile et prend du temps. L'usage inconsidéré de traits verticaux dénature parfois le sens de la saisie. En revanche, les traits horizontaux (1 ligne sur 3 ou 4) sont utiles pour éviter de se tromper de ligne dans la notation d'une réponse.

BON EXEMPLE :

1. Parmi les qualités suivantes que certains exigent d'une machine à laver la vaisselle, dites-moi, pour chacune, si vous êtes tout à fait d'accord ; plutôt d'accord ; plutôt pas d'accord ; pas d'accord du tout ? (*montrer la carte 1*)

	Tout à fait d'accord	Plutôt d'accord	Plutôt pas d'accord	Pas du tout d'accord	?
a) l'élégance de la machine	1	2	3	4	5
b) le silence	1	2	3	4	5
c) plus elle coûte cher, mieux elle lave	1	2	3	4	5
d) la faible quantité d'eau nécesaire	1	2	3	4	5
e)	1	2	3	4	5
f)	1	2	3	4	5
g)	1	2	3	4	5

MAUVAIS EXEMPLE : Cadres inutiles, traits verticaux mal venus, mentions bavardes : *enquêteur* montrer la carte A, le silence *de la machine*, plus *la machine* coûte cher etc., l'absence de chiffres ou de lettres identifiant les items conduira le programmeur à utiliser une symbolique qui lui est propre. On évitera aussi d'intituler une carte montrée à l'aide d'une lettre ou d'un chiffre différent du n° de la question (pourquoi A et pas 1 ?).

1. Parmi les qualités suivantes que certains exigent d'une machine à laver la vaiselle, dites-moi, pour chacune, si vous êtes tout à fait d'accord ; plutôt d'accord ; plutôt pas d'accord ; pas d'accord du tout ?

(*enquêteur montrer la carte A*)

	Tout à fait d'accord	Plutôt d'accord	Plutôt pas d'accord	Pas du tout d'accord	?
l'élégance de la machine	1	2	3	4	5
le silence de la machine	1	2	3	4	5
plus elle coûte cher, mieux elle lave	1	2	3	4	5
la faible quantité d'eau nécessaire	1	2	3	4	5
....	1	2	3	4	5
....	1	2	3	4	5
....	1	2	3	4	5

4ᵉ exemple : LE FILTRAGE DES QUESTIONS est illustré d'une manière simple dans le premier exemple, ci-dessus, mais il est souvent nécessaire de mettre en valeur les parties filtrées qui regroupent une série de questions.

A TOUS	SI RÉPONSE OUI (1) A LA QUESTION 14 ET
Questions	SI RÉPONSE NON (2) A LA QUESTION 15.
1	
2	
3	SI AUTRES RÉPONSES ALLER A LA QUESTION 21
4	16
5	17
POUR LES FEMMES → Q.11	18
	19
AUX HOMMES	20
6	
7	**A TOUS**
8	21
9	etc.
10	
A TOUS	
11	
12	
13	
14	
15	

Dans ce type de présentation, il serait dommage de ne pas utiliser un double filet séparateur ou de filet gras pour noter des parties filtrées. Les mots inutiles dans le guidage des questions n'ont pas leur place ; l'excès de précision nuit. Comme les précédents, l'exemple ci-dessous n'est pas inventé pour les besoins de la cause. Il reflète un manque de confiance dans le travail de l'enquêteur et le désoriente davantage qu'il ne l'aide.

Démarche compliquée :

- Aux hommes poser les questions Q 6 à 10, pour les femmes aller directement à la question 11.
- Si la réponse donnée est OUI, soit code 1, à la question 14 et NON, soit code 2, à la question 15, poser les questions 16 à 20.
- Si la réponse donnée est NON à la question 14, soit code 1, et OUI ou NON (code 1 ou 2) à la question 15, aller directement à la question 21.

Dans certains cas, les consignes données par le chargé d'étude sont si complexes que le relecteur et l'enquêteur ont du mal à comprendre la marche à suivre.

11. LES INTERVENANTS DANS LE RECUEIL DES DONNÉES

Répétons le, la qualité d'un sondage se mesure selon trois niveaux :

— La qualité de l'échantillonnage et de sa mise en application.
— La qualité et la pertinence du document de recueil (le questionnaire).
— Les moyens et la qualité du recueil des données (notamment par le recours à des enquêteurs).

Un traitement astucieux, un rapport bien écrit, une présentation orale brillante, font souvent illusion. L'emballage joue parfois le rôle d'un trompe l'œil ; il est nécessaire, il met en valeur le produit, mais cela ne saurait nous satisfaire. Les défauts d'un questionnaire, les lacunes et les biais dans le recueil des données ne sont pas mesurables sur le plan statistique, d'où l'exigence d'un travail soigné et sérieux.

Les intervenants dans le recueil des données peuvent être :

— un appareil d'enregistrement automatique, compteur routier, péage automatique, caisse automatique qui enregistre la nature et le montant des achats d'un client ;
— les personnes consultées elles-mêmes lorsqu'elles répondent à un questionnaire adressé par la poste, distribué à domicile, encarté dans une revue ou défilant sur un écran ;
— un enquêteur.

Je ne reviendrai pas sur les deux premières catégories d'intervenants pour évoquer sommairement :

1. Les différentes catégories d'enquêteurs.
2. Le rôle de l'enquêteur dans ses différentes fonctions.
3. La sélection, la formation et le contrôle de la qualité du travail des enquêteurs.

1. Les différentes catégories d'enquêteurs

La diversification des types d'études de marchés et d'opinion publique conduit à sélectionner les enquêteurs en fonction de leur aptitude personnelle. Une minorité d'enquêteurs possède les qualités requises pour réaliser toute la palette des sondages. Cet ouvrage est limité aux études par sondages, je n'évoquerai pas le cas des enquêteurs réalisant des interviews non directives ou semi-directives.

Une formation et une aptitude spécifique des enquêteurs sont nécessaires dans les domaines suivants :

• Tests des questionnaires.

• Recrutement des membres d'un panel ou des personnes invitées à réaliser un test de produit en salle ou à donner leur opinion sur un prototype de voiture, un appareil ménager etc. Peu d'enquêteurs polyvalents réussissent dans ce domaine. C'est une réelle spécialisation que l'on rémunère bien. Le recrutement de panélistes ou de personnes invitées à juger un prototype ne s'improvise pas.

• Enquêteurs destinés aux sondages classiques d'études de marchés ou d'opinion publique. C'est la grande masse du personnel, féminin en majorité, généralement payé à la tâche. Le paiement à la journée ou à l'heure est surtout pratiqué lorsque la population consultée sort d'un magasin, d'un musée, d'un salon professionnel etc. Ces enquêteurs ont différents statuts : salariés travaillant exclusivement pour une société, enquêteurs sous contrat avec un minimum de rémunération garanti et travaillant pour une ou plusieurs sociétés, enquêteurs vacataires sans rémunération garantie. Au fil des années, la fonction d'enquêteur, occupation temporaire et d'appoint, a tendance à se transformer en métier durable.

• Enquêteurs spécialisés dans les études dites industrielles, qui les mettent au contact des entreprises. Le personnel masculin était autrefois généralement mieux accueilli ; les choses évoluent progressivement. L'aptitude à obtenir un rendez-vous de la personne utile est la clé de la réussite d'un enquêteur dit industriel. On ne saurait lui demander une connaissance de toutes les techniques modernes. Toutefois, une ouverture sur le monde industriel et économique est appréciée. Nombre d'enquêteurs industriels répugnent, pendant les ''périodes de vaches maigres'', à réaliser des interviews auprès du grand public. Ce n'est pas leur fort. Ils ont pris l'habitude des questionnaires d'études industrielles, dans lesquels les données factuelles ne sont pas nécessairement recueillies dans l'ordre de présentation du questionnaire ou qui impliquent la consultation de personnes différentes dans une entreprise.

• On assimilera les enquêteurs participant aux études dans les milieux agricoles ou auprès des médecins aux enquêteurs dits industriels ; les habitudes acquises dans la conduite de leurs interviews les rendent parfois inaptes à réaliser des interviews auprès du grand public.

- Les enquêteurs réalisant des interviews au téléphone. Pratiquement tous les enquêteurs traditionnels ont l'occasion de procéder à des interviews au téléphone, avec plus ou moins de réussite. La progression de ce type de consultation a permis de définir des règles de sélection et de formation.

L'aptitude des enquêteurs à remplir l'une ou l'autre des spécialisations évoquées ci-dessus est jugée selon plusieurs critères : la réussite dans les contacts, la qualité du travail, un rendement satisfaisant.

J'insisterai surtout, dans les chapitres suivants, sur les qualités attendues de deux types d'enquêteurs : les enquêteurs réalisant des interviews auprès du grand public et les enquêteurs spécialisés dans les interviews téléphoniques.

2. Le rôle de l'enquêteur dans ses différentes fonctions

Quelle que soit la forme du recueil des données, un enquêteur, lors de chaque interview, remplit trois fonctions :
1. L'application d'un plan de travail.
2. La prise de contact avec la personne sélectionnée.
3. La conduite de l'interview.

Tout sondage a comme finalité la production de tableaux statistiques ou de traitements mathématiques synthétiques qui agrègent une série de données. L'homogénéité dans le recueil des données est un impératif absolu. Le rôle de l'enquêteur est primordial. La qualité des informations recueillies a une incidence directe sur la valeur d'un sondage. On peut imaginer plusieurs procédures de traitement pour dépouiller une étude, corriger des erreurs de traitement, on ne peut améliorer a posteriori des données mal recueillies. Si le recueil des données s'est effectué dans de mauvaises conditions, ou s'il est entaché de nombreuses erreurs, le sondage n'a aucune valeur.

L'enquêteur a deux tâches à remplir, d'égale importance :
1. Respecter les consignes de son plan de travail en fonction de l'échantillonnage adopté.
2. Conduire l'interview.

La première tâche est plus difficile à remplir que la seconde. L'enquêteur prend plaisir à conduire une interview qui, dans la grande majorité des cas, se déroule dans une ambiance agréable. Motivé par l'interview, il peut avoir tendance à négliger les consignes de sélection. Dans les séances de formation des enquêteurs ou dans les réunions d'information précédant la mise en place d'un sondage, une trop petite place est donnée aux consignes relatives à l'échantillonnage. A la limite, le temps passé à commenter un questionnaire est superflu. Un questionnaire n'a pas besoin d'être commenté : seules les consignes générales communes à tout questionnaire ont leur place dans une réunion de formation ou d'instruction, avec l'énoncé d'exemples tirés du questionnaire du jour.

La démarche conseillée pour réaliser un échantillon par quotas ou sur adresses doit être répétée lors de chaque étude. Je dois reconnaître que les consignes propres au respect d'un échantillonnage ont un caractère rébarbatif. Consacrer plusieurs heures à commenter un questionnaire, faire procéder à des interviews fictives est plus agréable. On ne consacre jamais assez de temps à expliquer aux enquêteurs comment :

— remplir lors d'interviews sur adresses, un bordereau de contact, sur lequel chaque visite doit être consignée et datée, ainsi que son résultat : interview, refus, absence notée de manière claire ;
— organiser la recherche des personnes interrogées dans le cas d'études sur quotas ;
— comment procéder pour entrer en contact avec la personne utile lors d'interviews dans des entreprises.

Le questionnaire d'interview est utilisé tel quel, sans aucun commentaire. L'enquêteur ne peut prendre de liberté avec le texte du questionnaire. Il lit, relit si besoin est, enregistre les réponses. J'ai été étonné de lire sous la plume d'un des dirigeants d'une importante société de sondage, lorsqu'il comparait les mérites respectifs des études par correspondance et des interviews en tête-à-tête, que dans ce dernier cas, l'enquêteur jouait le rôle d'un ultime recours pour corriger les lacunes ou imprécisions d'un questionnaire. Au cours du même séminaire, un de ses collaborateurs, traitant de problèmes d'échantillonnage, faisait une remarque identique. Cette attitude n'est pas scientifique. Un enquêteur n'a pas le droit de modifier le texte, l'ordre ou le sens d'une question. Admettre ce droit, c'est accepter de multiples interprétations des enquêteurs, s'en remettre à leur bon sens et à leur expérience pour adapter un questionnaire bâclé, au vocabulaire imprécis ou incompris. Je n'ai jamais accepté les notes placées en marge des questions par des enquêteurs soucieux d'apporter des informations complémentaires. Il arrive que des questions soient mal formulées, les appels téléphoniques des enquêteurs le démontrent. En l'occurrence, il n'y a rien à faire, sinon renoncer à exploiter la question. Certains enquêteurs réagiront pour solliciter une solution acceptable, d'autres se "débrouilleront" à leur manière.

L'expérience montre, qu'en cours d'étude, les enquêteurs allègent le texte d'une question dont l'intitulé est trop long, encombré d'éléments de phrase ou de mots superflus. Ils trouvent progressivement la bonne formulation.

L'ordre des questions est immuable. Il arrive souvent que des personnes interrogées répondent par avance à des questions qui, normalement, interviennent plus tard dans le cours de l'interview. L'enquêteur ne doit pas tenir compte de ces réponses anticipées. Là encore, l'accepter c'est admettre de nombreuses infractions à la conduite de l'interview. Dans les études de type industriel à base de données factuelles (chiffre d'affaires, quantités produites ou vendues, équipement matériel), on peut accepter certaines réponses anticipées ou différées, ces réponses demandant une recherche ou la consultation d'un collègue ou d'un collaborateur. Cela complique la tâche de l'enquêteur qui, en fin d'entretien, devra parcourir l'ensemble du questionnaire pour vérifier que rien ne manque.

Une question incomprise lors de la première lecture est relue dans les mêmes termes. Dans le cas d'une incompréhension persistante, la notation d'un "sans réponse" s'impose. N'ayant pas expliqué dans le texte d'une question le mot "rechapé", certains enquêteurs, devant l'incompréhension manifeste d'interlocuteurs, m'ont avoué avoir expliqué qu'il s'agissait de pneus réparés par collage d'une pièce de caoutchouc, un emplâtre disaient-ils. Vérification faite, c'est le chef du département des enquêteurs qui, ignorant lui-même ce qu'était un pneu rechapé, avait donné verbalement cette définition aux enquêteurs.

3. La sélection, la formation et le contrôle de la qualité du travail des enquêteurs

— SÉLECTION ET FORMATION

Je n'ai pas l'intention de reproduire le manuel de l'enquêteur, document dont doit disposer tout enquêteur à condition qu'il le lise et s'y reporte régulièrement. J'ai longtemps préconisé de joindre aux documents de chaque étude expédiés aux enquêteurs un tract ou notice brève rappelant un point particulier de la conduite des interviews ; l'ensemble de ces tracts, volontairement écrits à la main, pour être distingués des autres éléments du dossier jouaient le rôle d'un recyclage ou d'une formation permanente.

La culture générale n'est pas le principal critère de sélection d'un candidat-enquêteur. Une instruction de niveau secondaire est conseillée. Une bonne présentation, une élocution claire sans accent inhabituel, jouent leur rôle. Le recours à la pratique des tests psychologiques ou à l'analyse graphologique, outre qu'il est coûteux, n'est pas une garantie suffisante. Beaucoup d'appelés et très peu d'élus, telle est la règle. Il est commun d'admettre que sur dix enquêteurs convoqués, lors d'une première réunion d'information, trois ou quatre passeront l'épreuve du baptême du feu ; un seul (parfois aucun) figurera dans l'effectif des enquêteurs plusieurs mois après le premier rendez-vous. L'aptitude à entrer en contact avec un inconnu pour lui proposer une interview, quel que soit le sujet de l'étude, est la première qualité que l'on exige d'un candidat-enquêteur. D'ailleurs ceux qui essuient refus sur refus renoncent très vite.

En résumé quelles sont les qualités dont on espère que tous les enquêteurs bénéficient ?

• la faculté des contacts humains dans tous les milieux ;
• la facilité d'adaptation ;
• l'honnêteté ;
• la discrétion ;
• la neutralité ;
• la bonne tenue et la bonne présentation ;
• le respect d'autrui ;
• l'humeur égale ;
• l'ordre et le soin.

La sélection des enquêteurs aux interviews par téléphone présente des aspects spécifiques. Je me place ici dans le cas où les interviews sont réalisées sous contrôle, c'est-à-dire que tous les enquêteurs travaillent dans une salle spécialement équipée. Il est facile d'évaluer les aptitudes de chaque candidat, de le suivre, de le conseiller et éventuellement de le persuader que ses chances de réussite et de gains convenables sont très faibles. Lors d'une interview en tête-à-tête, au domicile des personnes consultées, dès que la porte est largement ouverte la partie est gagnée. La personne interrogée pardonnera un certain désordre dans la présentation des documents, de légères lacunes dans l'élocution. Tout se passe bien en général. En matière d'interviews au téléphone, il en va tout autrement ; les refus sont plus nombreux, il faut être clair, rapide, précis, donner une bonne impression uniquement par sa voix. Je relève dans un article du P.O.Q (Public Opinion Quartely) daté du printemps 1986 ''Interviewers voices and refusal rates'', une étude dans laquelle chaque enquêteur était noté sur de multiples critères, en vue d'expliquer un taux de refus d'interviews, très variable d'un enquêteur à l'autre. On notait selon une échelle en plusieurs points :

— le ton : faible ou fort,
— l'intonation : monotone, variée,
— le volume de la voix : doux, fort,
— l'accent : emphatique, approprié, non approprié,
— le débit : facile, égal, haché,
— la prononciation : claire, distincte, indistincte, mal articulé,
— la spontanéité : spontanée, récitée,
— la rapidité : lent, rapide,
— l'accent : plaisant, déplaisant.

Le test de la voix était complété par un second test sur le comportement de l'enquêteur en cours d'interview :

— poli, impoli,
— familier ou non,
— professionnel, amateur,
— néophyte, confirmé etc.

Une analyse factorielle devait ensuite être effectuée en vue de dégager les éléments explicatifs du taux de refus. L'auteur concluait ainsi : ''Ce qui compte, c'est la façon de dire davantage que ce que l'on dit.''

L'interview par téléphone ayant lieu sous contrôle permanent, on est à même d'observer :

— la fidélité dans l'énoncé des questions,
— la présence des commentaires hors sujet,
— le temps d'interview et ceci pour chaque partie du questionnaire,
— les oublis caractéristiques etc.

En octobre 1986, le directeur d'une société spécialisée dans la réalisation de sondages par téléphone, évoquait devant moi le cas d'un enquêteur dont les performances étaient peu communes : peu de refus, durée d'interview particulièrement brève, par comparaison avec plusieurs dizaines d'autres enquêteurs. Des contrôles répétés n'ont pas permis de relever des fautes dans le travail de cet enquêteur. Il s'agissait d'un sujet d'exception. On ne dispose pas de moyens de

156

contrôle instantanés et aussi nombreux lorsqu'il s'agit de vérifier le travail des enquêteurs sur le terrain. Les interviews en salle donnent la possibilité de certains contrôles.

— LE CONTRÔLE DE LA QUALITÉ DU TRAVAIL DES ENQUÊTEURS

Le recours à une équipe d'enquêteurs ou à un réseau d'enquêteurs (plusieurs centaines) s'accompagne de multiples procédures de contrôle. La valeur d'une équipe d'enquêteurs reflète celle de son encadrement, en qualité et en nombre de personnes, d'où le soin apporté au recrutement et à la formation du personnel affecté à la gestion d'un réseau d'enquêteurs. D'une manière générale, en France, le personnel chargé du recrutement, de la formation et parfois du contrôle des enquêteurs est issu du ''terrain''. Si cette solution présente des avantages indéniables, elle souffre d'inconvénients : culture générale insuffisante, carences en matière d'échantillonnage et de traitement des données. Une formation complémentaire s'impose.

Le contrôle du travail des enquêteurs se situe à plusieurs niveaux :

- l'authenticité des interviews,
- le respect des consignes d'échantillonnage,
- la conduite des interviews,
- le contenu des interviews, les lacunes constatées.
- le contrôle de l'authenticité des interviews est le premier contrôle auquel la clientèle des sondages est sensible. C'est pourtant le plus facile à réaliser. Plusieurs moyens sont employés simultanément :

  — Le contrôle physique : envoyer un contrôleur réinterroger toutes ou plusieurs personnes interrogées par un enquêteur. L'interview a-t-elle eu lieu ? L'enquêteur a-t-il présenté certaines cartes ou listes de réponses ? A-t-il correctement relevé les éléments objectifs tels que profession, âge, équipement du ménage ? Cette personne a-t-elle déjà été interrogée une ou plusieurs fois auparavant par le même enquêteur ?

  — Le contrôle par téléphone se substitue souvent au contrôle par une autre visite. Il est plus rapide et moins onéreux.

  — Le contrôle par correspondance, contrôle de routine : toutes les personnes ''interrogées'' lors d'un sondage reçoivent une carte-réponse dans laquelle elles sont invitées à noter si elle ont été interrogées et si elles ont gardé un bon souvenir de l'enquêteur. Le taux de retour dépasse rarement 50 %. Le contrôle par correspondance joue le rôle de clignotant. Il ne suffit pas, mais suscite

des contrôles par contacts direct : par une nouvelle visite ou par téléphone.
— Le passage des questions ouvertes en atelier de codification permet parfois de déceler les tricheurs.

• Le respect des consignes d'échantillonnage.

Les contrôles par contact direct permettent de déceler la présence de ''clientèles'', certains enquêteurs n'hésitant pas à interroger la même personne plusieurs fois, à des périodes plus ou moins rapprochées. L'analyse des adresses des personnes interrogées décèle l'existence de plusieurs interviews dans le même immeuble ou dans un seul quartier. Le contrôle informatique du contenu des interviews de chaque enquête révèle le non respect éventuel des quotas.

• La conduite des interviews.

S'agissant d'interviews en tête-à-tête ce contrôle est malaisé. Le contact direct a posteriori nous renseignera sur les circonstances de l'interview telles que : interview réalisée dans la rue et non à domicile, interview faite en présence de plusieurs personnes, non reconnaissance de photographies ou listes accompagnant le questionnaire. En revanche, il est très difficile de déceler les questions qui n'ont pas été posées et dont les réponses ont été inventées par l'enquêteur. Une personne interrogée ne peut se souvenir de toutes les questions auxquelles elle était invitée à répondre. Le contrôle informatique nous aide à déceler les séries de questions où la mention ''sans opinion'' a été systématiquement notée sur une série de questionnaires. Toutefois, la réponse positive ou négative, inventée pour gagner du temps, disséminée habilement dans le questionnaire, est pratiquement indécelable sauf si elle se rapporte à un fait vérifiable en contact direct.

• Le contenu des interviews, les lacunes constatées.

Pour ce type de contrôle le recours à l'informatique s'impose, plus sûr, plus rapide et moins coûteux que la relecture. Il permet de dénombrer par enquêteur la proportion de ''sans opinion'', d'oublis de notations, le non-respect des filtres etc.

Tout objet fabriqué nécessite des contrôles ; l'existence de ces contrôles et leur nombre ne sont pas l'indice d'une mauvaise qualité. L'exposé des multiples fautes ou erreurs possibles commises par les enquêteurs ne doit pas autoriser le doute systématique. Tout enquêteur doit être contrôlé aussi souvent que possible. J'ai souvent constaté des fautes commises par d'excellents enquêteurs, parce qu'ils

158

s'étaient trouvés dans des situations impossibles : surcharge momen-
tanée, remplacement tardif d'enquêteurs défaillants etc.

Des questionnaires mal conçus, mal présentés, touffus, surabondants,
des conditions d'échantillonnage absurdes et inutilement compliquées
incitent à la faute.

3e SECTION
QUELQUES PROBLÈMES ET LEURS SOLUTIONS DANS LA RÉDACTION D'UN QUESTIONNAIRE

1. LA "PÉNÉTRATION" DES PRODUITS, L'ÉVALUATION DES CONSOMMATIONS

Les questions d'opinion et d'attitude sont en général plus faciles à formuler que les questions relatives au comportement. Un non-spécialiste émettra le plus souvent une opinion contraire. Les questions ayant trait à une consommation, une utilisation ou une possession présentent la particularité de fournir des résultats susceptibles d'être comparés à d'autres résultats issus de statistiques officielles, professionnelles ou de sondages faisant autorité. A contrario les résultats de questions d'opinion ne peuvent être comparés qu'à d'autres résultats de questions d'opinion, formulées de manière identique ou différente.

Rien ne paraît plus simple, en apparence, que d'évaluer le nombre de personnes qui utilisent le produit A ou le produit B, lisent tel ou tel journal etc.

En introduction de ce chapitre important qui mettra en évidence le fait qu'il n'y a pas de formule magique ou de recette universelle pour obtenir une réponse objective à la question : ''Qui utilise ?'', j'évoquerai un résultat surprenant constaté en Iran en 1976. Examinant les résultats d'un sondage, auprès de 8 000 personnes en milieu urbain, sur l'audience de la radio et de la télévision, je me suis intéressé en premier lieu aux résultats relatifs à ce que l'on convient d'appeler communément le signalétique ou les caractéristiques : sexe, âge, profession, niveau d'études, possession de certains biens plus ou moins révélateurs du niveau de vie.

Le texte de la question à réponses multiples était le suivant : Avez-vous

   l'électricité
   l'eau
   des meubles
   un samovar
   une automobile
   la télévision
   etc...

En milieu urbain 80 % des hommes déclarent "avoir" l'électricité et seulement 65 % des femmes. En France, les deux proportions auraient été identiques, à peu de choses près.

J'ai consulté plusieurs personnes afin de comprendre la signification de ce résultat. Il n'y avait aucune ambiguïté sur la traduction française du texte en langue persane. Il s'agissait bien de "avez-vous" qu'on me déclarait être comparable à "possédez-vous".

L'explication était simple :
L'électricité appartient au mari ou au propriétaire. Ainsi certaines femmes ne s'attribuaient pas un tel bien.

On rencontre le même type d'imprécision en France quand on pose une question formulée comme suit :
— Disposez-vous du téléphone
            de la télevision etc.

Les résultats observés sont généralement surestimés, certaines réponses spontanées nous éclairent sur la manière dont la question est comprise :
— Il y a une cabine chez le gardien
— Mon fils qui habite sur le même palier a le téléphone
— Le téléphone est dans le magasin en-dessous

Reprenons ces deux exemples :
Dans le premier cas, il fallait formuler ainsi la question
— Y-a-t-il chez vous, là où vous habitez, l'électricité, l'eau etc.. ?

Je sais que l'on peut constater par soi-même la présence d'une installation électrique, malheureusement en pays musulman un enquêteur (homme ou femme) reste assez souvent sur le pas de la porte.

Dans le deuxième cas :
— Dans votre logement, c'est-à-dire là où vous êtes en ce moment, y-a-t-il le téléphone ?

Je pourrais citer de très nombreux exemples de ce type. Le cas iranien était pour moi un cas "en or" ; dans d'autres cas l'erreur est plus difficile à déceler. L'examen des questionnaires "remplis" vient le plus souvent à notre secours.

— Avez-vous dans votre foyer une voiture ?
    Réponse OUI notée par l'enquêteur
    Note marginale de l'enquêteur qui confirme son erreur : en fait c'est une camionnette utilisée pour promener la famille.

En conclusion de cette introduction, et ceci nous guidera dans l'exposé de ce chapitre :

1. Il n'y a pas de formulation unique et universelle de la question destinée à vérifier la possession ou l'utilisation d'un produit, d'un bien ou d'un service.
2. Le choix des mots et de la périphrase qui les accompagne le plus souvent est primordial.

Nous aurons d'ailleurs à nous préoccuper de l'ambiguïté de certains mots ou appellations désignant des produits, biens ou services.

1. La définition du produit, du bien ou du service, chaque produit est un cas particulier

Vérifiant la pénétration d'un produit, il convient de bien le définir, en termes simples, compris de tout le monde, et précis. Souvent les mots ne suffisent pas, on montrera le produit ou sa représentation sous forme de dessin ou de photographie.

Je répugne à dresser une classification fastidieuse de biens, produits, services, en donnant pour chaque classe ou sous-classe la manière de procéder pour déceler une possession ou une utilisation. Mon but est d'attirer l'attention du lecteur sur la nécessité de s'informer, au préalable, sur le produit que l'on étudie et de ne pas prendre, pour argent comptant, ce qu'en dit le demandeur de l'étude. A chacun son langage. Je le répète, mesurer la pénétration d'un produit demande beaucoup de soins. De nombreux pièges sont à éviter.

— LANGAGE DU PRODUCTEUR ET LANGAGE DU CONSOMMATEUR, SOURCES FRÉQUENTES DE MALENTENDUS ET DE RÉSULTATS INCERTAINS.

Chaque fois que dans un domaine quelconque un producteur, un agent de publicité, ou le représentant d'une administration veut étudier le marché de ce qu'il produit ou vend, il utilise une appellation que tout le monde est censé connaître. Ce n'est pas toujours le cas, tant s'en faut.

Je prendrai un certain nombre d'exemples en proposant chaque fois la solution qui me paraît la meilleure ou la moins mauvaise.

• VOITURE AUTOMOBILE DITE DE TOURISME.

Une voiture automobile se définit par sa marque, son modèle, sa version, ce dernier terme étant le plus souvent cause d'interprétations divergentes, chaque constructeur automobile a son propre langage.

La marque de la voiture prête peu à confusion ; le problème se complique s'agissant d'un modèle et plus encore de la version. La vérification sur la carte grise nous renseignera sur la marque, la puissance fiscale et le type : B 37600 par exemple qui définit la version. Malheureusement il n'est pas toujours possible de se faire présenter la carte grise. Compte tenu du grand nombre de modèles et versions, de l'ancienneté moyenne des voitures, on est vite confronté à des problèmes ardus de codification a posteriori.

Il est difficile de définir un modèle de carrosserie par des mots tels que fast-back, bi-corps, trois corps, coupé, break, familiale, berline, coach, limousine, cabriolet etc. Dans ce cas seul le dessin ou le schéma peut nous aider.

S'agissant d'étudier le parc des véhicules automobiles possédés par les foyers à l'exclusion des véhicules d'entreprise, de services ou de fonction, la démarche est la suivante :

Y a-t-il dans votre foyer une ou plusieurs voitures automobiles en état de marche dont la carte grise est au nom d'un des membres de votre foyer ? Je ne parle pas de voiture louée ou mise à votre disposition.

Pour chaque voiture :
— Quelle en est la marque ?
— Quel en est le modèle et quelle en est la version ?

Pour vous aider je vous présente une liste de modèles et versions correspondant à la marque de votre voiture.

Malgré ces précautions et la bonne volonté des personnes interrogées, les résultats ne sont pas fiables à 100 %. Toutefois la présentation d'une liste de modèles de la marque minimise les risques. Les déclarations spontanées du type ''c'est la version sport, c'est le moins cher, c'est un diesel'', ne sont d'aucune utilité.

• PRODUITS DE PARFUMERIE.

C'est un des domaines où les fabricants se sont ingéniés à brouiller les cartes. En gros, pour certains consommateurs il y a le parfum, l'eau de toilette, l'eau de Cologne. Comment s'y retrouver quand la publicité ou l'emballage évoque : extrait, essence, eau de Cologne, eau de Cologne parfumée, eau de toilette, eau de toilette parfumée etc.

Vérifier la pénétration d'une marque, d'un nom de produit dans la marque et en plus sa nature revient à se faire montrer le flacon d'origine et à recopier l'étiquette. Toute autre approche aboutit à un flou de réponses et à des résultats d'une inégale fiabilité entre les marques.

- SOUS-VÊTEMENTS.

Les modes et les appellations évoluent, la fonction des produits reste inchangée. Là encore seule la représentation sous forme de photos ou de dessins permet d'identifier le produit utilisé. On a connu et on connaît, en les différenciant bien ou mal les appellations culotte, petite culotte, cache-sexe, slip, string, caleçons etc.

Il y a beaucoup d'autres exemples où le langage du producteur et le langage du consommateur sont sources de confusion pour le praticien des études de marchés. J'ai eu l'occasion d'avoir entre les mains des milliers de questionnaires différents et, trop souvent, j'ai eu à constater l'adoption du langage du producteur, directement dans le texte des questions posées au consommateur. Tout se passe comme si le demandeur de l'étude et le chargé d'études de marchés n'avaient jamais été au contact du consommateur ou n'étaient jamais entrés dans une boutique.

Je vais reprendre un certain nombre d'exemples où le langage du producteur passe directement dans un questionnaire destiné au consommateur.

- LA DÉFINITION DES POINTS DE VENTE.

Il est fréquent lors d'une étude de marché de s'informer sur le lieu d'achat ou le type de point de vente de certains produits achetés. On a appris (et il faudrait l'oublier quand on se trouve sur le tas) que l'on distingue en général :

- les magasins de détail, ou petits commerçants indépendants, ou encore commerces de proximité ;
- les petites succursales ou superettes ;
- les magasins populaires ;
- les supermarchés ;
- les hypermarchés etc.

Il ne s'agit pas ici d'histoire ancienne mais de références très récentes issues de différentes sources.

Superette, supermarché, hypermarché sont définis par leur surface de vente. Cette définition échappe à l'entendement du consommateur, d'où un certain nombre de confusions inévitables, quant au type de magasin où un produit de grande consommation a été acheté.

Le problème est complexe et la solution ne donne pas entièrement satisfaction.

Comment distinguer un petit magasin indépendant d'une franchise, d'une boutique rattachée à une chaîne ou à une centrale d'achat exclusive ?

Pour les moyennes et grandes surfaces :

1. l'enregistrement de l'enseigne : Suma ou Mamouth par exemple qui distingue les supermarchés des hypermarchés dans les sociétés du groupe Paridoc, Carrefour pratiquement toujours en hyper.
2. le nombre de caisses. Le consommateur est en mesure pour un point de vente de dire si dans le magasin il y a une seule caisse, environ de 1 à 5, de 6 à 10 etc.

Il est donc nécessaire de combiner plusieurs approches : la classification habituelle qui apportera une partie de l'information souhaitée, si on la valide par le nom de l'enseigne, l'estimation du nombre de caisses faites par le consommateur, au vu d'une liste d'éventualités.

Dans la mesure où un producteur écoule la quasi totalité de ses produits par l'intermédiaire de centrales d'achats et de grossistes sans en connaître précisément la destination finale, la consultation du consommateur n'apporte pas de réponses satisfaisantes et le recours à un panel de distributeurs s'impose.

- LA FRÉQUENTATION DE DIFFÉRENTS RAYONS DANS UN GRAND MAGASIN.

Chaque grand magasin adopte une répartition de sa surface de vente en rayons. Un magasin de surface relativement réduite opère des regroupements inattendus. Partant de cette répartition conventionnelle des produits, la présenter dans un questionnaire en vue de connaître la fréquentation des différents "rayons" et le rythme des achats de la clientèle est irréaliste. Vue par le directeur du magasin elle s'explique de la manière suivante :

J'ai 15 chefs de rayon dans mon magasin. Quel est le profil de la clientèle de chacun d'entre eux. Quelle est leur image ?

Mais de là, à transposer directement l'agencement des rayons dans un questionnaire, il y a un pas qu'il ne faut pas franchir.

J'ai constaté l'utilisation de cette pratique, répétée à plusieurs reprises.

Quelle doit être la démarche ?

Partir d'une liste de produits définie, en accord avec le demandeur de l'étude, sans tenir compte de l'organisation interne du magasin. Pour chacun des rayons, choisir les produits phares sur lesquels le magasin espère réaliser l'essentiel de son chiffre d'affaires.

Je dirais donc :

"Depuis un an vous est-il arrivé d'acheter dans ce magasin, une ou plusieurs fois ou jamais

- des produits d'alimentation ?
- un ou des meubles de jardin ?
- un ou des meubles d'intérieur (table, chaise, bahut, lit, armoire...) ?
- des chaussures pour hommes, femmes ou enfants ?
- des vêtements pour femmes : robes, manteaux, tailleurs... ?"

Lors de l'analyse des résultats, on réorganisera les données, dans l'optique "rayon", tel que le distributeur le perçoit.

- **LA LECTURE DES DIFFÉRENTES RUBRIQUES D'UN JOURNAL QUOTIDIEN.**

Plusieurs centaines de sondages ont été réalisées, en France, sur la lecture du contenu rédactionnel d'un journal, afin de déceler l'intérêt du lecteur pour les différentes rubriques d'un journal quotidien et d'en tirer des enseignements en vue d'une refonte du journal.

Une pratique habituelle consiste à présenter à la personne interrogée, lectrice régulière ou occasionnelle du quotidien étudié, une double série de questions.

1. L'intérêt pour le contenu d'un certain nombre de sujets faisant l'objet de rubriques dans le journal.
2. La lecture régulière ou occasionnelle de ces rubriques.

L'intitulé des rubriques relève du langage du producteur bien que certaines ne prêtent pas à ambiguïté. Parmi les rubriques propres à un journal, à diffusion régionale, il est classique de rencontrer la liste suivante reproduite dans le questionnaire du sondage :

Politique intérieure.
Politique étrangère ou nouvelles de l'étranger.
Sports.
Courses
Informations ou nouvelles locales.
Informations ou nouvelles régionales.
Faits divers.
Petites annonces.
Mots croisés et jeux.
Reportages ou grandes enquêtes.
Feuilleton (ce n'est plus la mode !).

Bandes dessinées ou dessins humoristiques.
Editorial.
Page agricole.
Cours de la bourse et des marchés.
Nouvelles économiques et financières.

En fait chacune de ces rubriques fait ou non l'objet dans le journal d'un titre général ; l'appellation "faits divers" fait place à "Société" chez l'un, à "Informations générales" chez l'autre.

Si l'on a soin de prendre en mains un exemplaire quelconque d'un journal quotidien régional pour rester dans le cadre de la liste des rubriques évoquée ci-dessus, que constate-t-on ?

Un fait divers régional apparaît à la fois dans la rubrique locale sous la plume du correspondant local, mais aussi développé dans la page régionale. Que faut-il entendre par éditorial ? Le même jour, en première page à gauche, on trouve "l'éditorial" (sans cette mention) avec sa signature habituelle et à droite le "billet" d'un journaliste célèbre collaborateur occasionnel.

La notion de rubrique relève du langage du producteur. Un scandale auquel est lié un personnage politique connu, suscite-t-il de la part du lecteur un intérêt pour la politique ou pour les faits divers ? Il y a d'autres méthodes pour apprécier le contenu rédactionnel d'un journal quotidien, j'y reviendrai dans le chapitre : L'ÉTUDE DU CONTENU RÉDACTIONNEL D'UNE PUBLICATION.

- ● LES PRODUITS D'ENTRETIEN MÉNAGERS.

Un groupe relativement restreint de sociétés se partagent le marché des produits d'entretien ménager. Il est de règle dans ces sociétés de raisonner en terme de lignes de produits, à chacune est affecté un chef de groupe assisté de plusieurs chefs de produits. Chaque produit bénéficie d'une utilisation spécifique. Dans les questionnaires soumis au consommateur, il est courant de calquer l'organisation de l'interview sur la base des lignes de produits communes aux différents producteurs. Ce faisant, on propose une liste de produits et de marques entrant dans le cadre de l'univers concurrentiel décidé a priori par le producteur. Les résultats ne sont pas contestables, mais ils reflètent imparfaitement la réalité du marché d'un usage. Cette démarche facilite la tâche du réalisateur de l'étude et permet une affectation budgétaire aux différentes parties prenantes du sondage à l'intérieur de l'entreprise cliente.

Cherchant à cerner la réalité du comportement des ménagères, notre démarche est différente.

— Non pas : Utilisez-vous pour entretenir vos carrelages l'un ou l'autre des produits suivants (avec liste et photo couleur des emballages) ?
— Mais : Qu'utilisez-vous pour l'entretien de vos carrelages ?

L'enquêteur se fait montrer le produit et note le contenu de l'étiquette.

• LES CONTRATS D'ASSURANCE.

Un marché casse-tête pour qui veut l'étudier. Il n'y a pas un langage de producteur mais une multiplicité de langages. Déterminer comment les Français sont assurés pour différents risques reviendrait en fait à photocopier l'intégralité de leur contrat d'assurance et du ou des avenants (s) qui l'accompagne (nt). Qu'il s'agisse de particuliers ou d'entreprises, peu savent sur quoi ils sont assurés. Le statut des compagnies prête à confusion. Qui distingue clairement la société dite capitaliste de la mutuelle, de la société mutualiste ?

L'assuré, entreprise ou particulier, croit connaître le contenu de son contrat. Seul le recours au texte donne une réponse satisfaisante, mais à quel prix ! Je reviendrai sur cet aspect du recours aux textes dans un chapitre consacré aux études de marchés industrielles.

Les exemples sont extrêmement nombreux de désaccord entre langage du producteur et langage du consommateur.

Par les quelques exemples donnés, j'ai voulu insister sur un certain nombre de règles que doivent s'imposer à la fois le demandeur d'une étude de marché et le réalisateur. Trop souvent la solution de facilité, le souci de ne pas contrarier le client, de présenter un devis alléchant conduisent à se soumettre à une démarche qui, si elle donne des résultats (on a toujours des résultats), n'apporte pas la solution du problème posé.

1ère règle : Etudiant le comportement du consommateur, se mettre à sa place, c'est-à-dire à sa propre place.
2ème règle : Ne pas s'enfermer dans des rubriques, des lignes de produit imposées par le producteur mais prendre le cheminement inverse. Que fait le consommateur ? Ensuite, au vu des résultats, on effectuera les regroupements nécessaires pour s'adapter au langage du producteur.

Thèmes de réflexion : Comment sortir du piège du langage du producteur dans les domaines suivants :

Apéritifs, livres, musique enregistrée, produits capillaires, produits laitiers dont fromages, les produits bancaires etc. ?

2. Le choix du vocabulaire, source d'incompréhension

Autant ouvrages, articles, manuels sont pratiquement muets sur la non-adaptation fréquente des questionnaires au langage du consommateur en matière de définition de produits, autant ils sont prolixes sur l'importance du vocabulaire compris par le public interrogé. Les ouvrages anglo-saxons et français abondent d'exemples le plus souvent issus d'études d'opinion à contenu politique, social, économique.

Il est vrai que l'on doit toujours se mettre à la place de la personne la moins cultivée et la moins ''au courant des choses'' lorsque l'on formule une question. Les mots dits ''courants'' employés dans la presse, à la télévision ou à la radio dont le sens échappe, en tout ou partie, à une fraction relativement importante de la population, sont monnaie courante. Il serait tout à fait fastidieux d'en dresser la liste.

Dans un ouvrage récent ''Handcrafting the standardized questionnaire'', les auteurs Jean M. Converse et Stanley Presser, résument ainsi la situation en s'inspirant des travaux de W.A. Belson (The design and understanding of survey questions. — 1981) ''Les personnes qui répondent transforment les questions obscures en leur donnant le sens qui leur paraît être le bon, dans le souci de répondre à la question posée... Elles pensent avoir compris correctement la question ou la partie de la question qui a le plus de signification pour elles''.

La réponse étant donnée, l'enquêteur n'est pas capable d'apprécier dans quelle mesure la question a été comprise, sauf si son interlocuteur avoue son embarras ou son incompréhension. Dans ce dernier cas, la notation du sans réponse s'impose ; il n'appartient pas à un enquêteur, lors d'une étude quantitative, d'expliquer le sens des mots figurant dans le questionnaire.

Il est très difficile de prévoir à l'avance quelle proportion de la population connaît la signification du vocabulaire utilisé dans un questionnaire et il ne saurait être envisagé de débuter une interview par un examen préalable de la compréhension de : conjoncture économique, secteur public, secteur privé, inflation etc.

Début janvier 1987 j'ai été témoin du désarroi provoqué par un questionnaire, parmi les élèves des classes de 3ème d'un C.E.S. de la région parisienne. Le questionnaire, préparé par un groupe d'élèves assisté de deux professeurs et supervisé par une société de sondages, avait comme thème principal l'avenir scolaire et professionnel prévus par des jeunes lycéens âgés de 13 à 16 ans. Ces élèves réunis dans une salle notaient eux-mêmes leurs réponses.

Entre autres choses, trois vocables ont fait l'objet de demandes d'explication d'un bon tiers des élèves de quatre classes de 3ème.

Que veut dire secteur public ?

secteur privé ?

rémunération ?

Nous sortions à peine des grèves de la SNCF et de l'EDF. Ces mots avaient été utilisés de nombreuses fois.

Les professeurs présents ne manquaient pas de rappeler que, à l'occasion de cours précis, le sens de ces mots avait été clairement expliqué. L'étonnement des professeurs était d'autant plus grand qu'ils étaient en mesure d'apprécier le niveau des élèves qui posaient ces questions.

Quelle parade utiliser afin que l'ensemble d'une population consultée réponde aux questions posées, en connaissance de cause ?

1. Employer des termes simples compris de tous et sans équivoque. Lesquels ? Quel que soit le mot utilisé, une fraction inconnue du public consulté n'en saisira pas le sens précis.
2. Se méfier des clichés journalistiques à la mode.
3. Le fait qu'un item ait été employé dans un sondage publié, ne signifie pas qu'il a été convenablement testé au préalable ni que sa signification ait été perçue par la majorité des répondants.

Une question ultra classique, telle que :

Êtes-vous satisfait, plutôt satisfait, plutôt mécontent de M. ... comme président de la République ?

n'est pas interprétée de la même manière par tout le monde. Elle est vague ; chacun y met ce qu'il veut bien y mettre. Et pourtant depuis près de trente ans que cette question est posé en France, dans les mêmes termes, il est difficile d'affirmer que :

1. Les variations dans le taux des ''sans opinion'' reflètent une incompréhension du sens de la question.
2. Les variations des opinions positives et négatives sont dues au hasard.

Soyons vigilants dans le choix des mots, méfions-nous du ''jargon'' de certains, demandons-nous si tel mot utilisé il y a 10 ou 20 ans figure encore dans le langage courant.

Je le répète une nouvelle fois, en formulant des questions on doit toujours se mettre à la place de la personne la moins cultivée du groupe auquel le sondage s'adresse.

Même si ce public est composé uniquement d'étudiants ou d'universitaires on utilisera les mêmes mots simples et précis que l'on pourrait employer auprès d'un public moins cultivé.

3. *Achat et consommation. Qui ? Quand ? Combien ?*

On peut acheter sans consommer et consommer sans acheter. Il y a lieu de distinguer ces deux comportements.

On achète pour soi, pour d'autres ou pour soi et les autres, on consomme seul ou avec d'autres, chez soi ou ailleurs.

Ici le lecteur fait une pause et passe en revue les différents aspects de son comportement, s'agissant de produits de consommation courante ou de biens durables. Réflexion faite, a-t-il trouvé une solution miracle qui réponde aux trois problèmes évoqués dans le titre du chapitre ?

Qui achète ?	Qui consomme ?
Quand achetez-vous ?	Quand consommez-vous ?
Où achetez-vous ?	Avec quelle fréquence
Qu'achetez-vous ?	consommez-vous ?
Quantité et fréquence.	En quelle quantité ?

Déceler à la fois acheteur et consommateur est la préoccupation constante de l'homme de marketing et du publiciste. Le film publicitaire consacré aux jouets a deux cibles : l'enfant consommateur mais aussi acheteur, l'adulte acheteur le plus souvent, toujours payeur direct ou indirect.

1. QUI ACHÈTE ?

L'achat d'impulsion dans le magasin est un cas simple, peu fréquent. Le plus souvent l'intention précède l'action.

Plusieurs exemples des circonstances évoquées dans les conversations courantes illustreront plus qu'un long exposé combien l'acte d'achat, lorsqu'on veut le connaître, implique une pluralité de questions simples, si on désire le comprendre.

— ''Mon mari m'a dit de lui acheter un briquet X au bureau de tabac près de la Poste.'' (l'acheteur est un simple agent d'exécution).
— ''Mon mari m'a dit de lui acheter un briquet au bureau de tabac près de la Poste'' (l'acheteur est aussi acteur, il choisira ou se fera conseiller une marque).
— ''Mon mari et moi avons ''fait'' plusieurs magasins pour l'achat d'un costume pour lui'' (Le mécanisme d'achat devient complexe, qui à dit : il faut acheter un costume ? Qui a décidé du choix du premier ou de l'unique magasin ? Qui a décidé du choix définitif ? Sur quel critère ? Quel a été le rôle du vendeur ? Interrogeons les trois personnages. Qui s'attribuera le rôle de décideur ? Il y aura assez souvent contradiction dans les témoignages).

Quand on formule une question commençant par ''Achetez-vous ?'' etc... Qu'attend-on de cette question ?

1. Déceler une consommation.
2. Identifier le prescripteur de l'achat.
3. Identifier la personne qui réalisera l'acte d'achat.

On conçoit que cette formule est vague ; elle doit être complétée ou précisée par d'autres questions.

La démarche prend différents aspect selon qu'il s'agit :

— d'achats de produits de consommation courante,
— d'achats de biens durables, à usage personnel (un piano par exemple) ou familial (une machine à laver le linge, tous en profiteront, une seule personne, en général, l'utilisera).
— d'achats de biens, machines, services destinés à une entreprise. Dans ce cas, préconisateur, décideur, acheteur et utilisateur peuvent être quatre personnes ou quatres groupes de personnes différentes. J'essaierai de contribuer à la solution de ce problème complexe dans un chapitre consacré à l'étude du marché dans les entreprises.

2. QUI CONSOMME ?

Ceci concerne aussi bien la notion de consommation que d'utilisation. Les produits achetés pour la consommation, dite familiale, ne sont pas nécessairement répartis en parts égales, et consommés avec la même fréquence par tous les membres d'un foyer.

Ayant constaté l'acte et la fréquence d'achat d'un produit d'alimentation il importe souvent de déceler le consommateur final. Ceci passe inévitablement par l'énoncé de la composition de la famille, définie par le sexe, l'âge, éventuellement le lien familial de chaque personne.

Poser la question : "Qui chez vous consomme , et avec quelle fréquence, de la confiture au petit déjeuner le matin" ne suffit pas. Cette erreur est classique, je l'ai constatée plusieurs fois. Cette question doit être complétée par la composition de la famille.

- Apprendre que 20 % des consommateurs de confiture, au petit déjeuner, sont des enfants et 30 % des adultes ne suffit pas. Le seul résultat valable est : sur 100 adultes masculins, X % consomment, sur 100 garçons de 6 à 10 ans etc..., et ce résultat est extrapolable à l'ensemble d'une population, pour ce qui concerne tout au moins la consommation à domicile de la confiture.

3. LE RYTHME DES ACHATS ET LES QUANTITÉS D'ACHAT DES PRODUITS DITS DE GRANDE CONSOMMATION

Déterminer la fréquence d'achat du pain frais est chose relativement simple, l'évaluation de la quantité est complexe, tant grande est la variété des pains proposés en boutique et d'une région à l'autre.

Comment déterminer la fréquence et les quantités d'achat du sel, de la moutarde, de la confiture etc. ? Ceci relève, tout au moins pour les quantités d'achats, du panel de consommateurs (voir chapitre panel de consommateurs).

Entre ces deux exemples, existent de nombreuses situations, que l'on essaye de résoudre par le choix entre plusieurs solutions.

La solution naïve, paresseuse, imprécise, est la suivante :

Achetez-vous régulièrement, assez souvent, de temps en temps, rarement ou jamais (nom du produit) ?

A l'évidence cette question donnera des résultats. On fera apparaître des différences de comportement selon le niveau socio-professionnel, l'habitat (rural ou taille d'agglomération), la région etc. Arrêtons-nous sur l'item "régulièrement". Malgré les apparences, cet adverbe a un contenu imprécis :

— Pour Pierre achetez régulièrement, c'est tous les jours.
— Pour Paul c'est 2 fois par semaine, le mardi et le vendredi.
— Pour Jacques c'est une fois par semaine.

Conscients du problème, certains ont complété chacun des adverbes ou locutions adverbiales par une notion de fréquence et de situation dans le temps :

— En ce moment (ou en cette saison, ou à ce moment de l'année) achetez-vous régulièrement, c'est-à-dire au moins une fois par semaine etc.

Ce type de question est avant tout inspiré par un souci d'économie, surtout lorsqu'il s'agit d'enregistrer la fréquence d'achat d'une série de produits, de journaux etc. Pour les journaux quotidiens, l'homogénéité des réponses est, dans l'ensemble, conservée, bien que certains journaux enregistrent des fluctuations dans leur tirage, selon les jours de la semaine.

Pour des produits de consommation courante, l'homogénéité dans le contenu des réponses est moins évidente. La variation saisonnière est mal saisie. Les résultats sont difficilement extrapolables sous forme de nombres d'achats et plus encore de quantités d'achats, pour définir des parts de marché.

4. RYTHME D'ACHAT DE PRODUITS A VARIATION SAISONNIÈRE FAIBLE

Le rythme d'achat des cigarettes est un bon exemple. Il peut être étendu à beaucoup d'autres produits : la variation saisonnière de l'achat et de la consommation n'est pas déterminante. Les questions sont posées aussi bien aux non-fumeurs qu'aux fumeurs. L'acheteur de cigarettes n'est pas nécessairement un fumeur. Nous avons été témoin de l'embarras de certaines personnes achetant des cigarettes pour leur conjoint. Elles se souviennent de la marque habituelle mais, devant les variétés proposées, hésitent. Je ne le répéterai jamais assez, qui s'intéresse à l'étude des marchés, et plus particulièrement à la préparation de questionnaires, doit fréquenter les magasins, observer, écouter.

— Voici une planche reproduisant les principales marques et variétés de cigarettes vendues en France.

Quelle est celle ou quelles sont celles qu'il vous arrive d'acheter soit pour vous, soit pour quelqu'un d'autre, même si cet achat est occa-

sionnel ou très occasionnel ? (chaque paquet est identifié par un n°
de code, ce qui évite à l'enquêteur de devoir recopier la marque et
la variété, il se contente de reporter le numéro de code sur le questionnaire : gain de temps et faible risque de notation illisible ou
incomplète).

Prenons la 1ere marque que vous avez citée, c'est-à-dire... Tous les
combien à peu près (présentation d'une liste de fréquences, allant
de chaque jour à une ou quelques fois par an, soit 8 à 10 fréquences) ?

Achetez-vous alors le plus souvent un seul paquet ou plusieurs de... ?
Et combien ?

On procède ainsi pour chaque variété de cigarettes évoquée. L'exploitation de ces questions peut être ou très lourde ou relativement simple si le plan de saisie et le plan de traitement ont été prévus
convenablement.

J'ai choisi à dessein le cas des cigarettes parce qu'il ne doit pas être
traité à la légère. La SEITA, qui a le monopole de la distribution des
cigarettes en France, connaît à l'unité près ce qu'elle livre aux débi-
tants de cigarettes. L'analyse fine de ses ventes lui permet d'estimer l'écart, à un moment donné, entre ce qu'elle livre et ce qui est
vendu au consommateur (estimation de la durée et du volume des
stocks au niveau du revendeur).

M'intéressant à l'achat des cigarettes, je m'attends à quelques rares
surprises. Les bureaux de tabac qui dépendent du Ministère des Finan-
ces ont en France le monopole de la vente des cigarettes, à un certain nombre d'exceptions près. Dans ces conditions, ne nous éton-
nons pas si, au cours du sondage, apparaissent quelques acheteurs
achetant plusieurs cartouches de différentes marques. Il s'agit de cafe-
tiers, d'hôteliers, de restaurateurs, d'employés venant acheter pour
leur entreprise et jouant le rôle de revendeurs. L'enquêteur doit être
informé de cette situation, qu'il peut rencontrer et doit enregistrer.
Ce type d'achat pose un problème : ce qu'achète le cafetier sera
revendu à un autre acheteur. Nous sommes dans la situation de doubles comptes. L'achat de cigarettes, en dehors des bureaux de tabacs,
n'est pas chose rare, dans certains quartiers ou centres commerciaux.

S'agit-il d'un phénomène marginal ? C'est à nous de le vérifier ; il est
prudent d'ajouter une question sur le lieu d'achat des cigarettes :
bureau de tabac, épicerie-tabac, café, restaurant, hôtel, en avion, dans
le train etc.

5. RYTHME D'ACHAT DE PRODUITS DITS DE GRANDE CONSOM-MATION ET DE CARACTÈRE SAISONNIER

Dans la mesure où les produits figurent dans les questionnaires, les panels de consommateurs permettent de mettre en valeur le caractère saisonnier d'achat de ces produits. Mais les panels fournissent des faits bruts : la quantité achetée, à quel prix et à quel endroit, sans information sur le motif de l'achat, les hésitations éventuelles relatives à la marque, au prix, au lieu d'achat etc. Les études ponctuelles sont nécessaires.

Les produits d'achats dits saisonniers sont légion. Je prendrai l'exemple des crèmes glacées en tant que produit de grande consommation.

Les crèmes glacées, glaces, sorbets, gâteaux ou compositions à base de crème glacée sont davantage achetés en été qu'en hiver, bien que ce marché ait évolué au cours des dernières décennies par suite des efforts de promotion des principaux fabricants de glaces industrielles et de l'équipement des points de vente en matériel de réfrigération.

Définir le profil, le comportement, les motivations de l'acheteur de ''crèmes glacées'' conduit à dresser une typologie ou une classification de la clientèle, répartie en gros acheteurs réguliers toute l'année, gros acheteurs occasionnels ou saisonniers, faibles acheteurs etc.

La définition du produit concerné en langage de consommateur n'est pas chose facile, mots et images seront nécessaires pour tenter de bien cerner le produit acheté.

Il conviendra de distinguer, en vue de préciser le rythme d'achat :
- ce qui est acheté et consommé sur place : dans la pâtisserie, au restaurant, dans la rue, au café etc.
- ce qui est acheté et emporté à domicile, le sien ou celui des personnes invitantes.
- la personnalité de l'acheteur : la maîtresse de maison, le chef de famille, un enfant ou toute autre personne, soit pour sa consommation personnelle hors domicile ou pour la consommation individuelle ou collective à domicile. Chaque individu consulté répondra ainsi pour lui-même et le foyer auquel il destine son achat.

Si on se limite dans le cadre de ce récit aux seuls achats destinés à la consommation à domicile d'une ou de plusieurs personnes, la formulation des questions peut être la suivante :

Voici une planche sur laquelle figurent les reproductions et appellations courantes d'un certain nombre de produits glacés, crèmes glacées, sorbets etc. dites-moi pour chacun s'il vous arrive d'en acheter, à un moment ou l'autre de l'année, personnellement, je dis bien personnellement en vue de les emporter chez vous ?

Pour chacun de ces produits "achetés"

Ce produit... (le nommer en le montrant sur la planche de dessins ou de photos) en achetez-vous en été, disons entre juillet et septembre, à peu près combien de fois ? Donnez-moi un chiffre approximatif

en automne
en hiver
au printemps.

Pour chacune de ces périodes et pour ce produit où l'achetez-vous de préférence ? Chez un boulanger-pâtissier, chez un pâtissier, dans un magasin en libre service supermarché ou hypermarché, dans un magasin vendant uniquement des produits surgelés.

Devra-t-on se contenter de poser la question suivante ?

Tous les combiens achetez-vous, personnellement, en vue d'une consommation à domicile, des glaces, crèmes glacées, sorbet etc. du type de ceux qui figurent sur cette planche ?

en été
en automne
en hiver
au printemps.

La première démarche, traitant à la fois de la consommation à domicile et hors domicile (non développée ci-dessus), a pour objet de déceler qui achète les différents produits glacés, à différents moments de l'année, afin de dresser une typologie suffisamment fouillée de la clientèle. La deuxième démarche est plus grossière. En tout état de cause on renoncera à évaluer, d'une manière précise, les quantités achetées, en vue de reconstituer le marché des "crèmes glacées".

L'objectif poursuivi est de structurer la population des consommateurs (gros, moyens, petits, définis à posteriori), la clientèle de produits types à différents moments de l'année, en vue d'établir un plan marketing, débouchant sur une action publicitaire appropriée.

6. LE RYTHME D'ACHAT OU L'ANCIENNETÉ D'ACHAT DE BIENS DURABLES

S'agissant de récepteur de télévision, de lave-linge, de lave-vaisselle, voiture, de rasoir électrique, de fer à repasser etc., la notion de rythme d'achat fait place à la notion d'ancienneté d'achat, d'intention d'achat, de complément ou de remplacement. Il est peu réaliste de demander : Tous les combien remplacez-vous votre poste de télévision ou votre machine à laver le linge ? Déterminer la date d'achat et de remplacement éventuel d'un appareil ménager ou de tout bien durable nécessite un certain nombre de précautions, dans la mesure où l'on fait appel à la mémoire des individus. On doit renoncer, au cours d'une interview, à faire sortir les factures ou bons de garantie des dossiers, tiroirs, armoires etc.

Chaque fois que j'ai pu confronter les résultats d'un sondage à des statistiques professionnelles, réputées sûres, j'ai constaté une tendance du public à reduire l'ancienneté des appareils ménagers ou biens durables possédés. Le passé paraît plus proche qu'il ne l'est en réalité.

La datation des achats de biens durables reste en partie approximative, même lorsqu'il s'agit de biens achetés récemment.

''Avez-vous acheté votre machine à laver le linge depuis un an ?''

''Oh oui ! c'est cela''. En fait c'est aussi bien 10 mois que 15 mois si aucun evènement lié à l'histoire familiale ne coïncide avec l'achat en question : quand on a déménagé, quand on s'est marié, juste avant que mon mari change d'entreprise, en rentrant de vacances l'année dernière etc.

Déterminer l'ancienneté de possession d'un appareil conduit à bien préciser le contenu et le but de la question posée :
— Avez-vous ici dans ce logement une machine à laver la vaisselle, en état de marche ?
— A-t-elle été acheté neuve par vous, achetée d'occasion, ou vous a-t-elle été donnée ou offerte par un proche ?
— Nous allons vérifier ensemble la marque et le modèle de cette machine.
— Quand avez-vous acheté cette machine ?

Était-ce il y a moins d'un an c'est-à-dire entre... et aujourd'hui ?
Réflechissez bien.
Était-ce entre un an et deux ans, c'est-à-dire... ?
etc.

Évaluer la durée de la vie de la machine à laver la vaisselle c'est aborder le problème de son renouvellement prévisible, donc des intentions d'achat. La date de renouvellement d'un appareil est d'autant plus difficile à cerner que l'achat est récent et que l'appareil concerné justifie d'une utilisation régulière,pendant huit ou dix ans.

7. LA FRÉQUENCE DE CONSOMMATION OU D'UTILISATION DE PRODUITS DE GRANDE DIFFUSION

Je ne reviendrai pas sur le caractère imprécis des termes ''réguliers'', ''assez souvent'' etc. évoqué lors de l'analyse du comportement d'achat. Les mêmes remarques s'appliquent lorsque l'on évoque la fréquence de consommation d'un produit.

Il est relativement facile de cerner la consommation du café en prenant la précaution de distinguer ce qui relève de la consommation à domicile et hors domicile. Il n'en va pas de même pour les produits dont la consommation est saisonnière ou relève de l'occasionnel.

Prenons l'exemple du champagne. Comment évaluer la fréquence de consommation de champagne à domicile ?

Première précaution : bien s'entendre sur la définition du champagne, c'est-à-dire annoncer clairement la couleur, en distinguant le champagne des mousseux, clairettes, etc. Il demeurera de toute façon quelques incertitudes.

Le but n'étant pas de reconstituer à l'unité près le nombre de bouteilles de champagne, bues en une année dans un foyer, mais de caractériser différents types de consommateurs (gros, moyens gros, moyens faibles, faibles, non-consommateurs absolus) je prends délibérément le parti de poser la question sous la forme :

En pensant aux différents moments de l'année et aux différentes occasions qui peuvent s'y prêter, combien de bouteilles de champagne a-t-on bu chez vous depuis un an ? Dans cette liste que je vous présente, quelle est la quantité qui correspond le mieux à votre réponse ?

Y-a-t-il, depuis un an, une ou plusieurs circonstances particulières ou période au cours desquelles on a ouvert plus de bouteilles de champagne qu'à l'habitude ?
C'était à quel moment et pour quelle circonstance ?
Vous m'avez dit que vous aviez consommé chez vous, depuis un an,..., entre... et... bouteilles de champagne, la ou les circonstances particulières que vous venez d'évoquer entrent pour combien de bouteilles dans votre consommation annuelle ?

On peut approfondir la consommation de champagne au-delà de la simple fréquence et quantité de consommation en faisant préciser si la consommation de champagne est liée à la présence d'invités, à la célébration de fêtes personnelles, d'anniversaires en dehors des jours de fêtes collectives (Noël, Nouvel-An, Pâques etc.).

L'objectif étant de cerner la structure de la consommation de champagne à domicile, on cherche à répartir les consommateurs entre différents groupes. Dire ''nous consommons 50 bouteilles de champagne par an'', même si la réalité est de 42 ou 60, définit assez précisément un groupe de clientèle et le distingue nettement de celui qui répond ''2 à 3 bouteilles''. Dans les deux cas, les réponses, le plus souvent approximatives sont révélatrices d'un comportement. Ce type d'approche donne de bons résultats, chaque fois qu'un produit est consommé dans des quantités très variables.

Le Coca-Cola ou certaines boissons gazeuses révèlent de la même optique. Chacun est capable de dire s'il boit par an, plutôt cinquante fois du Coca-Cola qu'une ou deux fois.

En revanche, qu'obtient-on en posant une question du type ? : ''Buvez-vous du Coca-Cola régulièrement, de temps en temps, rarement, jamais ?'' Se considère comme consommateur régulier aussi bien celui qui, sortant chaque semaine avec des copains, boit du Coca-Cola à cette occasion que celui qui en boit plusieurs fois par semaine. Il importe que chaque personne interrogée réponde selon une ''métrique '' commune, uniforme et non ambiguë. Enregistrer des quantités, même réparties en 8 ou 10 groupes, présente l'avantage de structurer la clientèle, à bon escient. Estimera-t-on les foyers, gros consommateurs de Champagne, à plus de 10, 20, 50, ou 100 bouteilles par an ? L'examen de la distribution des premiers résultats nous permettra d'en décider.

L'exemple du champagne ou du Coca-Cola peut être étendu à de multiples produits, chaque fois qu'une consommation est très inégalement répandue : l'aspirine, les mouchoirs en papier, la bière, les tablettes chocolatées, les crèmes glacées à domicile ou hors de chez soi, les produits de parfumerie ou de toilette, le nombre de livres lus dans l'année, la fréquentation des restaurants, des hôtels etc.

S'il est souvent utile de s'informer sur la date de la dernière consommation ou d'utilisation, parce qu'elle peut être complétée par une série de questions précises, ce type de question n'apporte pas d'information sur la fréquence de consommation et la quantité vraisemblable de produits consommés en un an.

2. LES QUESTIONS RÉGULIÈRES. LE CHOIX ENTRE LE CONSERVATISME ET LE CHANGEMENT

Jean M. Converse et Stanley Presser dans un chapitre consacré à l'importante documentation issue des questionnaires des principaux instituts de sondages d'opinion publique ont une attitude contradictoire ; je les cite :

> *"Les sondages sont maintenant si habituels dans la vie culturelle et scientifique des États-Unis que l'on a accumulé une véritable montagne de questions... Avant de commencer la rédaction d'un questionnaire on devrait consulter cette documentation, cela permet de gagner du temps et simplifie la tâche."*

Les auteurs citent notamment la collection des résultats de Gallup publiés en 9 volumes, The Gallup Poll. 1935-1981 et de NORC (National Opinion Research Center) General Social Surveys, 1972-1985 etc. mais une page plus loin, ils déclarent :

> *"Avons-nous besoin de tester à nouveau ces questions éprouvées ? C'est une bonne idée pour deux raisons, la première parce que le langage change constamment et la seconde parce que la signification des questions peut être modifiée dans le contexte des questions voisines."*

Adopter cette dernière attitude comporte un réel danger lorsqu'il s'agit d'analyser l'évolution de l'opinion publique et son comportement dans le temps. Je suis farouchement partisan de ne rien modifier dans le texte d'une question destinée à être posée régulièrement. Je l'ai répété des milliers de fois : une mauvaise question devient bonne par sa répétition, elle permet de mettre en relief une évolution. Ceci concerne aussi bien les problèmes permanents relatifs à l'opinion publique que les questions de comportement. Lorsque l'on commence une série de sondages pouvant s'étaler sur plusieurs semaines, plusieurs mois, plusieurs années, voire même plusieurs décennies, il est impératif de réfléchir au texte de la question et de ses éventualités. Il est impensable de vouloir jouer "au touche à tout" comme je l'ai vu faire quelques fois. Prenons deux exemples.

1. Exemple d'une question d'opinion utilisée depuis plusieurs décennies

"Êtes-vous très satisfait, plutôt satisfait, plutôt mécontent ou très mécontent de M... président de la République ?"

Cette question est vague ; comment chaque personne interrogée la reçoit-elle ? Sur quel critère relatif à la personne, à son orientation politique, à son action, s'appuie la réponse ? On ne le sait jamais. Il n'en demeure pas moins que cette question est très sensible. Il est regrettable que la presse écrite ou la télévision ne reprenne pas systématiquement la courbe de l'évolution de l'opinion. Les journalistes disposent, en permanence, des graphiques illustrant les résultats antérieurs, sur plusieurs mois ou plusieurs années ; ils se contentent de dire que le nombre des "satisfaits" a augmenté ou diminué, d'un mois sur l'autre, de 1 % ou de 2 %, ce qui n'a aucune signification statistique.

2. Exemple d'une question de comportement classique : la fréquentation du cinéma

La fréquentation des cinémas a sensiblement diminué depuis 40 ans. La clientèle s'est modifiée. L'appellation d'opium du peuple ne s'applique plus au cinéma ; elle s'appliquerait plutôt à la télévision. Il y a quarante ans, il était normal de présenter dans le texte de la question, une échelle de fréquence du type :

> plusieurs fois par semaine.
> une fois par semaine.
> 2 à 3 fois par mois.
> 2 fois par mois.
> 1 fois par mois.
> 5 à 6 fois par an.
> 1 à quelques fois par an.
> moins qu'une fois par an.
> pratiquement jamais.

Aujourd'hui on aurait plutôt tendance à réduire cette échelle de fréquence, vu le niveau négligeable de la fréquentation plurihebdomadaire.

Je pourrais prendre un exemple inverse : débuter une série d'observations relative à un comportement peu fréquent, en limitant l'échelle des fréquences pour l'élargir ensuite. L'erreur est aussi grave. Il ne coûte rien de prévoir un large éventail d'éventualités, même si cela paraît peu réaliste à un moment donné.

En résumé, chaque fois qu'une question est susceptible d'être répétée, en peser les termes, la changer une fois peut-être, mais pas plus, pas de perfectionnisme absurde. Il est certain que le sens des mots évolue dans le temps, que certaines appellations deviennent désuettes, que d'autres naissent et disparaissent. C'est le cas du vêtement. Dans cet exemple la représentation schématique des produits lèvera l'ambiguïté. Les appellations changent plus vite, au gré de la mode, que certaines formes de vêtements.

Le changement de mots dans une question régulière est un pari. MM. Converse et Presser ont donné comme titre à un des chapitres de leur livre :

"Les effets de la formulation : Potentiellement importants mais imprévisibles"

J'ai eu l'occasion de le vérifier maintes fois, une modification légère, en apparence, aboutira dans certains cas à bouleverser le contenu des résultats, dans d'autres cas une modification profonde n'aura aucun effet. Il y a quelques années deux résultats identiques sur la suppression de la peine de mort ou de son maintien étaient issus de questions, en apparence, très différentes. Dans ce cas précis, la sensibilité de l'opinion au problème posé faisait oublier les différences dans l'intitulé des deux questions. Je rappelle que l'Anglais Belson W.R. dans son ouvrage "The design and understanding of surveys questions" édité en 1981, souligne que les personnes interrogées n'entendent pas toujours nécessairement chaque mot de la question, certains imaginent le sens des mots, d'autres assimilent complètement les concepts évoqués.

Si on ne peut jamais prévoir l'effet sur les résultats d'une modification dans l'intitulé d'une question, en revanche, et ceci est une constante, l'introduction d'une ou plusieurs modifications dans le nombre des éventualités proposées a des effets immédiats. J'ai souvent pris l'exemple suivant pour illustrer ma pensée. Le choix d'un plat dans un restaurant que l'on fréquente, plus ou moins régulièrement, diffère selon le nombre de plats plus ou moins grand, présenté d'une fois sur l'autre.

Modifier l'échelle de satisfaction signalée ci-dessous, en ajoutant une nouvelle éventualité (5 au lieu de 4) affecte les résultats de TOUTES les éventualités précédentes, le menu proposé n'est plus le même.

4 éventualités	5 éventualités
très satisfait	très satisfait
plutôt satisfait	plutôt satisfait
plutôt mécontent	ni satisfait ni mécontent
très mécontent	plutôt mécontent
	très mécontent.

L'introduction de nouvelles éventualités et la suppression de certaines, sont souvent indispensables lorsque l'on surveille périodiquement la notoriété assistée (question avec présentation d'une liste) des marques d'un produit. Des chargés d'études sont venus me voir, littéralement affolés devant la perte de notoriété de la marque d'un client, malgré des campagnes de publicité soutenues. Leur premier réflexe était d'incriminer l'échantillonnage, le travail des enquêteurs, la saisie, la programmation. Prenant en mains le questionnaire actuel et le précédent, ma réponse était dans ce cas ''La question n'est pas la même'' — ''Mais si je vous assure'' etc. Les résultats relatifs à la marque A seront différents selon que la liste proposée contient 12 marques, au lieu de 8 auparavant. La parade est de renoncer à la présentation d'une liste et d'énumérer chacune des marques séparément ou de présenter des cartons portant chacun le nom d'une marque. Cette réflexion s'applique également à une série variable de qualités, de points d'image, de motifs de comportement etc. Le problème est réel, et ce d'autant plus que l'on ignore si la question posée par un client sera répétée une ou plusieurs fois. Il faut parfois résister à l'introduction d'éléments nouveaux dans une liste (marque apparue récemment sur le marché). Que préfère-t-on ? Perdre une information ou perdre la possibilité de comparaison fiable ? J'ai suggéré dans le cas où plusieurs marques nouvelles devaient être introduites dans une liste d'utiliser deux questions : la question habituelle, sans ajout ni suppression, la seconde ne comprenant que les marques nouvelles. L'effet de liste est réel.

Ce chapitre ne concerne pas les questionnaires de panel enregistrant les achats, au jour le jour, des ménages. L'introduction de nouveaux produits, non encore répertoriés, ne modifie pas la notation des achats des autres produits. Dans un questionnaire de sondage, cela revient à introduire de nouvelles questions dont l'effet est moindre sur les résultats, que les modifications introduites dans le contenu d'une question.

Au terme de ce chapitre, je constate que j'ai opté pour le conservatisme et redouté le changement. Et pourtant, au cours des dernières années, mes collègues et collaborateurs ont été témoins, à de nombreuses reprises, du dialogue suivant :

— *Moi : ''Votre question est mauvaise, il faut la changer.''*
— *Le chargé d'étude : ''On l'a déjà posée deux fois comme cela''*

Que conclure ? C'est selon ! pour reprendre une expression populaire. Effectivement les cas d'espèces sont nombreux. On ne doit pas changer une question pour le plaisir de changer. Si le changement s'avère indispensable, bien réfléchir avant de le faire.

3. LA MÉMOIRE.
LES QUESTIONS FAISANT APPEL AU SOUVENIR

L'appel à la mémoire occupe une large place dans les questionnaires de sondages d'opinion ou d'études de marchés. Je citerai notamment :

— le sens du vote lors des dernières élections,
— l'ancienneté de l'achat d'appareils ou de produits,
— le souvenir du contenu de messages publicitaires,
— la date de la première utilisation d'un produit ou d'une marque,
— les raisons qui ont motivé un achat plus ou moins récent ou un changement d'attitude.

Jean Converse et Stanley Presser, déjà cités, écrivent dans le chapitre intitulé ''Recall of the past'' :

''Restituer un événement ou un comportement peut être particulièrement difficile dans une ou plusieurs circonstances : si la décision a été prise, la première fois, presque sans réfléchir ; si l'événement est si banal que le public y a pensé à peine plus d'une seconde ; si les questions font référence à des événements ayant eu lieu il y a longtemps ou si cela nécessite le souvenir de plusieurs événements différents.''

Ces auteurs signalent ensuite plusieurs procédés pour reconstituer le passé aussi fidèlement que possible : proposer des bornes, des dates limites, diminuer l'amplitude des périodes de référence, faire décrire un comportement moyen (tous les combien ?), utiliser des dates repères du calendrier (était-ce avant ou après Noël ? avant ou après Pâques ?)

L'histoire est une reconstitution du passé dans la perspective des préoccupations du présent. Il en est souvent de même lorsqu'un individu est sollicité sur des opinions ou comportements passés. L'effet de prestige conduit soit à enjoliver, soit à occulter les évènements passés.

On a souvent remarqué que la reconstitution du sens d'un vote récent n'était pas fidèle. Par oubli ou pour figurer dans le camp du vainqueur, certains électeurs donnent une image de leur vote contraire à la réalité. Le souci de paraître, de donner une bonne image de soi, conduira à remonter dans le temps l'usage d'un produit afin d'être ''rangé'' parmi les novateurs ou les pionniers.

La date du dernier achat, de la dernière lecture, de la dernière fréquentation du cinéma etc. est délicate à appréhender, au même titre que la fréquence d'utilisation ou d'achats. Même dans le cas où seul le comportement au cours des douze derniers mois fait l'objet d'une question, c'est une erreur de poser la question sous forme :

> "Avez-vous acheté ce produit (cet appareil etc.) au cours des douze derniers mois ?"

Le résultat obtenu est pratiquement toujours surestimé. La personne interrogée, familière du produit, du journal, tient à montrer, en toute bonne foi, l'intérêt qu'elle y porte. L'achat réalisé il y a 13 ou 15 mois passe pour un achat dans la dernière année. On remédie à cet effet perturbateur en proposant plusieurs dates, ce qui permet à la personne consultée de se compter parmi les élus :

> "Etait-ce il y a six mois ?
> entre six mois et un an ?
> entre un an et un an et demi ? etc."

Cette manière de présenter la question annihile en partie les surestimations, elle est à conseiller même si seuls les acheteurs récents sont pris en compte par la suite. En revanche, il n'y a pas de procédé efficace pour éviter le rapprochement dans le temps d'achats relativement anciens. Faites l'expérience vous-même, essayez de vous souvenir de la date d'achat des meubles, des appareils ménagers, des vêtements qui vous sont familiers et consultez ensuite les factures que vous avez conservées. Vous avez vieilli certains objets, le plus souvent vous en avez rajeuni d'autres.

Si le souvenir des dates d'achat ne permet pas de reconstituer fidèlement le passé d'un marché, on ne doit pas pour autant renoncer à interroger le public sur son comportement passé. La possibilité demeure de répartir l'échantillon en plusieurs groupes "acheteurs récents", "acheteurs relativement récents", "anciens acheteurs", dont l'analyse mettra en relief les différences d'attitude et de comportement.

La mémorisation de la publicité donne l'exemple de multiples chausse-trappes, de confusions, d'attributions erronées etc. Il fut un temps où la société l'Oréal, n'utilisait que la radio et l'affichage pour vanter les mérites de Monsavon, Dop etc. A chaque étude, 5 à 6 % des personnes interrogées déclaraient avoir remarqué de la publicité pour ces produits dans la presse périodique. A partir du moment où une marque est très connue du public, on lui attribue tous les moyens publicitaires de grande diffusion. La question relative au souvenir des moyens de publicité a été interprétée naïvement dans le passé. Elle n'apporte aucune information fiable quant à l'impact de chacun des moyens de publicité.

En 1947, lors d'une de mes premières études de marchés, qui concernait le papier à cigarettes, j'avais posé la question suivante :

"De quelle marque de papier à rouler les cigarettes vous souvenez-vous avoir vu de la publicité ?"

Une seule réponse m'a guéri, une fois pour toutes, de cette question :

"de la publicité pour LE NIL dans la caravane du Tour de France de 1912."

On pourra essayer de restreindre le champ de souvenir par l'adjonction de "récemment", "depuis un mois", "depuis une semaine" etc. On ne pourra éviter l'afflux de réponses hors de la période de référence.

Les confusions, les fausses attributions, le souvenir de publicités anciennes particulièrement présentes à l'esprit, encombrent le contenu des questions ouvertes destinées à enregistrer le souvenir des messages publicitaires. Le recours à une série de questions fermées précises, permet de limiter les dégâts. "A quelle marque de .... attribuez-vous chacun des messages ou slogans suivants.... ?" — A une ou deux exceptions près, êtes-vous en mesure, avant la fin de films publicitaires relatifs à des produits de lessive, de dire à qui attribuer le message ? Une observation attentive du contenu des films publicitaires vous permettra de déceler des modes, des analogies évidentes. Chaque fin d'année, la publicité pour les parfums et produits de toilette envahit les écrans de télévision. Que de ressemblances dans la mise en scène, dans l'ambiance, dans l'éclairage etc. Obtenir ensuite un compte rendu fidèle, de ce qui a été vu et du nom de la marque et du produit, relève du casse-tête.

Le rappel des raisons qui ont motivé un achat ou un choix, même s'il est récent, entraîne une série de réponses qui expriment davantage la justification a posteriori du choix effectué que les raisons ayant motivé ce choix. La recherche des motifs ayant conduit à un achat doit être faite à la sortie du magasin, ou le jour de la commande. Même dans ce cas, les hésitations avant de choisir, les démarches faites dans plusieurs magasins, les consultations diverses ne seront pas toujours restituées fidèlement.

La reconstitution du passé ne peut-être obtenue par une seule question. On usera d'une série de questions fermées très précises, adaptées au produit étudié. Il est rare que le problème formulé par un client d'études de marchés, et qui peut être résumé en quelques thèmes simples, nécessite un nombre réduit de questions.

4. NOTATION, APPRÉCIATION, CLASSEMENT HIÉRARCHIQUE

La réponse dichotomique : "oui ou non", "juste ou faux," etc., si elle s'applique bien à la possession d'un bien ou à la reconnaissance d'un fait, à la date d'un événement passé ne suffit pas lorsqu'il s'agit de nuancer une opinion, une attitude, une intention, etc.

Il est traditionnel, en France, de classer les partis politiques, mais aussi les électeurs, sur une échelle gauche-droite. La dichotomie ne paraît pas satisfaisante, aussi a-t-on cherché à la nuancer, on parle d'extrême gauche, de gauche communiste, de gauche socialiste ou non-communiste, de centre gauche, de centre droit, de droite et d'extrême droite.

L'appréciation que l'on porte sur l'action d'un président de la République, d'un premier ministre, ne se résume pas aisément en tout bon ou tout mauvais. Un ancien président de la République s'est fait connaître, par la réponse "oui mais", à l'occasion d'un référendum.

La nécessité est apparue très vite, pour cerner une opinion, d'introduire une série de nuances que le langage parlé traduit très bien, par l'intonation donnée dans la prononciation du oui ou du non.

Au fil des années, grâce à l'utilisation des programmes de traitement sur ordinateur qui rendait rapide et peu coûteuse l'analyse des données (analyses factorielles entre autres), les questions faisaient appel à une notation plus ou moins abstraite et compréhensible sont nombreuses. Toutes visent à nuancer une opinion entre le − et le +, soit par des mots du langage courant, soit par une note, un graphisme symbolique, etc. En voici quelques exemples :

Dans quelle mesure êtes-vous d'accord avec... ?

1er EXEMPLE

— tout à fait d'accord, plutôt d'accord, plutôt pas d'accord, pas d'accord du tout.

Remarque : pas de valeur centrale, on est, ou dans le camp "d'accord", ou dans le camp "désaccord".

Cette question fait l'objet soit d'un traitement en l'état, soit d'un traitement sous forme de note 1 (pas du tout d'accord), 4 (tout à fait d'accord) et offre la possibilité de calculer des notes moyennes résumant l'opinion de différents groupes de population.

2e EXEMPLE

— La même formulation avec introduction d'une opinion intermédiaire : ni d'accord, ni pas d'accord.

Remarque : Souci du juste milieu, mais aussi refuge des indécis, de ceux qui répugnent à répondre d'une manière nette.

3e EXEMPLE

— Pouvez-vous me dire avec une note allant de 1 à 10, dans quelle mesure vous êtes d'accord avec... ? La note 1 voulant dire que vous n'êtes absolument pas d'accord, la note 10 voulant dire que vous êtes absolument d'accord, les notes intermédiaires, entre 1 et 10, permettent de nuancer votre opinion.

Remarque : La notation de 1 à 10 rappelle des souvenirs scolaires ainsi que la note de 1 à 20, à ceci près qu'en matière de notation scolaire le 0 a ou avait aussi sa valeur, à tel point que dans les questionnaires de sondage on rencontre la notation de 0 à 10 et de 0 à 20. Ma surprise a toujours été grande de trouver dans des questionnaires d'origine française ou étrangère des notations de 1 à 6, 1 à 7, 1 à 8. On trouvera toujours des articles ou des comptes rendus de conférences justifiant l'emploi de ces procédés. Rien ne les justifie dans la mesure où ce type de notation surprend la personne interrogée, de même que la notation américaine de 1 à 5 où 1 est la plus forte note et 5 la note la plus faible. Dans ce dernier cas, j'ai toujours obtenu du client, maître d'œuvre d'une étude internationale, de changer, pour la France, la signification des notes.

S'agissant de notation, j'opte personnellement soit pour l'échelle de 1 à 5 ou pour l'échelle de 1 à 10, bien que, dans ce dernier cas, l'expérience montre que la majorité des notes oscille entre 5 et 10. Ce n'est pas en augmentant l'amplitude des notes que l'on obtient davantage de nuances ; la tendance est forte de choisir des chiffres ronds ou pairs : les notes 3, 7, 11, 13 ont peu d'adeptes.

4e EXEMPLE

— Voici une carte sur laquelle figurent OUI et NON ; plus le oui est écrit en gros caractères et plus vous êtes d'accord avec..., plus le non est écrit en gros caractères et moins vous êtes d'accord avec.
OUI OUI oui oui   non non NON NON

Remarque : Lors du traitement des données cela aboutira à une échelle de 1 à 8.

Cet exemple, quelquefois appliqué en France — et dont j'ai remarqué l'usage notamment en Allemagne — peut prendre plusieurs variantes.

5ᵉ EXEMPLE

— *Le Stapelomètre*. Dans les années 1950, Jan Stapel, cofondateur, avec Win de Jong, de N.I.P.O. (Institut néerlandais d'opinion publique), a imaginé un type d'échelle qui a fait l'objet d'un article dans le P.O.Q. (Public Opinion Quartely).

Dans quelle mesure êtes-vous d'accord ?
Pour répondre aidez-vous de ce dessin et désignez le carré qui reflète le mieux votre opinion.

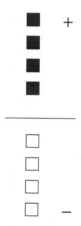

Remarque : Cette échelle a été souvent utilisée aux Pays-Bas et ensuite ailleurs, dont en France, chaque fois que l'institut néerlandais était le maître-d'œuvre d'études internationales. Son caractère abstrait est évident. Les carrés blancs et noirs identifient les notes négatives et positives, le trait horizontal qui les sépare interdit une note centrale. Ceci revient en fait, dans le dépouillement, à une notation de 1 à 8, à laquelle s'ajoute la réponse : je ne sais pas ou je n'ai pas d'opinion.

On trouve encore l'utilisation des signes — et + présentés comme suit :

— — —   — —   —   =   +   + +   + + +   (d'où 1 à 7).

L'imagination ne manque pas dans ce domaine, on présentera, à la personne interrogée, une série de cercles plus ou moins gros, soit de diamètres progressivement croissants, soit de diamètres décroissants, puis croissants.

Enfin, puisqu'il est de bon ton, pour la détendre, de faire participer la personne interrogée, munie d'un crayon ou d'un stylo à bille, elle indiquera, par un trait plus ou moins long, en face de différents items, dans quelle mesure elle nuance son opinion.

Dans ces différents exemples je ne retiendrai que deux approches :
— Nuancer son opinion par une échelle verbale (tout à fait, plutôt oui, plutôt non, tout à fait non)
— Faire noter de 1 à 5, à la rigueur de 1 à 10.

Ces deux approches sont dans l'ensemble bien comprises du public consulté, elles se prêtent à une saisie directe et à un traitement classique : présentation de la distribution complète, agrégat de plusieurs codes ou notes, calcul de moyennes, écarts types, corrélations, etc.

De plus en plus, l'habitude est prise de combiner échelle verbale et notation. C'est ainsi que l'on indique à la personne interrogée la signification des notes 1, 5, 10 par exemple ou, si on lui présente une ligne horizontale, afin qu'elle se situe politiquement entre la gauche et la droite, on lui présentera ceci :

| Extrême | gauche | centre | droite | extrême |
| gauche | | | | droite |

Elle indiquera par une croix sur la ligne où elle pense se situer.

Les programmes standards de traitement informatique, grâce à leur grande souplesse, leur facilité de mise en œuvre, leur rapidité d'exécution et leur coût raisonnable ont permis une utilisation grandissante et parfois abusive des questions de notation. Il n'est pas rare de trouver dans un questionnaire sous un seul numéro de question la présence de 15 à 20 items en ligne et de 5 à 10 marques de produits en colonne, soit en fait entre 75 et 200 questions élémentaires.

Bien que tout le monde ne réponde pas à tout, certaines marques ne sont pas universellement connues ; il y a exagération. Procéder à une rotation des items et des marques pour neutraliser l'effet dû à l'ordre de présentation ne change rien. On a enregistré trop de ''sans opinion'' ou de réponses données au hasard pour en finir avec ce pensum.

Le comble est atteint quand on impose à l'enquêteur et à la personne interrogée la procédure suivante :

''Enquêteur : présentez à la personne interrogée la liste des items et demandez-lui de donner une note de 1 à 10 pour chaque marque. Vous énoncerez vous-même le texte de chaque item et le nom de la première marque avant de passer à la suivante.'' Ce faux perfectionnisme, eu égard aux conditions habituelles d'une interview en tête-à-tête, est à proscrire. Dans la mesure où la personne interrogée a la liste des items sous les yeux et qu'elle sait lire, il est déraisonnable d'obliger l'enquêteur à énumérer chaque item. Dans ce cas, à quoi sert la liste présentée ? Au fil des années, on constate, chez certains chargés d'études, un souci obsessionnel qui reflète une méfiance dans les qualités de l'enquêteur et une absence évidente de réalisme. On oublie trop souvent qu'entre deux questions ou séries de questions la personne interrogée éprouve le besoin de ''raconter sa vie''. Une interview n'est ni un pensum, ni un examen.

Je relève dans l'ouvrage de Jean Stoetzel et Alain Girard, intitulé ''Les Sondages d'Opinion Publique'' (Collection SUP, P.U.F., 1973) la remarque suivante qui m'a toujours guidé et que j'essaye d'inculquer à mon lecteur tout au long de cet ouvrage :

> ''La pratique enseigne à se défendre contre une fausse technicité. Le résultat du plus grand savoir est de tendre à la simplicité par l'économie des moyens. En définitive, toute l'architecture d'un sondage repose sur le dialogue mille fois répété entre enquêteurs et enquêtés. Que l'effort porte donc sur ceux qui travaillent au centre, mais que l'aisance règne au cours de ce dialogue : la qualité de l'ensemble est à ce prix'' (page 153 de l'ouvrage cité).

Les questions de hiérarchie ou de classement, c'est-à-dire ordonner les qualités éventuelles d'un produit, les raisons d'utilisation des marques, sont de moins en moins utilisées.

Pourquoi ?

Certains prétendent qu'elles ''passent mal'', c'est évident, si on abuse de ce type de question dans le corps d'un questionnaire. Elles se prêtent mal à un traitement statistique. Les ex aequo, les classements incomplets irritent.

Les véritables raisons sont ailleurs. On n'hésitera pas à faire noter 5 marques sur 20 points d'image, par contre on renoncera à faire classer 20 points d'image pour chacune des marques.

Quoiqu'il en soit, les rangs de classement gardent leur utilité, si on n'en abuse pas.

— Limiter le classement à 8 ou 10 éléments au maximum.
— Chaque item est écrit sur un petit carton.
— La personne interrogée prend en mains le carton qui correspond à son premier choix, écarte ensuite celui qu'elle rejette au dernier rang.

Elle procède de la même manière avec les cartes qui lui restent : ce qu'elle préfère, ce qu'elle rejette. L'ordre saute aux yeux, 1, 8, 2, 7, etc. De cette manière on parvient plus aisément à un classement complet.

Une pratique courante consiste a adopter un classement partiel tel que :

Parmi les acteurs de cinéma suivants (15 à 20 présentés par ordre alphabétique) quel est celui que vous préférez ? et ensuite ? et ensuite ? On se limite ainsi au trois premiers cités, éventuellement complétés par les trois derniers. La démarche est plus rapide, le dépouillement moins coûteux que lors d'un classement complet. La personne interrogée a, dans la vie courante, l'habitude de dire : ''Je préfère X à Y'' etc. Elle serait davantage dans l'embarras si elle devait donner une note à chaque acteur de cinéma. Avez-vous déjà entendu dire ? ''Je donnerai 20 à Pierre, 10 à Paul et 15 à Robert''. Par contre on dira ''Je préfère Pierre à Paul et Paul à Robert''.

5. LES "AUTRES RÉPONSES"

Dans de nombreux questionnaires, l'item "autre réponse et laquelle ?" complète la série d'éventualités d'une question fermée. C'est ainsi qu'à la suite de motifs proposés pour justifier un achat, on donnera à la personne interrogée l'occasion d'évoquer un motif non prévu par l'auteur du questionnaire. Cet additif peut compléter :

— l'énumération d'une sélection de publications,
— une liste de lieux d'achat,
— une liste de candidats à une élection,
— une liste de marques de produits dont on sollicite la connaissance ou l'utilisation,
— etc.

Cette sous-question est dangereuse, son apport est généralement faible. L'introduction de l'item "autre réponse" n'est pas satisfaisante pour l'esprit ; on complète une question qui enferme la personne interrogée dans un système préétabli, par une sous-question ouverte qui n'est généralement pas formulée.

Le danger de l'item "autre réponse" m'est apparu dès 1950, lors d'une étude relative à la lecture de dix publications mensuelles ou hebdomadaires. Les dix publications avaient été sélectionnées par le client de l'étude ; elles représentaient l'univers de sa concurrence. Une des questions avait pour objet d'évaluer le taux de lecture de ces dix publications périodiques dans les foyers français. L'item "autre revue , magazine, mensuel ou hebdomadaire" complétait l'énoncé de 10 titres.

J'ai été désagréablement surpris de constater qu'une publication hebdomadaire, dont le tirage et la diffusion contrôlée dépassaient largement celui ou celle des 10 titres sélectionnés, justifiait de citations manifestement minorées dans la réponse "autre".

Pourquoi ? Mon interprétation personnelle est la suivante. Une question fermée attire l'attention de la personne interrogée sur une liste d'éventualités qui la conditionne et limite son champ de réflexion. Certaines personnes gardent leur esprit ouvert et citent spontanément une "autre réponse", d'autres jouent le jeu imposé. La responsabilité de l'enquêteur est aussi en cause, il lui arrivera de coder la réponse "autre" sans en définir le contenu ou de noter plusieurs autres réponses, alors qu'une seule réponse est prévue. Il est fréquent de constater que des clients désirent disposer du dépouillement exhaustif du contenu des autres réponses : méfiance quant au contenu de la question fermée, après examen des premiers résultats, ou espoir de découvrir des perles rares.

Si, par précaution, on désire susciter des ''autres réponses'', je suggère de poser une question spécifique, telle que :

> *''En dehors des raisons que je vous ai proposées et qui ont pu être les vôtres au moment du choix de ce produit, y a-t-il une ou plusieurs autres raisons que vous estimez au moins aussi importante que celles figurant sur cette liste ?''*

L'option question ouverte, question fermée, est importante ; fermer une question et l'ouvrir timidement avec l'introduction de l'item ''autre réponse'' est une solution ''boîteuse'' ; il est raisonnable d'y renoncer, sachant que l'item ''autre'' recueille souvent des réponses en dehors du cadre de référence de la question. Les items contenus dans une question fermée jouent le rôle d'un menu apte à satisfaire l'ensemble des consommateurs.

6. LES CARACTÉRISTIQUES PERSONNELLES OU LE SIGNALÉTIQUE

La dernière partie d'un questionnaire de sondage est le plus souvent consacrée aux questions, dites de caractéristiques, dont l'objet est double :

1. Permettre une comparaison avec des statistiques de référence en vue d'apprécier la représentativité apparente d'un sondage et rendre possible un redressement éventuel ou prévu de l'échantillon à taux de sondage variables.
2. Permettre une analyse des résultats dans différents groupes socio-démographiques.

La nécessité de se référer à des statistiques officielles ou professionnelles, conduit à adopter une classification et une terminologie identiques ou semblables à ces statistiques. Il en résulte une difficulté réelle dans les comparaisons internationales. La situation socio-professionnelle n'est pas codifiée de la même manière en France, en Allemagne, en Grande-Bretagne etc.

Les résultats du recensement de la population ainsi que les études de l'INSEE constituent la base du choix et de la formulation des questions dites de caractéristiques.

Le cadre de référence de l'INSEE tant pour les données relatives aux individus que pour les données propres aux entreprises et établissements impose une homogénéité de présentation. Changer l'ordre des caractéristiques, modifier le contenu des différentes catégories ont des conséquences fâcheuses :

— L'enquêteur est perturbé et risque de ne pas remarquer les modifications mineures introduites dans les sous-catégories.
— Le programmeur est lui-même perturbé par les changements incessants d'ordre, de contenu des catégories etc.
— Les comparaisons d'une étude à l'autre sont rendues difficiles et approximatives.

Examinons maintenant les particularités des principales variables. L'ÂGE. Saisi en clair (nombre d'années) ou en classes, le recueil de l'âge pose peu de problèmes. La création a priori de tranches d'âge dans le questionnaire ou a posteriori dans le traitement impose de se conformer à la classification quinquennale de l'INSEE : 15 à 19 ans, 20 à 24 ans, etc. et jamais 16 à 20 ans, 21 à 25 ans etc.

LA SITUATION SOCIO-PROFESSIONNELLE. Indispensable pour valider un échantillon, elle joue classiquement en France le rôle d'échelle socio-économique, bien qu'on observe parmi les agriculteurs, les professions indépendantes, voire même parmi les retraités, une grande diversification dans l'échelle des revenus et dans le genre de vie.

La profession de l'individu et celle du chef de ménage sont généralement retenues. Chaque institut de sondage a adopté une présentation de la question qui lui est propre :

— question ouverte du type ''Quelle est votre profession ?
— question ouverte-fermée, l'enquêteur classe lui-même la profession déclarée, dans une liste préétablie de longueur variable.
— question fermée avec présentation d'une liste à la personne interrogée.
— formule mixte, question ouverte complétée par une liste fermée codifiée par l'enquêteur.

Aucune question n'est parfaite en ce domaine.

Je préfère la question ouverte, mais à condition qu'elle soit complétée par une ou plusieurs questions fermées du type :

— Êtes-vous salarié, patron ou retraité ?
— Si patron : effectif salarié.
— Êtes-vous à la recherche d'un emploi ? chômeur indemnisé ? fonctionnaire de l'État ou des collectivités locales ? etc.

Les précisions apportées à la réponse spontanée permettront une meilleure codification des professions. Même lorsqu'il dispose d'un guide des professions, l'enquêteur fait des erreurs de classification.

Le sujet du sondage justifie le besoin d'une information détaillée relative, par exemple, à la branche d'activité, à la surface agricole ou aux productions ect.

CHEF DE MÉNAGE (OU CHEF DE FAMILLE), MAÎTRESSE DE MAISON. L'appellation chef de famille était traditionnelle au cours des dernières décennies. Le courtier d'assurances ou le vendeur de voitures se présentait chez vous en déclarant : ''Je désire parler au chef de famille''. L'INSEE a substitué ''chef de ménage'' à ''chef de famille'' ; en effet, un ménage peut regrouper plusieurs personnes sans liens familiaux ou appartenant à deux familles distinctes autour d'un même ''feu''. Dans les résultats du recensement de 1982 la notion ''chef de ménage'' a disparu, remplacée par ''la personne de référence du ménage''. Cette appellation inutilisable dans un questionnaire traduit la perte du contenu de l'appellation ''chef de ménage''. Les enquêteurs signalent de plus en plus cet état de fait, lorsqu'ils s'exposent à des remarques du type ''Ici, il n'y a pas de chef''. Et pourtant, de nombreuses études prennent comme référence la personne la plus apte à répondre au nom de ménage. L'évolution dans le contenu de la notion de chef de ménage apparaît dans les différents recensements de la population. L'INSEE a d'abord défini a posteriori la notion de chef de ménage après examen de la composition du ménage, le plus âgé des hommes du ménage avait priorité. La question a ensuite été posée directement : ''Qui est le chef de ménage ?'' Enfin, l'INSEE détermine maintenant qui est la personne de référence, la première indiquée dans le tableau de composition du ménage ou celle déterminée à la suite de l'analyse de ce tableau.

L'appellation ''maîtresse de maison'' est d'usage fréquent dans le monde des sondages. On lui substitue souvent le terme de ménagère. Je préfère l'appellation maîtresse de maison, plus large et sans ambiguïté. Le mot ménagère est synonyme de maîtresse de maison mais dans le langage courant l'absence de profession chez la femme est évoquée spontanément par ''ménagère'', ''sans profession'' ou ''mère de famille''. La maîtresse de maison peut être active ou inactive, ce n'est pas le cas de la ménagère.

Le recencement de la population ignore le concept de maîtresse de maison. Il est d'utilisation fréquente dans les études de marchés. Dans la partie relative à l'échantillonnage, je montre comment j'ai exploité les résultats de l'INSEE pour établir les statistiques de maîtresse de maison de sexe féminin.

Je rappellerai qu'une femme célibataire est à la fois chef de ménage et maîtresse de maison et qu'un sondage auprès des maîtresses de maison (femmes) ne recouvre pas la totalité des ménages, il exclut les hommes vivant seuls.

L'HABITAT OU CATÉGORIE D'UNITÉS URBAINES (AGGLOMÉRA-TIONS). La taille d'une localité ou de l'unité urbaine est un critère discriminant pour l'établissement de plans de sondage et pour l'analyse des résultats. La localité rurale, définie par le géographe Cavaillès au début du siècle, est avant tout une commune de moins de 2 000 habitants. La constitution d'agglomérations a conduit à donner à la commune rurale une définition plus restrictive. Elle a moins de 2 000 habitants, n'est pas rattachée à une unité urbaine (autrefois conurbation, puis agglomération) ou à une Z.P.I.U. (zone de peuplement industriel ou urbain).

Le plus souvent la classification par taille d'unités urbaines est préférée à la classification par taille de commune. Le comportement de la population d'une commune isolée, de 3 000 habitants, diffère en général du comportement des habitants d'une commune de 3 000 habitants intégrée dans une unité urbaine. L'unité urbaine parisienne (18 % de la population française de 15 ans et plus) compte quelques communes de cette taille.

Le découpage le plus fin de la population par taille d'unité urbaines retient :

— les communes rurales
— les communes de moins de 2 000 habitants en Z.P.I.U.
— les unités urbaines de 10 000 à moins de 20 000 habitants
— les unités urbaines de 20 000 habitants à moins de 50 000 habitants
— les unités urbaines de 50 000 habitants à moins de 100 000 habitants
— les unités urbaines de 100 000 habitants à moins de 200 000 habitants
— les unités urbaines de 200 000 et plus
— l'unité urbaine parisienne.

Muni d'une documentation, mise à jour à la suite de chaque recensement général de la population, l'enquêteur code lui-même la catégorie d'unité urbaine. Le public consulté ignore la taille de son unité urbaine, souvent même l'importance de la population communale.

LE DÉPARTEMENT ET LA RÉGION. L'enregistrement du numéro de département permet le regroupement en régions.

LE NIVEAU DE REVENUS. Il ne fait pas l'objet de statistiques officielles. Il sert à la création de plusieurs groupes d'analyses des résultats d'un sondage. La question posée englobe l'ensemble des revenus d'un ménage (toutes rentrées d'argent confondues) soit mensuels, soit annuels. L'habitude est prise en France de présenter à la personne interrogée une échelle de revenus dans laquelle elle se situe. Un taux de sans réponse inférieur à 15 % est acceptable, au-dessus il traduit un manque de formation des enquêteurs. Le contrôle informatique permet de détecter les enquêteurs qui n'osent pas poser la question relative au revenu d'un foyer.

LE NIVEAU D'INSTRUCTION est surtout demandé dans les études d'opinion ; il est peu utilisé dans les sondages d'études de marchés. Les résultats obtenus sont peu fiables. C'est un point faible du recensement de la population. Dès 1945, Jean M. Stoetzel, fondateur de l'I.F.O.P., avait mis au point une triple question :

— Dans quel établissement avez-vous terminé vos études comme élève ou étudiant ?

(Entrée en matière astucieuse, l'énoncé du nom de l'école engage la personne interrogée à répondre convenablement aux questions suivantes. Les réponses fantaisistes sont d'importance négligeable. L'enquêteur est susceptible de connaître le niveau d'études auquel on peut parvenir dans l'établissement cité).

— A quel âge avez-vous quitté cet établissement ?

— Était-ce un établissement d'enseignement primaire, etc ?

Seule cette troisième question est utilisée le plus souvent dans les sondages classiques. Les niveaux secondaires, technique, supérieur, grande école recouvrent des réalités différentes. La multiplicité des diplômes ainsi que leur niveau variable rend inutile leur prise en compte.

NOMBRE DE PERSONNES DU MÉNAGE — NOMBRE ET AGE DES ENFANTS. Critère objectif qui soulève peu de problèmes.

L'ÉTAT CIVIL OU LE STATUT MATRIMONIAL. Ce critère présent dans nombre de questionnaires est peu utilisé. Lorsqu'il l'est, il nécessite une formulation différente de la formulation classique : célibataire, marié, veuf, divorcé. Dans l'exposé des résultats du recensement de 1982, L'INSEE attire l'attention sur la précarité des résultats. Se sont déclarés célibataires des personnes vivant seules, des personnes vivant maritalement, des personnes divorcées. Se sont déclarées mariées à la fois des personnes mariées légalement mais aussi des personnes vivant maritalement, d'où certaines classifications a posteriori dictées par la vraisemblance et le bon sens.

LA POSSESSION OU L'UTILISATION D'UN CERTAIN NOMBRE DE BIENS D'ÉQUIPEMENT DES MÉNAGES : téléphone, télévision, magnétoscope etc.

LE NOM ET L'ADRESSE DE LA PERSONNE INTERROGÉE que la loi informatique et libertés fait obligation d'enregistrer. Chaque personne interrogée a le droit, plusieurs semaines après l'interview, de vérifier l'usage qui a été fait de son questionnaire, de modifier le contenu de ses réponses et de s'opposer à la prise en compte de son interview. Les réactions, dont j'ai eu connaissance, pour avoir répondu personnellement à des appels téléphoniques, émanaient souvent d'avocats forts de leur savoir juridique, d'enfants, de personnes âgées inquiètes à posteriori, de personnes soucieuses de se voir confirmer la raison sociale de l'institut de sondages.

Enfin on doit demander à la personne interrogée si elle accepterait ou non une seconde interview dans l'hypothèse d'une étude répétitive.

7. LES SUJETS TABOUS

Il y a longtemps que les sondages pré-électoraux ou les intentions de vote ne figurent plus parmi les sujets tabous, ceux que l'on aborde avec précaution. En matière de sondages sur les intentions de vote, la sanction est immédiate. La comparaison entre les sondages pré-électoraux et les résultats du vote est facile à faire. Il y a quelques décennies, les journalistes politiques avaient leur mot à dire. La lecture des journaux, de différentes tendances, était révélatrice de la variété des pronostics. Les sondages pré-électoraux ont remis les choses en place. On trouvera difficilement des exemples de sondages en complet désaccord avec les résultats d'une élection, que ce soit aux États-Unis, en Grande-Bretagne, en Allemagne ou en France. Il est vrai qu'un écart de 2 %, par rapport au résultat réel, change la signification d'une élection ; mais je le répète, il ne s'agit que d'un écart de 2 %. Les journalistes qui, le lendemain du jour des élections, entonnent les couplets rituels ''Contrairement aux sondages'' ou ''Les sondages se sont trompés'' etc. attachent le reste du temps une importance démesurée à des différences de l'ordre de 1 % à 2 % entre deux sondages relatifs à l'action de tel ou tel homme politique.

Contrairement à une opinion répandue parmi les non-initiés, la mesure des intentions de vote crée peu de problèmes en ce qui concerne le contenu des questions à poser. Il suffit de mettre l'électeur potentiel dans la situation du vote prochain, lui présenter la liste des candidats assortie de leur orientation politique. La seule préoccupation de l'institut de sondages réside dans la qualité de l'échantillon et sa taille.

Des chercheurs ont proposé et étudié des procédures faisant appel à des modèles statistiques complexes pour appréhender l'orientation politique et le sens du vote des citoyens dans des pays comme la France. C'est inutile, une série de questions plus ou moins subtiles ne remplacent pas la simple question directe : ''Pour qui avez-vous l'intention de voter ?'' A l'époque où le général Franco tenait encore les rênes du pouvoir en Espagne, le directeur d'un institut de sondage espagnol m'avait consulté sur l'art et la manière de poser des questions indirectes ''sans avoir l'air d'y toucher'' et ''sans encourir les foudres de l'autorité gouvernementale'' afin de mettre en évidence l'existence et l'étendue de différents courants politiques. Il n'y avait pas de réponse au problème posé par le représentant d'un pays où l'évocation de certaines situations était répréhensible.

Ayant eu, au cours de ma carrière, à traiter de toutes sortes de problèmes relatifs à l'opinion politique, aux problèmes sociaux, familiaux, aux études de marchés des biens et produits utilisés par les individus, les entreprises ou les collectivités, j'ai été confronté à quelques sujets tabous, sans être convaincu d'aboutir à un résultat aussi fiable que celui issu d'un sondage pré-électoral. Le propre des sujets tabous est d'appartenir à un monde où chacun croit détenir la vérité, et en fait, où personne ne peut se référer à des statistiques sûres. Parmi les sujets tabous on notera la connaissance des revenus réels des Français avec comme sous-produit l'évaluation de la fraude fiscale, le comportement sexuel etc.

Ceci ne doit pas nous décourager. Le CERC, organisme officiel de recherche en matière de revenus, a conduit des études très détaillées, sur la base de sondages, en vue de connaître les revenus réels de différents groupes professionnels. J'ai en mémoire, pour avoir participé à l'appel d'offres du CERC, un questionnaire dont l'objet était d'évaluer le revenu des agriculteurs. La durée prévisible de l'interview était de l'ordre de 3 ou 4 heures. Des centaines de questions précises permettaient de cerner les éléments constitutifs du revenu des agriculteurs et d'aboutir au résultat recherché avec le plus de vraisemblance possible. Cet exemple est caractéristique, il montre que pour aborder certains sujets il est nécessaire d'y mettre les moyens.

Les questionnaires proposés par le CERC se caractérisent par une abondance de questions simples et directes (tout au moins dans leur exposé) sans recours à des artifices dont un exemple est donné dans une étude faite aux États-Unis, dans l'état de Caroline du Nord, afin d'estimer la fréquence des avortements provoqués parmi les femmes âgées de 18 à 44 ans. Le sondage a été réalisé auprès d'un échantillon de 3 000 femmes. On a utilisé dans le questionnaire la technique, dite de la réponse au hasard, qui assure au sujet interrogé le secret de ses réponses. On présente, dès le début de l'interview, une petite boîte sur laquelle figure le texte de deux affirmations :

A : J'ai été enceinte au cours des douze derniers mois et j'ai mis fin
     à ma grossesse pour un avortement.
B : Je suis née au mois d'avril.

Dans la boîte, il y a des billes de deux couleurs en proportion connue. En secouant la boîte, la femme interrogée fait apparaître une bille dont la couleur lui indique à laquelle des deux affirmations elle doit répondre par oui ou par non. L'enquêteur reste à distance, enregistre la réponse sans savoir à quelle question elle se rapporte. Connaissant la probabilité qu'ont les femmes de répondre à la première question et de celles nées au mois d'avril, on en déduit le nombre de celles qui se sont fait avorter en supposant que leurs réponses aient été exactes. Cette technique signalée par Jean Stoetzel et Alain Girard dans l'ouvrage "Les Sondages d'opinion publique" (P.U.F.1973, Collection Sup.) a fait l'objet d'un compte rendu dans la revue "Population" de l'I.N.E.D., n °6, en 1970.

L'utilisation d'une urne pour recueillir les réponses à des questions jugées indiscrètes est souvent pratiquée. Ce fut le cas pour l'étude sur le comportement sexuel des Français, confiée à l'I.F.O.P. en 1970 par le docteur Simon. La technique employée par un collaborateur de l'I.F.O.P. s'inspirait de celle utilisée en Suède, quelques années auparavant.

L'ÉCHANTILLON avait été établi à partir du recueil de plusieurs milliers d'adresses issues de sondages précédents sur quotas, sans rapport avec le sujet étudié. L'utilisation d'un échantillon par quotas aurait laissé trop d'initiative à l'enquêteur, quant à la "la sélection" des personnes à interroger. Il fallait enlever à l'enquêteur toute appréhension dès le départ, dans le respect de son plan de travail : répartition par sexe, âge, situation professionnelle (voir chapitres relatifs aux échantillons par quotas ou échantillons proportionnels ou à dessein).

LES ENQUÊTEURS (plusieurs dizaines) avaient été conviés, par petits groupes, à une demi-journée d'information, ceci afin de les mettre à l'aise, eu égard au sujet de l'étude. Quelques-uns ont renoncé à participer au sondage. Le responsable de l'étude, Louis Mironer, a eu l'heureuse initiative, en cours de réunion, de faire lire le questionnaire par les enquêteurs, chacun ne lisant qu'une question à la fois.

LE QUESTIONNAIRE dont l'administration nécessitait environ une heure comprenait deux parties. La première, posée oralement par un enquêteur, abordait des problèmes d'ordre général sans relation directe avec le comportement de la personne interrogée : opinion sur le mariage, l'avortement, la contraception, la natalité, la sexualité etc. La seconde partie, relative au comportement sexuel de l'individu, nécessitait des réponses écrites, sans intervention de l'enquêteur qui avait pour consigne de lire un livre ou un journal pendant que la personne consultée répondait directement au questionnaire. Les deux parties du questionnaire étaient placées dans une enveloppe cachetée, elle-même introduite dans une urne scellée d'une manière visible, par un ruban métallique plombé. L'enquêteur n'était pas en mesure de connaître le contenu des réponses écrites, ni même de constater l'absence de réponses à une ou plusieurs questions. Dans près de

9 cas sur 10 on a pu exploiter la seconde partie du questionnaire, une réponse étant fournie sur l'ensemble des questions posées.

Le sondage, à l'aide d'un questionnaire auto-administré, soit à domicile, soit en salle (voir chapitre consacré aux questionnaires auto-administrés) enlève le plus souvent toute crainte quant à l'anonymat des réponses lorsque les possibilités d'identification sont pratiquement nulles.

Dans d'autres situations, le recours aux questions indirectes ou projectives qui concernent les ''autres'' et ''pas soi-même'' est utile. Je citerai un exemple caractéristique de problème tabou auquel j'ai été confronté :

Dénombrer les rats ou, plus exactement, estimer le degré d'infestation d'une ville par les rats, en vue d'évaluer les quantités de produit raticide nécessaires.

Le directeur commercial d'une importante société de produits chimiques et pharmaceutiques avait pour objectif de promouvoir le développement d'un produit raticide, nouvellement apparu sur le marché. A cet effet, faisant choix d'une ville moyenne du grand ouest français, il avait proposé aux autorités municipales de cette ville de la débarrasser de ses rats : les surmulots dont le domaine d'élection se trouve au rez-de-chaussée, dans les sous-sols, les égouts etc. Il est inutile de dire que dans le questionnaire présenté aux particuliers, aux commerçants, aux responsables d'ateliers, d'usines, d'entrepôts etc la question ''Y a-t-il des rats chez vous ?'' n'était pas posée. On ne répond pas aisément à ce type de question. Le rat est un animal qui a fâcheuse réputation dans la culture occidentale, les amis des rats sont peu nombreux. J'ai procédé de la manière suivante :

— Muni d'un plan de la ville qui comprenait plusieurs centaines d'îlots (groupes d'édifices, de maisons, non coupés par une rue) j'ai sélectionné plus d'une centaine d'îlots répartis sur l'ensemble du territoire communal. Mon souci était d'avoir une répartition géographique harmonieuse. J'ignorais le contenu réel de chaque îlot (habitants, commerces, ateliers etc.) voire même sa surface ou l'existence de sous-sols.
— Dans chaque îlot, un enquêteur avait pour consigne de pénétrer dans tout local situé au rez-de-chaussée, quelles que soient sa destination et ses dimensions.
— Dans chaque local, une personne était interrogée (propriétaire, locataire, artisan, commerçant, chef d'entreprise etc) à l'aide d'un questionnaire d'une vingtaine de questions simples relatives à la

connaissance des produits raticides, de leurs marques, de leur efficacité, aux méfaits des rats etc. Les questions cruciales, celles
destinées à répondre au problème qui était posé, étaient formulées comme suit :

*"A votre connaissance, ou d'après ce que vous avez entendu
dire, y a-t-il des rats dans le quartier ?"*
*"Et toujours d'après ce que vous avez entendu dire y a-t-il des
rats dans le voisinage, chez votre voisin ?"*

Cette démarche avait été implicitement suggérée par mon client qui
disait : "Si vous voyez 1 rat dans la journée, il y en a 1 000 dans
le secteur, si vous en voyez un seul dans la nuit, il y en a 100", et
"Si votre voisin a des rats, il y a beaucoup de chances que vous en
ayez aussi". C'est ainsi qu'en cours d'étude les déclarations spontanées ont fait jour : "Vous pensez, avec tous les détritus que le boucher (ou l'épicier) laisse dans son arrière-boutique" ou encore "Mon
voisin m'a dit que pour se prémunir contre une apparition des rats,
il répandait régulièrement un produit spécial" etc . Le boucher, le cré-
mier, le marchand de légumes etc., affirmaient, le plus souvent, sans
qu'on leur pose la question qu'il n'y avait pas de rats chez eux.

L'examen des réponses indirectes, îlot par îlot, a permis d'estimer
quartier par quartier le degré d'infestation de la ville par les rats et
de prévoir les quantités de produits raticides à utiliser.

Un an plus tard, à l'occasion d'une étude sur un autre sujet, j'ai eu
le plaisir d'entendre cette remarque : "Vous savez, votre sondage
sur les rats, il était bon ; on a pu agir en connaissance de cause. Nos
techniciens savaient où il fallait mettre du produit."

Évaluer le succès d'un roman, d'un film, d'une pièce de théâtre, d'un
feuilleton de télévision est une gageure. S'agissant d'un film, l'importance du budget rendrait possible la réalisation d'un ou de plusieurs
sondages. Quelques années après la deuxième guerre mondiale,
George Gallup avait créé une filiale de l'« American Institute of Public
Opinion » (A.I.P.O. ou Gallup Poll) destinée à l'étude des chances de
succès d'un film. La démarche adoptée par Gallup était double : suivre d'une manière régulière la cote de popularité des acteurs « en
vue », réaliser une série de tests en salle allant de la présentation du
scénario sous forme de « story-board » (images caractéristiques), de
séquences filmées ou du film dans son intégralité avant sa diffusion.
Le choix du titre pouvait également figurer dans le programme de
tests. Gallup avait racheté une ancienne salle de cinéma. Les sièges
étaient équipés d'un dispositif permettant à chaque spectateur

« cobaye » d'apprécier la valeur de la séquence projetée. Le spectateur avait le choix entre trois opinions : « favorable », « défavorable »
« indifférent ». Une connexion électromécanique permettait d'enregistrer l'opinion du public et ainsi d'apprécier le niveau d'acceptation
des différentes séquences d'un film. En complément, le spectateur
répondait lui-même à un questionnaire distribué en fin de séance.
L'IFOP a tenté de suivre en partie cette voie dans les années 50. J'ai
le souvenir des tests : du titre du film de Noël Noël « Les Casse pieds »
adopté par le public à l'occasion d'un sondage au détriment du titre
« Les Fâcheux », de plusieurs films publicitaires destinés au cinéma,
du film « Le ciel et la boue », rediffusé en 1987 à la télévision. A cette
occasion plusieurs centaines de spectateurs réunis dans la salle du
studio Publicis, aux Champs Élysées, étaient invités en fin de séance
à remplir un questionnaire. Une équipe d'enquêteurs contrôleurs, sur-
veillant plusieurs rangées de fauteuils, veillaient à ce que chaque spectateur exprime son opinion personnelle, sans consulter son ou ses
voisins. A ma connaissance peu de professionnels du sondage ont
fait carrière dans la prévision du succès commercial d'un film, d'un
roman, d'un spectacle en général. En revanche, nombre de films de
publicité à la télévision bénéficient de tests préalables en vue d'apprécier, avant leur mise en forme définitive, la pertinence du scénario,
le degré de crédibilité du message etc.

Il y a bien d'autres sujets tabous qui rendent difficile l'évaluation des
consommations. Le souci de se mettre en valeur (effet de prestige)
conduit à majorer la fréquence :

— du lavage des dents,
— des bains ou douches,
— de la coupe et de l'entretien des cheveux chez le coiffeur etc.

Dans les années 50, M. Fernand Bouquerel, directeur commercial
d'une société fabriquant pratiquement la totalité des bouchons de
tubes de dentifrice, mettait en doute la valeur des résultats de sondages sur la fréquence du lavage des dents par les Français. Il avait
estimé la durée moyenne d'un tube de pâte dentifrice et montré le
désaccord entre son évaluation et les résultats issus des sondages
dont il avait eu connaissance.

Une observation similaire était faite par Harry Walker Hepner dans
son ouvrage déjà cité : ''Effective Advertising''. Le premier chapitre
de ce livre volumineux et très riche, était consacré à la manière de
vivre de l'Américain moyen. Hepner notait que si 7 sur 10 des Américains déclaraient se laver les dents tous les jours la proportion réelle,
selon lui, était de l'ordre de 5 sur 10. On est toujours aujourd'hui,

en 1987, devant le même problème. La consommation de pâte dentifrice et de multiples produits d'hygiène, de beauté etc. ne peut être évaluée correctement dans le cadre de sondages ponctuels. Il est nécessaire de recourir aux panels de consommateurs qui enregistrent les achats de multiples produits de large diffusion. Cette remarque ne condamne pas pour autant les sondages sur l'utilisation des pâtes dentifrices ou de produits similaires. On peut enregistrer, avec ou sans vérification du contenu de l'armoire de toilette :

— la marque du dentifrice utilisé par chacun des membres d'un foyer,
— l'opinion sur chaque marque,
— le souvenir du contenu des messages de publicité etc.

D'ailleurs, même en oubliant l'effet du prestige, il est difficile d'obtenir d'une personne interrogée le rythme d'achat des tubes de pâtes dentifrices, des savons de toilette, de l'eau de javel etc. L'effet de prestige, les soucis de donner une bonne image de soi, conduisent aussi à minorer les fréquences d'utilisation et d'achat de certains produits ; c'est le cas, entre autres choses, des boissons alcoolisées consommées chez soi ou au café.

L'expérience de la vie en société, le contact des autres, donnent des repères utiles sur la manière d'aborder un problème d'étude de marché. Il n'y a pas de recettes toutes faites pour formuler des questions valables en toutes circonstances. Chaque produit, chaque attitude, demande à être étudié en réfléchissant à son éventuel côté tabou ou difficilement perceptible.

Dans les différents chapitres consacrés à l'élaboration du questionnaire de sondage mon dessein n'est pas d'établir un catalogue ou un dictionnaire de recettes, mais d'inciter à la réflexion. C'est en se frottant à la réalité que l'on apprend à traduire, sous forme de questionnaire, les préoccupations d'un client.

Très souvent la question que l'on se pose n'est pas celle que l'on posera. Une pluralité de questions simples est souvent nécessaire pour répondre à l'unique question, objet d'une étude. Rares sont les problèmes qui, comme dans les études pré-électorales, nécessitent une seule question, les autres questions servant au redressement de l'échantillon ou à des sujets annexes.

8. LES INTENTIONS D'ACHAT

Les questions relatives aux prévisions et intentions d'achat ont moins préoccupé les spécialistes quant à leur formulation que sur leurs résultats : taux de réalisation des intentions d'achat par rapport aux achats réels. Les travaux du professeur américain Katona ont fait référence en ce domaine, dans les années 1950. Une étude publiée dans la revue ''Consommation, Annales du Credoc'' (1968, n° 3) relate les travaux de MM. Claude Skenderoff et Gilles Montet. Ces auteurs utilisent les résultats des sondages de l'INSEE auprès des ménages, dont une partie du questionnaire est consacrée à l'orientation des comportements de consommation et d'épargne des ménages. M. Fernand Bouquerel reprend dans son ouvrage ''L'étude de marchés au service des entreprises'' (édition de 1974, tome 2) les principales conclusions des auteurs précités :

''Cette étude, au niveau du ménage pris individuellement permet de conclure que la valeur prédictive des intentions d'achat n'est pas parfaite ; en effet une intention ferme ne se réalise au mieux qu'à 50 % et, au mieux, les intentions d'achat ne permettent d'expliquer que 60 % du marché. On peut tenter de montrer que les index résultant d'agrégations d'intentions varient parallèlement aux tendances du marché. L'utilisation des intentions d'achat permettrait de prévoir les points de renversement de la demande sur le marché des biens durables.

En fait, il faut peut-être faire intervenir dans cet index autre chose que les intentions d'achat ; les attitudes exprimées par les ménages devant la situation économique d'ensemble et leur situation propre pourraient contribuer à expliquer et prévoir les tendances du marché.''

J'ai tenu à rappeler ce texte qui met en évidence la difficulté de la mesure des intentions d'achat. Avec mes modestes moyens j'ai été confronté à ce problème dès le début de ma carrière. L'examen des résultats de sondages relatifs à des biens durables (appareils ménagers) a montré, a posteriori, que les intentions d'achat, formulées d'une manière simple, aboutissaient à une surestimation de la demande. J'ai très vite tenté de préciser le contenu des questions, en vue de ramener le chiffre des intentions d'achat à un niveau vraisemblable.

Ma première démarche était du type :

1. A-t-on l'intention, dans votre foyer, d'acheter.... ?
2. (Si Oui) Dans combien de temps pensez-vous réaliser cet achat ?

L'introduction d'une question supplémentaire, reprise ensuite par l'INSEE, a permis de ramener les intentions d'achat à un niveau acceptable.

1. A-t-on l'intention, dans votre foyer, d'acheter.... ?
2. Est-ce une intention ferme ou n'est-ce encore qu'un vague projet ?
3. Dans combien de temps pensez-vous réaliser cet achat ?
4. A quelles marques de .... pensez-vous de préférence ?
5. Pensez-vous acheter ce.... au comptant ou à crédit, c'est-à-dire par paiements échelonnés dans le temps ?

La faveur grandissante du système de notation de 1 à 10 a éclipsé chez certains la dichotomie : intention ferme-vague projet. L'échelle de notation ne peut toutefois être assimilée à un niveau de probabilités, vu la tendance du public interrogé à ignorer les notes basses entre 1 à 4 et à privilégier les notes égales ou supérieures à 5. Quoi qu'il en soit, il n'existe pas de formulation miracle d'une série de questions en vue d'estimer une intention d'achat. L'intention d'achat exprime, en fait, un état d'esprit à un moment donné, une projection du présent dans l'avenir. En conséquence, j'ai souvent préconisé le recours à l'étude continue des intentions d'achat. Deux constructeurs automobiles m'ont donné cette occasion, l'un pendant cinq ans, le second pendant trois ans. Une dizaine d'années s'est écoulée entre les deux séries de sondages. Il s'agissait de sondages bimensuels dans un cas, hebdomadaires dans l'autre cas, auprès d'échantillons de 2 000 personnes. La répétition de multiples sondages avec un nombre limité de questions a été préférée à la réalisation de sondages lourds (échantillon important et long questionnaire). La taille relativement faible des échantillons a conduit à examiner non seulement les intentions d'achat dans l'année mais aussi les intentions d'achat dans les trois ans à venir. Bien que chacun des deux constructeurs ait tenu à garder secret l'interprétation de la longue série de résultats dont il disposait, il est apparu que l'instrument servait davantage à prévoir le court terme (de l'ordre de 6 mois à un an) qu'à estimer le marché futur de l'automobile. Cette observation militait en faveur de sondages fréquents. J'aurais cependant préféré disposer d'échantillons plus importants tout en maintenant la fréquence des échantillons.

La mesure des intentions d'achat implique non seulement une réflexion sur la formulation des questions, mais également la prise en considération de sondages fréquents. Si l'INSEE limite l'interview des ménages à quelques sondages annuels, il procède à des sondages beaucoup plus nombreux pour mesurer les intentions des entreprises en matière d'investissement, leurs prévisions de vente, de constitution de stocks etc. La répétition de questions simples, en apparence vagues, constitue un utile baromètre de conjoncture à court terme.

9. LE QUESTIONNAIRE EST UNE MOSAÏQUE DONT LES COMPOSANTS SONT DE QUALITÉ VARIABLE

Le questionnaire de sondage est un compromis plus ou moins satisfaisant entre plusieurs contraintes :
— L'objet de l'étude.
— La forme du recueil des données.
— L'adaptation de la forme et du contenu à la compréhension et à la bonne volonté du public consulté.
— La possibilité et la souplesse du programme de traitement des données.

Il n'y a pas de questionnaire parfait. Les multiples compromis, auxquels on doit se résoudre, expliquent cet état de fait. Dans un questionnaire consacré à l'étude de l'usage et des attitudes relatifs à un produit, plusieurs séries de questions entrent en jeu :

• Les questions centrales dont la formulation répond à l'objet précis du sondage et exige beaucoup de soins.
• Les questions d'environnement dont l'objet est de décrire le contexte dans lequel s'inscrit l'utilisation d'un produit, d'un service, d'un appareil. Les caractéristiques individuelles en font partie, ainsi que les questions relatives au mode de vie, aux valeurs individuelles etc.

Dans les chapitres précédents, j'ai tenté de résoudre un certain nombre de problèmes liés à la fréquence de consommation, à la définition précise des produits utilisés, aux modalités d'achat etc. Néanmoins, on est souvent contraint de négliger ces recommandations lors de la rédaction de certaines questions d'environnement, afin de rester dans des limites acceptables, quant à la longueur du questionnaire. En conséquence, des questions peu précises ou vagues pour décrire l'équipement des foyers, le niveau de vie des ménages, les habitudes de lecture de la presse ou d'écoute de la radio et de la télévision, prennent leur place dans un questionnaire dont l'objet principal ne concerne pas ces données. Leur rôle se borne à expliquer au mieux des attitudes ou un comportement.

L'erreur consiste parfois à utiliser ces questions d'environnement en leur attribuant la même valeur que celle des questions centrales. La sympathie pour un parti politique, évoquée dans un questionnaire d'opinion publique, ne peut être assimilée à une intention de vote qui exige une formulation adaptée au scrutin futur. Les questions de régularité de lecture, sous-produits d'un questionnaire, ne peuvent se substituer aux questions spécifiques d'un questionnaire consacré à l'audience des médias. Le recueil de la situation professionnelle a une valeur indicative ; ses résultats ne peuvent être comparés à ceux issus des études sur l'emploi de l'INSEE.

En conclusion et pour justifier le titre de ce chapitre, je confirme qu'un questionnaire est une mosaïque dont les éléments sont de qualité inégale ; c'est un assemblage de bonnes et de moins bonnes questions, ces dernières, en marge du sujet traité, n'ont pas de valeur propre. Dans les très nombreuses occasions où j'ai eu à former des chargés d'étude sur la rédaction d'un questionnaire, je n'ai jamais pu utiliser un questionnaire complet comme modèle, mais seulement une série d'extraits, chaque extrait servant d'exemple de résolution d'un problème précis. Ce n'est qu'ensuite que j'expliquais le rôle et le contenu des questions d'environnement.

3ᵉ PARTIE
QUELQUES PROBLÈMES
PARTICULIERS D'ÉTUDES
DE MARCHÉS

1. L'ÉTUDE DU MARCHÉ INDUSTRIEL PAR SONDAGE

Ce titre recouvre de nombreux types d'études qui ont un point commun : l'unité statistique est l'entreprise ou l'établissement consulté en tant que fournisseur ou client de biens et services de toutes natures. Il s'agit d'un domaine particulièrement vaste. Comme dans tout sondage, l'étude de marchés, en milieu industriel, commercial ou de services, nécessite :

— la constitution d'un échantillon représentatif,
— la création d'un document de recueil des données,
— le recueil des données sous différentes formes,
— le traitement des données avec, comme corollaire, l'extrapolation en valeurs réelles des résultats sous forme de chiffres d'affaires, de produits ou d'appareils possédés, fabriqués ou vendus.

La notion de représentativité statistique d'un sondage en milieu industriel est souvent de pure forme. En serait-il autrement quand on est confronté à une série de problèmes en cascades ?

— Échantillons peu fiables ou dont on ne peut garantir la représentativité statistique eu égard à l'incertitude quant à la connaissance de l'univers de référence et à la taille relativement réduite des échantillons. Les sondages en milieu industriel sont réalisés, le plus souvent, auprès de quelques dizaines ou centaines d'entreprises. La grande diversité des situations rencontrées justifierait des échantillons importants. Le coût élevé du recueil des données conduit à une réduction, souvent excessive, de la taille des échantillons.
— La création des documents de recueil : les règles qui s'appliquent aux questionnaires posés à des individus valent pour les questionnaires en milieu industriel et commercial avec un soin tout particulier apporté à la formulation des données factuelles.
— Le recueil des données, quelle qu'en soit la forme, par correspondance, par interview en tête-à-tête ou par téléphone, par examens de dossiers, constitue la pierre d'achoppement. Qui est le plus apte à répondre au nom de l'entreprise ou de l'établissement, en fonction du ou des sujets évoqués pour les besoins de l'étude de marché ?

L'étude de marché industrielle est une spécialité. Elle exige un savoir-faire particulier. Je n'apporterai ici qu'une contribution modeste. J'ai dirigé et réalisé plus d'une centaine d'études industrielles en essayant, chaque fois, d'imaginer le meilleur compromis, compte tenu de la complexité des problèmes étudiés.

J'examine ci-dessous divers aspects des études de marchés en milieu d'entreprise :
— La documentation de base, la qualification du personnel.
— L'échantillonnage.
— Le recueil des données.
— L'exploitation des données.

1. La documentation de base, la qualification du personnel

Les instituts spécialisés dans les études de marchés de type industriel, même quand ils restreignent leur champ d'activité à quelques secteurs d'activité, gamme de produits ou de services, ne disposent pas, en général, de la documentation technique : ouvrage de base, revues spécialisées, annuaires que l'on trouve dans les services de documentation des entreprises-clientes. Il est essentiel, en revanche, de disposer d'une documentation des sources ainsi que d'une collection des principales revues de caractère général. Par ailleurs, il est pratiquement impossible de disposer, dans une équipe, de directeurs d'études ou de chargés d'études spécialistes du bâtiment, du travail des métaux ou des matières plastiques, d'électroniciens etc. Les sociétés spécialisées dans l'étude des produits pharmaceutiques et des appareils médicaux s'attachent, en général, les services de médecins salariés ou de pharmaciens. C'est, semble-t-il, un cas d'exception. Chaque fois que le problème posé a un contenu technique élaboré, le recours à un consultant extérieur est utile. On lui confiera l'étude préalable sous forme de monographie, ainsi que les premières démarches auprès des organismes publics ou professionnels dans lesquels il est introduit. Chargé de l'étude prospective des centraux électroniques, à une époque où seule l'armée et quelques sociétés privées les utilisaient, mon collègue responsable de cette étude avait eu recours pour la définition du problème à un ingénieur du bureau d'études d'une des firmes, fournisseur éventuel des P.T.T.

Une étude du marché de biens de consommation est réalisée en quelques semaines, une étude de marché de type industriel nécessite plusieurs mois. La rédaction du projet et la mise en forme de l'étude exigent un délai relativement long. Dans ce domaine, la mise à plat des différentes composantes du dossier contribue déjà à la solution des problèmes posés. Le devis lorsqu'il est forfaitaire réserve parfois des surprises désagréables au niveau de la réalisation des interviews. Ce sont davantage les aléas financiers que le manque d'intérêt qui ont poussé des instituts de sondages à abandonner les études de marchés industrielles ou à se limiter à quelques secteurs tels que le marché de l'informatique, des télécommunications, des services financiers etc.

2. L'échantillonnage

Chaque sondage en milieu d'entreprises pose des problèmes particuliers, sauf dans le cas où l'organisme, l'INSEE par exemple, entreprend des études régulières dont l'univers et le contenu ne changent pas.

Les sources statistiques sont extrêmement variées. Outre le fichier INSEE adopté dans certains cas, je citerai les listes de clients et de prospects fournies par le demandeur de l'étude, les annuaires professionnels dont la fiabilité ne peut être estimée a priori. Les critères de sélection ou de tirage au sort des établissements ou des entreprises sont réduits : au secteur d'activité, à la taille de l'entreprise exprimée en nombre de salariés. L'éventail des situations rencontrées est tel qu'une énumération, même sommaire, des possibilités d'échantillonnage, s'avère superflue. La diversité des secteurs d'activité et des tailles d'entreprise conduit à dresser un plan d'expérience à taux de sondage variable. La nécessité de consulter les grosses entreprises conduit souvent à les retenir toutes dans le plan de sondage ; en revanche, l'abondance des petites entreprises dans de nombreux secteurs impose un faible taux de sondage, d'où l'utilisation de coefficients trop élevés lors du redressement a posteriori de l'échantillon. C'est ainsi qu'en matière d'études de marchés industrielles, on renoncera à la notion de représentativité statistique, issue de la théorie des sondages, pour s'attacher à recueillir des résultats significatifs, à savoir : prendre en compte 75 à 90 % de la production d'un secteur en se référant aux estimations du client ou des organisations professionnelles.

3. Le recueil des données

Quelle que soit la forme du recueil des données (toutes les formes sont possibles) la recherche de l'interlocuteur compétent dans un établissement est déterminante, la qualité de l'étude en dépend. La répartition des fonctions diffère selon les secteurs d'activité, la taille des entreprises. Les schémas-types évoqués dans les cours, les manuels ou les livres, ne se retrouvent pas dans maintes entreprises. Un exemple retiendra l'attention du lecteur sur ce point :

L'étude du parc des ordinateurs à usage professionnel et son évolution future.

Qui, dans une entreprise détient l'information sur le parc des ordinateurs et peut répondre sur son évolution ?

— Dans une petite entreprise, à un seul établissement, le patron sera l'interlocuteur valable, mais parfois aussi son conseil extérieur qui a choisi le matériel et interviendra au moment du choix d'un nouvel équipement.

— Dans une entreprise moyenne ou dans une grande entreprise, la situation se complique. Le chef du service informatique connaît son matériel, ses qualités et ses défauts. Il est en mesure d'exprimer un avis personnel sur ses besoins futurs. Connaît-il pour autant les intentions de sa hiérarchie liées au programme de développement ou d'évolution de l'entreprise ? La décision appartient-elle au directeur général ? au directeur financier ? au directeur du service des achats ? au directeur technique ?

Pour la seule connaissance du parc, par suite de la prolifération des micro-ordinateurs, le chef du service informatique central ne contrôle souvent qu'une partie de l'équipement. S'agissant du parc, l'interlocuteur objectif, c'est le matériel lui-même, d'où l'obligation de cheminer dans l'entreprise ''de la cave au grenier'' lorsque cela est possible. Certains services ne peuvent être visités.

On touche du doigt la difficulté d'obtenir des informations fiables si on ne s'entoure pas d'un minimum de précautions. Il est indispensable de rencontrer le ou les interlocuteurs utiles et on se méfiera du ''déclaratif''. Reprenons l'exemple du parc des ordinateurs dans un établissement relativement important où existe un service informatique unique. Le chef du service informatique sera interrogé dans son service, au milieu de ses machines, c'est la seule manière d'opérer pour recenser le matériel et ses caractéristiques. On l'invitera ensuite à téléphoner dans les différents départements ou services, pour s'enquérir de la présence de matériel informatique, autonome ou en réseau. Il sera à même de faire la part des ordinateurs et des machines de traitement de textes. Un repérage précis du matériel en place est indispensable avant d'envisager d'évoquer les besoins futurs de l'établissement. Le fait de procéder à un inventaire apporte une information à l'interlocuteur. Il découvre des matériels et des applications qu'il ignorait.

Un organisme, qui regroupait les intérêts de l'Électricité de France et de l'industrie électrique (Unimarel : Union pour l'étude des marchés de l'électricité), se proposait d'évaluer le parc des moteurs électriques dans l'industrie. Ce programme, très ambitieux, s'est limité à la réalisation d'une étude pilote dans le nord de l'agglomération parisienne, auprès de 80 établissements industriels. L'interview des directeurs de production ou des chefs des services d'entretien a été écarté au profit du quadrillage systématique des ateliers et du repérage de chaque moteur. Le dénombrement des moteurs électriques était toujours en désaccord avec les estimations déclarées. Qui, disait avoir un fichier de 750 moteurs à entretenir, disposait en fait de 1 200 moteurs. Qui déclarait péremptoirement entretenir 1 000 moteurs se trouvait, en fait, devant un parc de 3 000 moteurs ; il oubliait de prendre en compte les moteurs électriques incorporés dans des machines dont la maintenance était assurée par le constructeur de ces machines.

Le choix de l'interlocuteur utile est déterminant. S'agissant de problèmes de production, d'approvisionnement, de fiabilité du matériel, l'interview de plusieurs interlocuteurs dans une entreprise est souvent nécessaire, sans qu'il soit facile de désigner, à l'avance, l'interlocuteur apte à répondre à telle ou telle partie du questionnaire. Pour cerner la présence d'un bien, il arrive parfois qu'on renonce à l'interview pour se limiter à la consultation de documents administratifs ou commerciaux. Je citerai, à ce sujet, deux exemples typiques : l'utilisation du caoutchouc industriel et la consommation du papier impression-écriture. Le manufacturier du caoutchouc, dit indutriel, livre des produits finis, pneus d'engins, pneus classiques, bandes transporteuses, produits chaussants etc. soit directement à l'utilisateur final, soit au marché de gros ou de produits semi-finis, à des façonniers qui incorporent le caoutchouc dans leur fabrication propre. Une série d'études de marchés a été entreprise dans plusieurs secteurs d'activité : sidérurgie, chimie etc. Partant d'une liste de produits possibles on a procédé dans plusieurs dizaines d'établissements au dépouillement de l'ensemble des bons de livraison à l'intérieur du service des achats. Chaque fois que cela était possible, une année entière servait de référence. Pouvait-on procéder autrement ? Quel interlocuteur unique ou quels interlocuteurs dans différents services étaient en mesure d'indiquer la consommation annuelle :

— de chaussures de sécurité ?
— de pneus spéciaux ?
— de joints ?
— d'éléments de bandes transporteuses ?
— de gants de protection etc. ?

L'évolution de la consommation de papier-écriture préoccupait la Fédération Nationale des Fabricants de Papier et de Cellulose. A cet effet, on a procédé dans plusieurs centaines d'entreprises au recensement des commandes de papier par l'analyse des bons de livraison. Un enquêteur a dû passer quinze jours au service des achats d'un constructeur d'automobiles. Il a constaté que chaque voiture fabriquée engendrait une consommation de papier représentant près de 5 % du poids de la voiture. Le relevé prenait en compte le papier à lettres, les notes internes, les bons de fabrication, les notices et brochures d'utilisation, les documents d'entretien etc. A l'évidence, personne dans l'établissement n'aurait pu fournir cette information qui révélait l'existence d'un paramètre de consommation du papier lié à la fabrication.

Au cours de la même étude, on devait procéder à une prévision de la consommation du papier-journal et donc consulter plusieurs patrons de journaux. Avant de procéder à toute interview, un de mes collaborateurs a travaillé pendant plusieurs jours à l'annexe de la Bibliothèque Nationale, située à Versailles, afin de relever pour chaque journal ou revue de l'échantillon :
— l'évolution de la pagination au cours des années précédentes,
— l'évolution de la place réservée à la publicité (mesurée au lignomètre) et aux petites annonces.

Connaissant l'évolution du tirage on était ainsi en mesure d'estimer le tonnage du papier consommé. Mis en face de l'évolution de sa consommation passée, un patron de presse pouvait donner une répone qualifiée quant à ses prévisions de consommation. Pour beaucoup, l'analyse de leur propre passé fut une révélation. Aurait-on obtenu les mêmes résultats si on s'était contenté d'interroger le directeur d'un journal entre deux réunions ou deux rendez-vous, sans le travail préparatoire qui avait été effectué ?

Je citerai un dernier exemple pour montrer combien le choix de l'interlocuteur, en matière d'étude de marchés, de type industriel, est déterminant. Une société, le Feuillu Français de Papeterie, prévoyait l'utilisation du bois de taillis et des branchages (le houppier de l'arbre) pour fabriquer de la pâte à papier qui, jusque-là, résultait du traitement des troncs des résineux et d'autres variétés d'arbres. La construction d'une ou de plusieurs usines de traitement du bois de taillis était conditionnée par l'évaluation du volume du bois récupérable, non utilisé en scierie, menuiserie, charpente, mais utilisé sous forme de fagots ou de bois de chauffage de qualité inégale. Intervenant au cours de la première réunion de travail, j'ai proposé, à la grande surprise de mes interlocuteurs, d'interroger l'arbre. Pouvait-on en effet imaginer une série de sondages mêlant l'interview de propriétaires forestiers, d'entreprises d'abattage, de foyers récupérant le bois de chauffage etc ? Que déduire de ces multiples consultations sans unité de mesure commune ?

''L'interrogation de l'arbre'' s'est déroulée de la manière suivante :
— L'étude a été réalisée dans deux départements : l'Eure et la Seine Maritime.
— La consultation de photos aériennes récentes prises par l'IGN (Institut Géographique National) a permis de recenser les coupes de bois faites dans les trois dernières années. Un expert forestier, au vu d'une photo aérienne (en stéréoscopie), repère et date les coupes récentes.

— Pour chaque coupe identifiée dans les deux départements on a recherché :
    — le nom des propriétaires : l'État, des communes, des exploitants privés,
    — le nom des entreprises d'abattage,
    — la destination des produits de la coupe (bois d'œuvre, bois de chauffage, bois laissé sur place etc.)

— On a pu ainsi évaluer, grâce à l'interview de chacune des parties prenantes dans une coupe forestière, le volume de bois récupérable à bas prix pour la fabrication de pâte à papier. Un forestier est en mesure d'évaluer, en fonction du bois d'œuvre extrait et du contenu du territoire forestier, le volume approximatif récupérable pour la pâte à papier.

Les exemples ci-dessus ont été choisis à dessein. Ils révèlent qu'en matière d'études de marchés industriels, le schéma classique du sondage auprès du grand public mérite d'être complété. Le choix des interlocuteurs, des documents de recueil des données nécessite de l'imagination et un examen attentif du problème posé. Les quelques exemples donnés sont transposables pour la solution d'autres problèmes. Si, un jour on a interrogé l'arbre, un autre jour on a interrogé un bâtiment entre la délivrance du permis de construire et la réception finale en vue d'établir un schéma type de financement, grâce à l'examen minutieux du planning de construction et de l'intervention de chaque corps de métier. Plusieurs centaines de chantiers terminés ont fait l'objet d'une analyse comptable, retraçant l'histoire financière de chaque bâtiment sans que l'on procède à l'interview de qui que ce soit. Qu'aurait donné l'interview d'un maître-d'œuvre ? ''En général cela se passe comme cela : les fouilles sont facturées à tel moment, le gros œuvre à tel moment etc''.

Le lecteur a pris conscience de l'importance du recueil des données en matière d'études de marchés dites industrielles. Le coût est particulièrement élevé. L'alternative est la suivante : interroger superficiellement un grand nombre d'interlocuteurs, répondant de mémoire, mêlant leur opinion personnelle à ce qu'ils croient être l'opinion de la direction générale, ou limiter le sondage à un nombre réduit d'établissements en allant aussi loin que possible dans l'investigation et en faisant ''parler'' des documents. S'agissant de l'équipement informatique des sociétés, la première solution est le plus souvent employée : le chef du service informatique est seul consulté, utilisateur averti, connaissant ses besoins, il joue le rôle de préconisateur, bien que, souvent, la décision finale soit du ressort de la direction générale ou du service des achats.

Plus encore que la notion de représentativité des résultats, le coût d'une étude industrielle et son délai de réalisation guident le choix de la procédure mise en œuvre.

Plusieurs formes de recueil des données sont possibles dans les sondages en milieu d'entreprises :

— L'étude par correspondance, peu coûteuse, mais qui présente beaucoup d'aléas si les interlocuteurs utiles n'ont pas été décelés au préalable et souffre d'un taux de réponses imprévisibles. L'INSEE procède ainsi pour ses études régulières de conjoncture auprès des industriels et des commerçants. Une longue pratique de ces sondages aboutit à un taux de réponse très élevé.
— L'étude par téléphone utilisée, soit en préalable à une étude en vue d'isoler la population cible et les interlocuteurs compétents, soit comme une fin en soi, pour repérer la présence de certains matériels ou l'utilisation de produits déterminés.
— L'interview en tête-à-tête, complétée ou non par un questionnaire auto-administré, réexpédié par la suite.

Le personnel d'enquête, outre l'aptitude à acquérir un niveau technique acceptable, doit faire preuve d'honnêteté et de persévérance pour rencontrer l'interlocuteur compétent. Quel que soit le soin mis à la conception et à la préparation d'une étude de marchés, celle-ci n'atteindra pas son objectif si une grande rigueur ne préside pas au recueil des données. Les données factuelles manquantes sur des points importants rendent inutilisables certaines interviews, d'où obligation de recourir à des interviews téléphoniques de rattrapage.

4. Le traitement des données

Le dépouillement ou le traitement d'un sondage en milieu d'entreprise présente des analogies avec le traitement d'un sondage classique auprès du public. L'enchaînement des différentes phases est le même : relecture, codification, saisie, traitement informatique. La similitude n'est qu'apparente. Chacune des phases du traitement est, en général, laborieuse même si le nombre des interviews est relativement réduit.

La relecture exige un personnel qualifié pour signaler les incohérences, les lacunes, les invraisemblances dans les réponses recueillies. L'apport d'un spécialiste du domaine étudié est utile.

La codification des produits, types et modèles de machines ou d'appareils, requiert une attention toute particulière. Pour le seul matériel informatique, la codification des unités centrales nécessite plusieurs centaines de codes différents. Les citations incomplètes ou erronées ne manquent pas.

Il est fréquent de devoir saisir plusieurs formes de questionnaires ou documents, chacune correspondant à une unité statistique différente : département ou service, type de matériel etc.

Le traitement informatique, apurement et cohérence des fichiers, redressement de l'échantillon, tableaux de résultats, extrapolation des données, demande du temps et de multiples passages sur ordinateurs. La vraisemblance des résultats relatifs à des données issues du sondage par rapport à des statistiques officielles ou professionnelles est rassurante. La comparabilité des résultats n'est pas possible dans tous les cas.

Les études dites industrielles constituent une minorité. Les études relatives aux biens de consommation courants absorbent l'essentiel de l'activité des organismes d'études de marchés. Les lacunes de l'appareil statistique disponible, la difficulté de réaliser des échantillons représentatifs, les problèmes posés par le recueil des données auprès des interlocuteurs censés connaître l'entreprise sous tous ses aspects, les délais et coûts de réalisation, en limitent l'usage. L'analyse des ventes, les monographies, les coups de sonde partiels, se substituent souvent au sondage représentatif.

2. LES PANELS ET LEUR UTILISATION

1. Généralités sur les panels

La technique du panel n'a sans doute pas sa place dans cette troisième partie consacrée à l'examen de quelques aspects des études de marchés. Elle relève davantage d'une technique de recueil de données que d'un type d'études de marchés. Ayant peu pratiqué cette technique, sauf à l'occasion d'études limitées dans le temps, je me contenterai d'en rappeler brièvement les principes et les modalités d'exécution.

Un panel désigne une méthode de sondage utilisée pour l'étude de l'évolution des achats, des ventes, des stocks, voire même, dans certains cas, de l'évolution des opinions d'un échantillon permanent de points de vente, de consommateurs, de praticiens etc. La consultation périodique d'un échantillon, dit permanent, est l'essence même de la notion de panel. La société Nielsen, sans doute la société d'études de marchés la plus importante dans le monde, s'est fait connaître dès la fin de la deuxième guerre mondiale en Europe, grâce à deux types de panels : le premier consacré à l'étude des ventes de produits de consommation courante par l'observation périodique des stocks et des livraisons dans le commerce de détail, le second réservé à l'étude de l'audience de la radio dans les foyers américains grâce à l'installation d'audimètres sur les postes récepteurs de la radio. Dès 1950, la société A.C. Nielsen employait, dans son siège de Chicago, environ 2 000 collaborateurs. Son action s'est étendue à différents pays du monde occidental, dont la France, principalement en gérant des panels de points de vente. Tant en France qu'en Europe, l'activité de panels de points de vente et de consommateurs, situe les sociétés qui s'y consacrent en tête des sociétés de sondages, par l'importance de leur chiffre d'affaires et l'effectif de leur personnel. Elles sont peu connues du grand public. Leur activité ne fait pas l'objet de manifestations audiovisuelles, contrairement aux études d'opinion publique qui envahissent les médias, presque chaque jour et qui, néanmoins, ne représentent qu'une très faible part du chiffre d'affaires de l'activité de sondages.

On distinguera les panels dits permanents, à renouvellement périodique partiel de l'échantillon de base, les panels de durée limitée créés pour l'étude d'un problème ponctuel ou dont les échantillons sont entièrement renouvelés périodiquement.

Parmi les principaux panels on notera :

Les panels de points de vente de produits de consommation courante créés en vue de mesurer l'évolution des ventes. Les points de vente concernent aussi bien les magasins de détail d'alimentation, de produits d'entretien etc. que le commerce intégré : supermarchés, hypermarchés. On notera également l'existence de panels de pharmacies, de cabinets médicaux, d'exploitations agricoles etc.

Les panels de consommateurs sont consacrés à :

— l'étude des achats de produits de consommation courante à l'aide de relevés hebdomadaires, la liste des produits observés évolue peu d'une année sur l'autre.
— l'étude de problèmes variés, l'échantillon de foyers est en principe permanent, le contenu des questionnaires varie d'un mois sur l'autre,
— l'étude de l'audience de la télévision en utilisant des audimètres, connectés aux récepteurs de télévision et transmettant les données à un centre serveur en vue d'un traitement quotidien,
— l'étude de lancements de nouveaux produits, d'où la création de panels nationaux ou régionaux d'une durée de quelques semaines ou de quelques mois dont la raison d'être est le suivi de l'évolution des achats du produit étudié et de ses concurrents directs ou indirects,
— l'étude de l'évolution de l'opinion publique notamment en période préélectorale. On citera les travaux de Paul Lazarsfeld dans ce domaine et de bien d'autres.

2. Les modalités d'exécution des panels

Toutes les formes de recueil des données coexistent dans la gestion des panels : interview en tête-à-tête, relevés de stocks et de commandes sans interview proprement dite, document administré par correspondance, interview par téléphone, enregistrement automatique des programmes de télévision sur lesquels les récepteurs sont branchés etc.

Dans son principe, la technique du panel permet de mesurer l'évolution du comportement d'un échantillon constant. On peut "suivre" chaque individu dans le temps. Il en va différemment dans les faits pour deux raisons essentielles :

1. L'échantillon n'est jamais permanent ; il tend à l'être, s'agissant

de points de vente ; ce n'est pas le cas en ce qui concerne les ménages. La lassitude, le conditionnement progressif des consommateurs entraînent un renouvellement périodique de l'échantillon dans des proportions variables. En théorie, aux erreurs de transcription près, l'évolution du comportement des membres permanents d'un panel est fidèle.

2. L'analyse longitudinale des résultats dans le temps est particulièrement coûteuse, on la pratique peu. L'analyse d'un échantillon constant, sur une période assez longue, sous-entend un ajustement de l'échantillon résiduel permanent à l'image apparente de l'échantillon initial.

Dans la pratique, un panel joue un rôle d'une série de sondages successifs analysés séparément ou par agrégation partielle. Les investissements lourds que nécessite la création d'un panel sont amortis grâce à la consultation répétée d'un échantillon de base.

3. Les qualités et les défauts des panels

En général gérés par des entreprises qui y consacrent tout ou partie de leur activité, les panels enregistrent des résultats selon une fréquence définie par contrat et réputés fidèles. La vente des résultats par ligne de produits à plusieurs concurrents, minimise la participation de chaque client. Il n'en demeure pas moins que l'abonnement à des panels absorbe une large part du budget des entreprises consacré aux études de marchés. Les panels de points de vente ou de ménages comblent la lacune des statistiques professionnelles, compte tenu des informations relatives aux marques, aux conditionnements, aux lieux d'achats, fournies plusieurs fois par an.

La notion d'échantillon aléatoire dans la constitution des panels a souvent été évoquée. C'est en quelque sorte un trompe-l'œil. Si le plus grand soin est apporté à la constitution de l'échantillon que l'on souhaite recruter, les contraintes qui s'appliquent aux panélistes aboutissent à un déchet initial important dès la première prise de contact, dite de recrutement, et à une disparition progressive de panélistes, disparition d'importance variable liée à la nature de l'échantillon et au contenu des données recueillies. Dans la pratique, l'échantillon d'un panel ne mérite pas l'appellation de rigoureusement représentatif, en accord avec la théorie des sondages. Toutefois, une longue pratique et un savoir-faire indéniable alliés à une logistique lourde assurent la fidélité des résultats.

L'effet panel est souvent évoqué, le membre d'un panel de consommateurs subit l'influence des documents qu'il reçoit, ceux-ci jouent dans une certaine mesure le rôle d'un aide-mémoire pour orienter les achats. Les nouveaux panélistes sont peu fiables, exagérant ou minimisant leurs achats, ils ne sont en général incorporés au panel actif qu'après une période probatoire. L'effet panel est réel lorsque l'objet de l'étude concerne des opinions ou des attitudes. L'effet panel est nul lorsque les ménages ou les collectivités sont observés à leur insu, consultation régulière d'un échantillon d'abonnés au téléphone, par repérage automatique des communications, en nombre, destination et durée.

La technique du panel a un vaste champ d'applications. Cette technique ne s'improvise pas, elle nécessite une surveillance quotidienne minutieuse et ingrate. Si la pratique du sondage ponctuel relève de l'artisanat (chaque sondage est une œuvre originale) la pratique du panel relève du comportement de l'industriel : fourniture de produits en série avec procédures de contrôle dans toute la chaîne de fabrication.

3. L'AUDIENCE DES MÉDIAS ET DES SUPPORTS DE PUBLICITÉ

1. Les médias, supports de publicité

Les études d'audience des médias constituent l'information de base pour l'établissement des plans de campagne de publicité. Depuis plus de 50 ans on est à la recherche du plan idéal, celui qui, pour un produit donné, contribuera à l'efficacité maximale d'une campagne de publicité. Sauf le cas d'espèce d'un produit vendu uniquement par correspondance et promu par l'intermédiaire d'un support unique, on n'est pratiquement jamais dans la situation de mesurer l'efficacité d'une publicité, d'une manière rigoureuse. La valeur intrinsèque du produit et de son conditionnement, l'effort commercial, la distribution du produit, sa mise en valeur sur le point de vente, les supports de publicité utilisés, le message publicitaire, le bouche à oreille des consommateurs sont autant de facteurs explicatifs de la vente dont l'incidence respective est inconnue. De très nombreuses expériences et études ont été entreprises, elles demeurent parcellaires, compte tenu de l'énorme diversité des produits, de la multiplicité des médias et du contenu des messages publicitaires.

De même que je renonce à procéder à l'inventaire de l'étude des produits, je ne parlerai pas ici des sondages sur l'efficacité des messages et des campagnes de publicité, tant ce domaine est vaste. Certains spécialistes y ont consacré leur carrière. Je me limiterai à quelques rappels relatifs aux sondages sur l'étude de l'audience des médias. Mais, si le sondage demeure l'outil universel de mesure, les techniques de recueil des données ne sont pas uniformes. La comparaison des résultats intermédias demeure hasardeuse. Chaque minute de radio ou de télévision constitue un support, elle peut être étudiée d'une manière objective pendant une période plus ou moins longue. Chaque page ou élément de page d'un journal ou d'une revue est un support. Il est hors de question d'en étudier l'audience sur une longue période pour un ensemble de publications. Les murs et panneaux supports de l'affiche font l'objet d'études ''d'audience'' à la fois complexes et limitées. Le média audio-visuel est celui qui se prête le mieux à la réalisation de sondages objectifs dont les résultats sont les moins contestables.

J'examinerai successivement, dans ce chapitre, sans prétendre être complet, quelques aspects de l'étude de l'audience de différents médias :

— L'audience de la radio.
— L'audience de la télévision.
— La presse quotidienne et la presse périodique.
— La presse professionnelle.

Les supports mobiles (trains, autobus, camions publicitaires, ballons dirigeables etc.) ainsi que les vitrines et les linéaires des points de vente ne bénéficient pas d'études systématiques de caractère général. Cette remarque s'applique également à la publicité dans les salles de cinéma, à l'affichage, à la publicité directe. Ces différents médias font l'objet d'études parcellaires ou ponctuelles.

En matière d'audience des médias, le mode de recueil des données est l'élément déterminant de la fiabilité des résultats, bien davantage que les problèmes posés par l'échantillonnage ou le traitement des données. Les préoccupations théoriques s'estompent au profit du souci de pragmatisme et d'un prix de revient acceptable.

1. L'AUDIENCE DE LA RADIO

L'audience de la radio serait inconnue sans les sondages. L'analyse du courrier des auditeurs ou du contenu des appels téléphoniques fait partie du folklore des études. Elle n'apporte aucune information fiable. Personne n'est en mesure d'estimer quelle pouvait être l'audience des stations de radio des années 30. En revanche, on dispose depuis 1948 d'une série continue d'études de l'audience des principales stations, fondées sur l'écoute de la veille, quart d'heure par quart d'heure. La technique n'a pas changé depuis. Les audimètres, utilisés par Nielsen aux États-Unis dès le début des années 50, n'ont pas été employés en France pour l'étude de l'audience de la radio. La multiplicité grandissante des récepteurs de radio, la miniaturisation qui les rendait portables ont rendu caduc le recours aux audimètres.

L'interview en tête-à-tête est progressivement remplacée par l'interview téléphonique pour enregistrer l'écoute de la veille. La méthode coïncidentale popularisée par Hooper aux États-Unis pour contrer l'audimètre de Nielsen a eu peu d'adeptes. Elle consiste à enregistrer l'écoute instantanée ou celle de quelques heures ayant précédé l'appel téléphonique auquel procédait déjà Hooper dans les années 50. Cette méthode souffre d'un inconvénient majeur, le recours à de gros échantillons ; chaque tranche d'une heure ou de deux heures nécessite l'interview d'un échantillon d'auditeurs aussi important que l'échantillon destiné à mesurer l'écoute d'une journée entière.

L'identification des stations de radios, écoutées le jour même ou la veille, pose en général peu de problèmes pour les émetteurs de diffusion nationale. Il n'en va pas de même pour l'audience des stations locales et des radio libres. La présentation de programmes au cours d'interview en tête-à-tête est inopérante. Elle n'est valable, à la rigueur, que pour quelques stations, voire même, que pour quelques séquences horaires.

Je ne connais qu'un seul moyen pour identifier, à coup sûr, une station de radio, celui que j'ai utilisé à plusieurs reprises, à un moment où la Sofirad désirait évaluer l'écoute de sa nouvelle station : La Radio des Vallées d'Andorre (devenue ensuite la Radio des Vallées et enfin Sud Radio) par comparaison avec la station Radio Andorre. L'enquêteur, muni d'un récepteur portable, invitait la personne interrogée à se mettre à l'écoute, à l'aide de son propre récepteur, de la station dont il venait d'évoquer le nom. Avec son récepteur personnel, branché sur le programme, l'enquêteur pouvait identifier la station écoutée grâce aux indications inscrites sur le cadran de son récepteur. Cette procédure peut être utilisée pour l'identification des radios libres, même lors d'une interview par téléphone. L'enquêteur a repéré sur un récepteur de radio, avec inscription digitale des longueurs d'onde, les principales stations faisant l'objet de l'étude. Il invite la personne interrogée à brancher son récepteur sur la ou les stations écoutées la veille. Procédant de même il présente le poste devant le micro du combiné téléphonique. L'identité des programmes entendus permet de reconnaître l'émetteur. Cette vérification est indispensable, même si elle paraît relativement longue dans certains cas. La sagesse commande de retenir un nombre limité de stations à identifier, les autres rejoindront le groupe des stations diverses ou mal identifiées. Le recours au souvenir de la longueur d'onde n'a jamais été utilisée pour identifier une station de radio ; peu d'auditeurs connaissent la longueur d'onde des stations qu'ils écoutent ; en revanche, ils savent les situer sur leurs différents postes récepteurs.

Les études collectives, CESP, depuis 1964, sont réalisées entre 2 et 4 fois par an. Le choix de périodes prévues à l'avance, donne lieu à des efforts particuliers de promotion des stations. La faible périodicité conduit à neutraliser les périodes scolaires, en vue d'observer une situation, dite normale, eu égard à la saison choisie. Cette pratique, peu réaliste, est inspirée par le souci d'enregistrer une audience moyenne devant servir au calcul du prix des messages, variable selon

les heures de la journée. J'aurai l'occasion d'en reparler à la fin de
ce chapitre, ma préférence est en faveur d'une étude continue, telle
que la pratique, en 1987, la société Audimétrie. L'échantillon jour-
nalier est de faibles dimensions, mais l'observation est continue
(dimanches et jours de fête compris). La notion de période normale
ou moyenne est une justification commode. L'événement de politique intérieure ou extérieure, les grèves, les faits divers qui ''défrayent
l'actualité'' sont imprévisibles, ils provoquent des fluctuations dans
l'audience de la radio et, de ce fait, rendent anormales les périodes
considérées a priori comme normales.

Deux mois de janvier ne se ressemblent pas, à quelque point de vue
qu'on les considère, la comparaison d'audience de la radio qui en
résulte n'est pas ''toutes choses égales par ailleurs'' comme pourrait le laisser croire le choix de périodes d'observation identiques. Ces
remarques militent en faveur d'une répétition des sondages, à un
rythme soutenu en cours d'année.

2. L'AUDIENCE DE LA TÉLÉVISION

Les techniques utilisées pour l'étude de l'audience de la radio s'appliquent à l'étude de l'audience de la télévision, avec notamment l'emploi
de l'audimètre. La technologie des audimètres a évolué, la bande enre-
gistreuse récupérée périodiquement par un enquêteur a été remplacée par la transmission automatique des données à un centre serveur, selon une procédure programmée telle que le transfert des données la nuit pour bénéficier d'une tarification favorable. L'utilisation
de l'audimètre est récente en France, plus ancienne aux États-Unis,
en Grande-Bretagne, en Allemagne etc. Il a fallu attendre la création
de chaînes indépendantes et l'accroissement du volume publicitaire
pour en justifier l'emploi, eu égard au coût élevé de la fabrication,
de la mise en place et de la maintenance des audimètres. L'installation d'audimètres impose l'utilisation de panels (échantillons permanents) et non de sondages répétés auprès d'échantillons différents.
L'effet panel, s'il existe, disparaît progressivement. Il est de toute
façon plus faible que celui que l'on observe dans les panels de consommateurs : chaque ménagère devant, au vu d'une liste, enregistrer elle-même ses achats. Le téléspectateur dont le récepteur est
équipé d'un audimètre est passif.

L'audimètre assure la continuité des observations quels que soient
le jour et l'heure.

Les inconvénients de l'audimètre sont connus :

— le coût initial des investissements limite la taille des échantillons,
— l'ignorance de la personnalité du téléspectateur en face de l'écran allumé. Pour pallier cet inconvénient majeur, on complète l'information fournie par l'audimètre par un journal d'écoute rempli par chaque téléspectateur, en courant le risque d'une collecte différée et incomplète du contenu de l'écoute personnelle. Une tendance s'affirme en faveur de sondages parallèles réalisés chaque jour, auprès de téléspectateurs interrogés par téléphone. L'audimètre fournit l'utilisation du parc de téléviseurs, le sondage nous informe sur le profil socio-démographique des téléspectateurs de chaque programme. L'introduction d'un deuxième et d'un troisième récepteur dans les foyers nécessitera la mise en place de plus d'un audimètre par foyer.

L'exploitation des résultats de l'audimètre permet l'étude longitudinale d'un échantillon permanent, d'où la mise en valeur de la fidélité d'écoute d'une ou de plusieurs chaînes et l'optimisation de plans médias.

La prolifération des chaînes de télévision auxquelles s'ajoutent les chaînes captables par satellites rendent dès maintenant caducs les sondages par interview (en tête-à-tête ou par téléphone) ou sous la forme auto-administrée (journal d'écoute) comme seuls moyens de recueil de l'audience récente. L'audimètre est l'outil de base. Dans la période récente les ''people meters'' tentent de combler une lacune liée à l'emploi des audimètres.

Plusieurs procédés sont utilisés pour identifier les spectateurs présents devant le récepteur. Je citerai l'utilisation d'un bouton poussoir que chaque téléspectateur manipule pour signaler le début et la fin de sa présence devant le poste. Des expériences, au début de 1987 à New York, Denver etc. sont faites en couplant un dispositif électronique avec l'audimètre afin d'enregistrer la présence d'une ou plusieurs personnes devant le récepteur de télévision. Chaque téléspectateur muni d'un appareil d'identification (semblable à un boîtier de télécommande) signale sa présence devant l'écran, décline son sexe, son âge, sa profession en répondant à un vidéo-questionnaire.

Que que soit le procédé utilisé, la participation du téléspectateur est indispensable, d'où sources d'oublis inévitables.

Tout compte fait, l'audimètre reste le procédé le plus objectif d'étude du choix des programmes par les téléspectateurs. Il mesure la probabilité d'occasion de voir les programmes et les spots publicitaires de la chaîne choisie, la probabilité est nulle pour toutes les autres chaînes. Les sondages par téléphone continueront à jouer un rôle complémentaire de l'audimètre. On a tendance à négliger la mise en parallèle de l'étude du temps de présence à domicile et de l'audience de la télévision. L'auditoire potentiel d'une chaîne de télévision évolue en cours de journée. Le succès d'une émission est définie par le rapport nombre de téléspectateurs/nombre de personnes à domicile. Lors d'un sondage par téléphone sur l'écoute de la veille ou des dernières vingt-quatre heures, on a la possibilité d'enregistrer les heures de présence à domicile de la personne interrogée. On est aussi en mesure de calculer l'audience réelle par rapport à l'audience potentielle. La structure de la population évolue en cours de journée. Les études faites ont montré, qu'à tout moment de la journée, il y a davantage de personnes à domicile qu'au dehors, compte tenu de la population des femmes inactives, des jeunes et des personnes âgées. C'est entre 10 h et 11 h du matin que la population à domicile est la moins nombreuse. Dès 15 heures la population à domicile croît régulièrement pour atteindre son maximum dans la soirée. La connaissance de la structure de la population présente au cours de la journée permet de définir différentes clientèles-cibles, afin d'établir un plan de passage optimal des écrans publicitaires. Les idées reçues abondent, fruits d'une vue parisienne du comportement du Français. Il est absurde de souhaiter bon appétit à 13 heures à la majorité des Français, plus de 60 % des habitants de la région parisienne n'entendront pas ce message, ils déjeunent hors de leur domicile ; la grande majorité des provinciaux sont prêts à quitter la table familiale. Le même problème se répète le soir à 20 heures, 80 % des Français ont quitté la table. S'il est vrai que la télévision est un support de masse, le journal de présence couplé à l'étude de l'audience offre la possibilité d'optimiser le plan-média des écrans publicitaires.

L'utilisation de la télévision par câble, très répandue en Belgique, plus encore aux États-Unis ou au Canada, offre des possibilités nouvelles. La société distributrice peut, à tout moment, incruster des messages particuliers, des spots publicitaires, des programmes à tester. Un représentant de Nielsen a montré, au cours d'un exposé fait au congrès Esomar de 1986, la possibilité de vérifier le rendement publicitaire de certains spots auprès d'un échantillon de foyers câblés auxquels avaient été remises des cartes magnétiques spéciales, utilisables dans un centre commercial proche. Il devient possible de consulter la clientèle câblée ou une fraction sondée, par des incrustations sur écran répétées en cours de journée, invitant le téléspectateur à répondre à un questionnaire. Qu'en sera-t-il dans dix ans ? La télévision par câble cesse de progresser aux États-Unis au profit de la réception par satellite qui offre plus de choix au téléspectateur. Il n'est pas captif d'une série de programmes choisie par la société de diffusion par câble. La France a pris du retard dans le domaine du câble au moment même où la télévision par satellite prend son essor. Quand aura-t-on la possibilité d'entrer en contact direct avec un échantillon de téléspectateurs équipés d'un mini-ordinateur pouvant converser avec un centre serveur ?

3. L'AUDIENCE DE LA PRESSE QUOTIDIENNE ET DE LA PRESSE PÉRIODIQUE

— *Les études collectives, type CESP.*

La technique des études d'audience de la presse n'a pas évolué depuis plus de cinquante ans. Les procédés mis au point par Daniel Starch dès les années 30 (reading and noting) et par Alfred Politz plus tard, sont encore au goût du jour, relativement peu utilisés, eu égard à leur prix de revient et, de ce fait, à leur champ d'application limité.

Le nombre très important des publications, leur diffusion restreinte, à quelques rares exceptions près (revues de programmes de télévision), contraint à la réalisation d'études collectives, dont l'intérêt est évident pour l'élaboration des plans médias mais dont les résultats sont de valeur inégale. Le CESP (Centre d'Étude des Supports de Publicité) réalise, depuis 1957, chaque année, plusieurs sondages sur l'audience de la presse quotidienne et périodique. L'étude de la lecture de la dernière période pour un ensemble de titres de journaux ou de revues s'inspirait des travaux anglais du Hulton Press. Malgré des améliorations de détail, introduites avec prudence, compte tenu des intérêts contradictoires des parties prenantes (supports, agences de publicité, annonceurs) les résultats enregistrés sont de valeur inégale, précis pour la presse quotidienne, relativement imprécis pour les mensuels, bimensuels et hebdomadaires. La dernière lecture ne se réfère pas à un exemplaire daté d'une revue ou d'un magazine. La surestimation de la lecture est variable d'un titre à l'autre, plus faible pour les publications bénéficiant d'un taux élevé d'abonnés (plus de 50 % de la diffusion), plus forte pour les revues sans actualité précise et particulièrement répandues dans les salons de coiffure, chez les médecins, les dentistes etc. Est considéré comme lecteur aussi bien celui qui consacre plusieurs heures à la lecture d'une revue que celui qui parcourt ou feuillette en quelques minutes un magazine ou une revue. La taille des échantillons annuels (entre 10 000 et 15 000 selon les époques) est rendue nécessaire par le souci d'intégrer des revues à faible tirage (200 000 exemplaires diffusés, soit 1 % de foyers acheteurs). A défaut de mieux, l'étude collective du CESP garde sa valeur ; 30 ans de travaux sans interruption ont permis aux agences de publicité, aux centrales d'achat d'espace, aux annonceurs de se faire leur propre religion. Comment pourrait-on améliorer la technique de recueil des données, sauf à entreprendre des sondages beaucoup plus coûteux ?

— *Les études objectives, la méthode d'Alfred Politz.*

Alfred Politz, aux États-Unis, il y a plus de 30 ans maintenant, s'est fait connaître par la méthode dite du lecteur prouvé. Le sondage est limité à l'audience de quelques publications ; la préparation du matériel et la durée de l'interview imposent l'étude d'un nombre réduit de revues ou journaux. On fait choix dans chaque organe de presse étudié de 10 articles, repérés par des onglets. Pour chaque article on demande à la personne interrogée :

1. si, au vu du titre et de sa présentation, l'article paraît intéressant,
2. si elle a lu ou parcouru cet article dans la publication présentée.

Les dix articles ayant été passés en revue on établit un bilan. La personne interrogée est alors en mesure de dire si elle a eu cette revue entre les mains. D'autres questions posées pour chaque titre permettent d'évaluer le nombre de prises en mains, le temps de lecture, les habitudes de lectures etc. Le temps de préparation de chaque publication (repérage des articles par des onglets numérotés, collés ou agrafés) en plusieurs dizaines ou centaines d'exemplaires (un jeu de revues par enquêteur), la difficulté dans certains cas de se procurer les exemplaires des publications et plus encore le nombre réduit de titres étudiés, expliquent le peu d'usage qui est fait de la méthode Politz. Il n'en demeure pas moins qu'elle permet de mesurer objectivement l'audience d'une publication, et ce d'autant plus, lorsqu'elle est répétée. On n'oubliera jamais qu'un sondage ponctuel est une photographie à un moment donné, l'audience d'un journal, d'une revue est affectée par des facteurs liés à la saison, à l'actualité, au contenu du sommaire etc.

— *Les études de Vu et Lu (Readership de Daniel Starch ou Reading and Noting).*

Les études de Vu et Lu ont une double finalité : mesurer le volume et le contenu de la lecture d'une publication ainsi que la mémorisation de la publicité. Dans son application complète, la technique de Vu et Lu relative à la lecture d'un journal quotidien daté de la veille du jour de l'interview, consiste à faire parcourir à la personne interrogée l'ensemble du journal et à lui demander de signaler ce qu'elle a vu et lu dans chaque page. On ne fait grâce au lecteur d'aucun détail. Il coche chaque titre, sous-titre, photo, article entier ou partiel, qu'il se souvient avoir vu ou lu.

Cette démarche aboutit à enregistrer plusieurs centaines de données par publication. Le Vu et Lu peut être limité à la seule publicité, ce qui a conduit Daniel Starch à franchir les milites du raisonnable. Il a décomposé chaque annonce de publicité en plusieurs éléments de l'illustration et du texte, et mesuré le taux de lecture ou de visionnage de chacun.

L'accumulation de très nombreuses études de Vu et Lu a permis de dégager un certain nombre d'éléments explicatifs du taux de lecture : l'emplacement de l'annonce dans la revue et dans la page, l'utilisation de la couleur, le choix de l'illustration etc. A un moment où en France, l'agence Jep et Carré proposait une annonce de publicité collective sur l'assurance-vie avec l'argumentation choc ''Le soir où il ne rentrera pas'', les agences américaines, utilisant les travaux de Daniel Starch et de ses émules, conseillaient l'emploi d'une argumentation rassurante et préconisaient la mise en scène d'animaux sympathiques ou d'enfants. Ils axaient l'argumentation sur l'aspect capitalisation de l'assurance-vie.

La technique du Vu et Lu impose un dépouillement manuel long et fastidieux ; report sur un bordereau de saisie des éléments lus dans chaque journal. A l'inverse, le choix et le marquage des éléments à observer, s'ils facilitent le dépouillement, nécessitent une préparation initiale de la publication. Les éléments vus ou lus sont codifiés directement sur un bordereau de saisie.

En général les études de Vu et Lu sont réalisées auprès de petits échantillons de lecteurs, de l'ordre de 200 à 300. S'agissant d'un quotidien, l'ensemble de l'échantillon est consulté en une journée. Un enquêteur réalise difficilement plus de 5 interviews par jour. Ce nombre varie en fonction du taux de diffusion du journal ou de la revue étudiés. Ces sondages demeurent coûteux. Ils sont d'autant plus riches d'enseignement qu'ils sont répétés. Mais qui peut se targuer d'entreprendre plus de 10 ''Vu et Lu'' en une année sur un seul titre ? L'étude ponctuelle ne suffit pas.

2. L'étude du contenu rédactionnel

L'étude du contenu rédactionnel d'une publication en vue d'acquérir de nouveaux lecteurs ou de résister aux assauts de la concurrence est particulièrement délicate. L'étude des centres d'intérêt de la clientèle-cible, de la régularité de lecture des principales rubriques, de la mesure du degré d'attachement à un titre de presse ne fournit pas de réponse entièrement satisfaisante au directeur d'un journal animé du désir de rajeunir sa publication, de lui faire bénéficier d'une nouvelle présentation, d'introduire ou de supprimer des rubriques. Toute publication périodique est un ensemble de produits dont chacun a sa clientèle. C'est un menu que chacun consulte à sa manière. Certains convives s'intéresseront au plat de résistance : l'orientation et le style du journal ; d'autres seront sensibles à la présence des amuse-gueules, à l'ambiance, au décor. S'agissant d'un quotidien l'extension ou la disparition de la rubrique boursière, des mots croisés, des bandes dessinées, du courrier des lecteurs etc. apporte ou fait perdre des lecteurs. La multiplicité des facteurs qui définissent ''la personnalité'' d'un journal ou d'une revue rend délicat et difficile le pronostic quant aux chances d'une nouvelle publication ou d'une entreprise de rénovation. Invariablement, les promoteurs d'une nouvelle publication prétendent occuper un nouveau créneau, ou répondre à des besoins nouveaux. Les journaux télévisés, les magazines d'actualité, les émissions sportives offrent l'occasion d'annoncer de nouvelles naissances, en revanche la rubrique nécrologique des ''enfants en bas âge'' n'existe pas. Très souvent le lancement d'un nouveau titre de presse a fait l'objet d'études et de sondages dispendieux, au même titre qu'une nouvelle voiture ou qu'un nouveau détergent. Malheureusement, la complexité du problème étudié rend difficile le pronostic, assorti d'un volume des ventes. S'agissant de publications existantes, qui toutes sont en constante évolution, tout en conservant leurs personnalités, j'ai fréquemment proposé le schéma d'études suivant.

Il n'y a pas de lecteur moyen ou de lecteur type. Dans le menu offert chacun choisit ce qui lui plaît. Les modifications introduites dans le contenu des rubriques, dans leur présentation, l'arrivée ou le départ de journalistes connus sensibiliseront certains, laisseront indifférents d'autres lecteurs. M'appuyant sur cette observation banale, je conseillais de constituer plusieurs panels de lecteurs recrutés par l'intermédiaire du journal et consultés chaque fois que le journal prévoyait des modifications à l'intérieur d'une rubrique ou l'introduction d'éléments nouveaux. Chaque membre d'un panel de quelques centaines de personnes était recruté en fonction de l'intérêt porté à une rubrique particulière, d'où l'idée d'un panel de lecteurs sensibilisés par la rubrique sportive ou par les faits divers ou par la politique intérieure, la politique internationale etc. Chaque panel de lecteurs-pilotes est consulté sur une nouvelle présentation ou un nouveau contenu de la rubrique dont il est un lecteur fidèle et attentif.

Le support de la consultation est une maquette qui illustre la nouvelle présentation. Un lecteur peut appartenir à plusieurs panels. Il va sans dire que cette approche sous-entend :

— la contribution d'un service d'études interne, en liaison directe avec la direction du journal et les responsables de rubriques. Le recours à des consultants extérieurs s'avèrerait trop coûteux.
— la continuité des études qui, réalisées par correspondance, nécessitent des frais limités.
— il reste à vérifier que ce qui satisfait les lecteurs pilotes d'une ou de plusieurs rubriques, lecteurs fidèles par ailleurs du journal, satisfait également les lecteurs dits moyens ou plutôt passifs.

Ce n'est pas au lecteur de faire preuve d'imagination, ce n'est pas son rôle. Il demandera ce qu'il a déjà.

3. L'étude des revues professionnelles

Les sondages auprès des lecteurs des revues professionnelles ou techniques ont relativement peu d'échos. Le nombre des titres est considérable : plusieurs milliers. Les tirages sont souvent réduits. Toutefois plusieurs centaines de publications dans les domaines agricole, industriel, économique et financier, des services etc. éprouvent le besoin de justifier leur diffusion réelle en nombre de lecteurs. Une revue professionnelle bénéficie a priori d'un nombre de lecteurs par exemplaire plus élevé qu'un quotidien. Comment aborder l'étude de l'audience d'une revue professionnelle ?

La plupart de ces revues sont vendues par abonnements, on ne les trouve pas dans les kiosques à journaux. La consultation de la liste des abonnés est trompeuse. M. Durand, abonné à la revue X a soit donné son adresse personnelle soit donné l'adresse de son entreprise. Est-il pour autant lecteur de la revue dans ce dernier cas ? Le nom de l'entreprise ou d'un service ne permet pas de déceler une pluralité de lecteurs. Les abonnements multiples sont fréquents dans les grandes entreprises. L'analyse de la liste des abonnés n'apporte qu'une seule information objective : la répartition régionale des abonnements.

L'objectif du sondage étant de dénombrer les lecteurs, d'analyser le profil de cette population, de solliciter l'opinion des lecteurs sur la revue, quelle marche doit-on adopter ?

- *Échantillon.* La liste des abonnés est la base du tirage de l'échantillon. Selon le mode de recueil adopté, au moins en partie (par correspondance, par téléphone, par interview en tête-à-tête), on procédera à un tirage aléatoire ou à un tirage en grappes qui privilégiera les régions ou villes à forte diffusion ; ceci dans le cas d'interview en tête-à-tête. Retenir un seul abonné dans une localité entraîne des frais élevés d'interview.

- *Le dénombrement des lecteurs.* Plusieurs solutions sont possibles, leur contribution est variable quant à la validité des résultats.

1. Contact téléphonique de l'abonné ou de l'entreprise abonnée. S'il s'agit d'une entreprise, prendre contact avec la personne qui réceptionne la revue et lui demander à qui et à combien de personnes elle est destinée.
2. Contact téléphonique comme ci-dessus, mais vérification auprès de chaque destinataire présumé, de la lecture au moins occasionnelle de la revue.

L'une ou l'autre de ces démarches ne suffit pas. Dans une entreprise abonnée multiple, le libellé de l'étiquette-adresse varie souvent d'un abonnement à l'autre : Service achat entreprise X, M. Dupont directeur commercial, entreprise X etc. Le traitement informatique du fichier des abonnés ne permet pas de déceler les multiples abonnements d'une entreprise présentés sous des noms différents et dont l'échéance varie. En conséquence j'adopte la procédure suivante :

1. Contact du service de comptabilité et des achats en vue de vérifier :
   - l'existence d'un ou de plusieurs abonnements,
   - l'existence d'abonnements payés par l'entreprise mais dont les bénéficiaires reçoivent la revue à leur domicile, quitte à la faire circuler ensuite dans l'entreprise.
2. Muni de cette information, contact avec le service de réception du courrier et identification du ou des destinataires du ou des exemplaires de la revue.
3. Contact avec les réceptionnaires de la revue et prise de connaissance des destinataires habituels (existence ou non de listes de circulation).

4. Interview de tous les destinataires connus en vue de vérifier le fait d'une lecture habituelle ou occasionnelle de la revue étudiée et de connaître les destinataires de leur service non mentionnés sur les listes de circulation.

La démarche est lourde et laborieuse, mais il n'y en a pas d'autres. Il n'y a pas de mode de circulation standard des revues à l'intérieur d'une entreprise, les cas d'espèces sont nombreux. Adopter une démarche superficielle conduit à minimiser le nombre des lecteurs réels ou à l'augmenter artificiellement. On peut être le destinataire prévu d'une revue et ne jamais la consulter. La démarche superficielle conduit inévitablement à augmenter artificiellement la part relative des lecteurs dans les petites entreprises (ils sont peu nombreux par entreprise), à ignorer des lecteurs des grosses entreprises. Les revues professionnelles ne sont pas d'une actualité brûlante, le temps de circulation peut être long, d'où l'obligation de recenser les différents lecteurs.

Devant ensuite consulter les lecteurs sur leur attachement à une revue et l'intérêt qu'ils y portent, qui devrons-nous interroger ?

Compte tenu de la démarche que je suggère pour déceler les lecteurs, il va de soi qu'un dépouillement de l'information recueillie s'impose et qu'il faudra procéder à une deuxième phase d'étude. L'analyse de la structure des lecteurs repérés nous guidera dans la constitution de l'échantillon final. Qui la direction de la revue désire-t-elle consulter : les membres de la direction générale, des services commerciaux ou techniques ? Quel dosage paraît le plus judicieux en fonction de l'objectif poursuivi ? Selon la forme du questionnaire, avec ou sans présentation de documents, et selon sa longueur, on adoptera soit l'interview en tête-à-tête, soit l'interview par téléphone. La consultation par correspondance est décevante, le taux de retour des questionnaires est imprévisible.

On a ainsi touché du doigt les particularités de l'étude de l'audience des revues professionnelles. Leur prix de revient élevé conduit souvent à adopter des procédures superficielles dont l'étude par correspondance. Dans ce cas, on attend du répondant éventuel de nous indiquer qui dans son entreprise lit la revue étudiée et on espère que son opinion personnelle coïncide avec celle de ses collègues ou supérieurs non consultés. Dans toute étude de marchés, il y a pratiquement toujours à choisir entre plusieurs solutions quant à l'échantillonnage, à la forme du recueil, aux personnes consultées, au contenu du questionnaire. La solution adoptée est un compromis plus ou moins satisfaisant.

4. L'ÉTUDE DES MOYENS DE TRANSPORT ET DE LEUR CLIENTÈLE

Le marché des moyens de transport couvre un vaste champ d'études et nécessite d'importants budgets. La SNCF, la RATP, Air France, Air Inter etc. disposent de services d'études commerciales dont certains emploient plusieurs dizaines de chargés d'études, voire même, pour l'un des transporteurs, plusieurs centaines. L'analyse du contenu des problèmes étudiés nécessiterait à elle seule plusieurs centaines de pages. Je me bornerai à énumérer une série de domaines et à décrire sommairement le contenu des études.

On relève les différents types d'études suivants, la plupart communs aux différents moyens de transport :

1. Création de nouvelles lignes

Le sondage n'est pratiquement pas utilisé dans ce cas. Son apport est faible ou il est le fait de groupes de pression pour lesquels le sondage est utilisé à des fins de propagande pour ou contre la création de nouvelles lignes. Les études économiques, l'intervention du pouvoir politique, jouent un rôle déterminant dans la décision de création de nouvelles lignes de transport, qu'il s'agisse de lignes aériennes, de lignes de chemin de fer, d'autobus ou d'infrastructure routière.

2. Le marché des lignes de transport

En matière de trains, d'autobus ou de trafic routier, les opérations de comptages exhaustives ou par sondages (choix de périodes de comptages) sont d'une pratique courante. L'existence de titres de circulation par abonnement ou à tarif préférentiel (cartes hebdomadaires, carte orange etc.) ne permet pas au transporteur d'évaluer le nombre des voyageurs selon les différents jours et heures de la journée. Continus au long de l'année, en ce qui concerne certains comptages routiers, les comptages opérés sur les lignes de chemins de fer ou d'autobus sont ponctuels. Leur but est d'accroître ou de diminuer le nombre des trains ou des autobus à différentes heures de la journée sur une période de durée variable. La notion de sondage représentatif échappe à ce type d'intervention. La comparaison des résultats de plusieurs séries de comptages réalisés dans des conditions semblables sert de base à l'interprétation des données.

Le trafic aérien, en revanche, est connu, au jour le jour, grâce à l'enregistrement systématique des voyageurs.

3. La structure de la clientèle des lignes de transport, l'étude de son comportement et de son opinion

Dans la majorité des cas, tout au moins pour les liaisons ferroviaires ou par autobus, la distribution des questionnaires, à tout ou partie des voyageurs, est une pratique courante. Les questionnaires sont récupérés au cours du voyage, placés par les voyageurs dans des urnes le jour même ou le lendemain ou réexpédiés par la poste. La représentativité statistique des résultats est difficile à contrôler. Régulières ou ponctuelles ces consultations ne touchent qu'une partie des voyageurs : ceux qui acceptent de remplir un questionnaire. Au prix d'effectifs importants du personnel d'étude, on parvient à obtenir des taux de retour qui, dans certaines opérations, atteignent 80 %. Les questionnaires sont en général très courts. La connaissance des origines-destinations des différents trajets constitutifs d'un déplacement est l'objet principal de la recherche.

Les transporteurs aériens procèdent à des consultations fréquentes des voyageurs à l'aide de questionnaires standards. Là encore, les résultats sont inégaux, liés à la bonne volonté variable du personnel navigant commercial (PNC) et des passagers. J'ai suggéré à un transporteur aérien de réaliser, sur chaque ligne aérienne, des sondages organisés de la manière suivante :
— Désignation pour chaque vol d'un nombre limité de sièges, variable selon la taille de l'avion, et remise d'un questionnaire à chaque occupant de ces sièges. Lors de voyages à escales multiples, plusieurs personnes occupent à tour de rôle certains sièges, d'où le recueil d'un ou plusieurs questionnaires par siège sélectionné.
— Le questionnaire a un contenu précis, d'où l'utilisation de plusieurs formes de questionnaires. Je citerai entre autres : l'opinion des voyageurs consultés sur l'accueil et l'enregistrement aux aéroports, l'opinion sur la restauration à bord, sur le personnel navigant, sur le confort à l'intérieur des avions etc. Les questionnaires standards à sujets multiples déçoivent les voyageurs et

246

n'apportent pas d'informations détaillées sur les différentes composantes du voyage.

La procédure conseillée, quelques voyageurs consultés par vol et ceci à longueur d'année, demande peu de temps aux hôtesses et stewards pour distribuer quelques questionnaires et les récupérer.

4. L'Étude des nouveaux matériels.

La mise en service de nouvelles voitures, de train, de métro ou de nouveaux autobus peut faire l'objet de sondages au même titre que les prototypes de voiture qui bénéficient d'études par sondage préalablement à leur fabrication.

5. Les études globales. La situation de concurrence entre les différents moyens de transport

L'agglomération parisienne forte de plus de 9 000 000 de personnes, dispose d'un important réseau de transports en commun que se partagent plusieurs transporteurs : la R.A.T.P. pour le métro, pour une partie du RER, pour les autobus ; la S.N.C.F. pour les lignes de banlieue et deux lignes du RER dont l'une traverse Paris ; les sociétés privées regroupées en association ; l'A.P.T.R. qui dessert une partie de la banlieue parisienne, grâce à des lignes d'autobus. Les transports privés par autobus destinés au ramassage scolaire ou aux transports du personnel de certaines grandes sociétés ou services publics, ainsi que les cars desservant les aéroports de Roissy et d'Orly échappent le plus souvent aux études globales du transport des voyageurs en région parisienne. L'existence de titres de transport communs à différents transporteurs (carte orange et cartes hebdomadaires) justifie la réalisation d'études globales en vue de fournir une répartition convenable des recettes et des subventions de l'État et des entreprises. Entre deux approches, la consultation des voyageurs en situation (à l'entrée ou à la sortie des gares ou points d'arrêts ou encore à l'intérieur des voitures) et la consultation à domicile de la clientèle, c'est cette deuxième solution que l'on adopte le plus souvent. La constitution d'un échantillon représentatif de voyageurs en situation est particulièrement complexe, elle suppose que l'on connaisse à l'avance la répartition des trajets effectués sur chacun des moyens de transport, or c'est précisément le but de ces études.

Le coût de ces sondages conduit à limiter la taille de l'échantillon observé à quelques milliers. Un échantillon de 20 000 voyageurs serait le bienvenu, il permettrait une analyse plus fine des résultats à l'intérieur de la région. Outre son coût, une telle étude n'entre pas dans la capacité de réalisation d'un institut de sondages privé. Il faudrait alors envisager le recours à un pool de sociétés ou ce qui a ma préférence étaler la période d'interview sur une année entière. Traditionnellement les mois d'octobre et de novembre et, à la rigueur, de janvier ont la préférence des transporteurs urbains. On assiste alors à cette situation paradoxale que quelques instituts reçoivent plusieurs appels d'offres émanant de la région parisienne et de grandes agglomérations de province, pour une exécution à des dates communes. En dehors de ces études globales, certains transporteurs exploitent des panels de voyageurs consultés périodiquement.

La méthode des quotas est généralement utilisée. Il n'existe pas en effet de listes de foyers de la région parisienne. Seul l'INSEE, utilisant les questionnaires des logements du recensement et au prix d'une mise à jour indispensable, pourrait adopter un échantillonnage par tirage aléatoire des ménages, puis des individus. La répartition géographique des interviews à l'intérieur de l'agglomération parisienne, qui compte près de 300 communes, est une préoccupation majeure. Le souci de rigueur imposerait de disposer de la stucture détaillée de la population de chaque commune, par ilôt, avant de sélectionner les points d'enquête. On est contraint de procéder à une sélection intelligente des communes et des quartiers, sans tenir compte de la desserte par les transports en commun, en maximisant le nombre de quartiers et en limitant à quelques unités le nombre d'interviews par quartier. Grâce aux péages automatiques reliés à un centre de calcul, le métro et le RER fournissent des données sur l'importance du trafic et leurs résultats servent à apprécier, dans une certaine mesure, la valeur des résultats du sondage. Le réseau S.N.C.F., partiellement équipé en postes de péage, n'offre pas cette possibilité. Il en est de même pour les déplacements en autobus qui justifient d'opérations de comptage ponctuelles à des périodes variables sur l'ensemble du réseau. La représentativité statistisque de ces sondages est alors difficile à évaluer. La population des ménages collectifs (maison de retraite, casernes, internats, communautés, foyers de travailleurs) échappent au sondage. J'ai pris cet exemple à dessein, pour mettre en relief l'importance des moyens à mettre en œuvre pour ce type d'échantillon, le professionnalisme et le savoir faire qu'il exige. Les calculs d'erreur que l'on effectue ont un caractère artificiel. On est conduit à assimiler l'échantillon consulté à un échantillon aléatoire. Il n'en demeure pas moins que les résultats obtenus, quand ils recoupent des statistiques fiables, ont leur valeur. Il est probable que l'interview quotidienne par téléphone tendra à se substituer à l'interview en tête-à-tête complétée par une phase de questionnaire auto-administré.

Aux difficultés liées à l'échantillonnage s'ajoutent les problèmes posés par le recueil des données. L'interview ponctuelle relative aux déplacements de la veille a comme conséquence le recours à un très vaste échantillon et l'absence de résultats portant sur les déplacements effectués en une semaine ou davantage. En conséquence, on crée des panels de courte durée, une semaine par exemple. Chaque personne interrogée est visitée deux ou trois fois, entre chaque visite elle est invitée à décrire sur un questionnaire les déplacements qu'elle a réalisés, en précisant pour chacun : le motif, l'origine et la destination, le ou les moyens de transports utilisés. Il est probable que certains déplacements sont oubliés. L'utilisation de la carte orange permet d'effectuer un nombre illimité de déplacements en une journée. C'est le fait de certains voyageurs dont le lieu de travail ou d'étude impose des déplacements fréquents dans la journée. J'ai en mémoire le cas d'un étudiant ayant emprunté 12 fois l'autobus en une journée, allant de la Porte Dauphine à Vincennes, mais aussi dans le quartier Latin et à Montparnasse. Ses semblables avaient-ils reconstitué avec autant de soins leurs déplacements en précisant pour chacun les lieux précis de départ et d'arrivée ?

Le dépouillement est l'un des plus complexes qui soient, compte tenu des erreurs de transcription des points d'origine et de destination, des erreurs de codification des gares, stations de départ, de changement ou d'arrivée, des erreurs de saisie enfin. A une relecture manuelle exhaustive, j'ai toujours préféré un apurement sur ordinateur qui révèle l'incohérence des stations de correspondance entre deux moyens de transports, les inversions de sens de parcours... Lors d'un apurement de cette nature, j'ai utilisé 256 passages sur ordinateur avant de livrer la bande informatique à mes clients. Ceci sous-entend la préparation minutieuse d'un programme d'apurement qui doit être écrit au moment même où les interviews se réalisent et non élaboré à la hâte et rafistolé au coup par coup. Tâche fastidieuse qui, malheureusement, ne peut être partagée. Le nombre de variables est tel qu'une seule personne est en mesure d'en maîtriser l'ensemble grâce à l'emploi d'une symbolique mnémonique personnelle, dûment répertoriée.

L'étude des transports en commun bénéficie de l'existence de lignes qu'empruntent des véhicules. La tâche est plus complexe lorsqu'il s'agit d'étudier les parcours urbains en véhicule individuel. J'ai eu connaissance d'une étude de 80 000 déplacements reportés chacun sur un plan d'agglomération. L'étude n'a jamais été dépouillée. Le recueil était fidèle, l'exploitation pratiquement irréalisable sauf à y consacrer des milliers d'heures par la création de points caractéristiques de passages, se substituant à l'enregistrement d'itinéraires. C'est la procédure utilisée dans les études de supports d'affichage. On dénombre les passages des piétons ou des personnes transportées à une série de points caractéristiques choisis au préalable en ignorant les itinéraires réels entre deux points caractéristiques.

4e PARTIE
LE TRAITEMENT
DES DONNÉES

INTRODUCTION.
UN BREF RAPPEL HISTORIQUE

J'emprunte à Mark L. Gillenson, membre du ''IBM Systems Research Institute'' de New York, les principaux faits qui illustrent l'histoire des dénombrements ou comptages, base de tout traitement des données (Database, Step by Step. John Wiley et Sons Inc. New York, 1985).

L'auteur fait remonter au 10ᵉ siècle avant Jésus-Christ les premiers dénombrements utilisés par les hommes. Il rappelle qu'actuellement certains bergers irakiens procèdent encore au comptage de leurs moutons en utilisant des cailloux ; chaque caillou placé dans un sac correspond à l'entrée d'un mouton dans une aire de pacage, chaque caillou jeté hors du sac correspond à la sortie d'un mouton. Grâce à cette ''mémoire'' (l'ensemble des cailloux) le berger est en mesure de dénombrer les moutons manquant à l'appel. Ce serait l'une des plus anciennes formes de dénombrement. L'auteur signale la découverte en Iran de jetons identifiant différents objets et datant de 8500 ans avant l'ère chrétienne. Des découvertes semblables ont été faites en Turquie, au Pakistan, au Soudan, etc.

Les encoches pratiquées sur des bâtons de bois ont été utilisées à des fins de comptages des achats effectués, ainsi que la confection d'une série de nœuds sur une corde. Il s'agissait d'une mise en mémoire d'opérations régularisées à terme. J'ai constaté, en mai 1940, la survivance de la pratique des encoches faites sur des bâtons dans des boulangeries vendéennes, pour enregistrer les achats de pain des clients habituels.

La comptabilité à double entrée serait apparue pour la première fois en 1 340 chez un commerçant de Gênes. Mais il faut attendre la première machine à calculer de Blaise Pascal, en 1640, et surtout celle de Leibniz en 1694, pour voir apparaître le début d'une mécanisation des opérations de calculs. L'invention d'un système à cartes perforées introduit dans un métier à tisser, due à Joseph-Marie Jacquard en 1805, allait ouvrir la voie des machines de traitement. A propos du système mis au point par Jacquard, Mark L. Gillenson écrit : ''Bien que le procédé Jacquard ne fût pas destiné à des fins de comptages ou de calculs, le stockage d'informations sur des cartes perforées constituait un procédé intelligent qui devait avoir une grande importance dans les dispositifs utilisés ensuite pour le calcul des données''.

Très impressionné par le procédé mis au point par Jacquard, le mathématicien anglais Charles Babbage eut l'idée, en 1833, d'une machine à calculer complexe (The analytical Engine). Les instructions de calculs stockés sur cartes perforées étaient introduites dans la machine en même temps que les cartes contenant les données. C'est toutefois à l'ingénieur américain Herman Hollerith que l'on doit la création des premières machines de traitement statistique à base de cartes perforées. Il mit au point les premières perforatrices et la première trieuse électro-mécanique (''sorter'' en anglais). Ce matériel fut utilisé pour dépouiller le recensement de la population des Etats-Unis en 1890. Le recensement de 1880, dépouillé entièrement à la main, avait nécessité 7 ans de travail. Les données du recensement de 1890, reportées sur cartes perforées, bénéficièrent d'une première exploitation globale un mois après la fin du recensement, l'ensemble des résultats fut livré dans les deux années qui suivirent. A un gain de temps considérable s'ajoutaient des possibilités nouvelles de dépouillement.

La carte perforée, document d'enregistrement des données et des instructions de calcul, connut un grand développement entre 1900 et 1960 avant de laisser progressivement la place aux bandes magnétiques, rubans perforés, disques et disquettes qu'utilisent les ordinateurs actuels. Pendant et peu de temps après la deuxième guerre mondiale apparurent les premiers ordinateurs destinés aux calculs scientifiques, à des fins militaires.

C'est au début des années 60 que naît en France l'utilisation de l'ordinateur pour le dépouillement des sondages, utilisation timide au début, due à l'absence de logiciels spécifiques et au coût du passage sur ordinateur. En 1987, la saisie des données sur cartes perforées est une survivance. La saisie sur bandes ou sur disques l'a remplacée dans une très large mesure. Toutefois la création de blocks de 80 positions (à l'image des 80 colonnes de la carte perforée) et la numération duodécimale de la carte perforée (O, 1, 2, 3, 4, 5, 6, 7, 8, 9 plus le hors texte, par convention : 11 et 12 ou X et Y) figurent encore dans plusieurs logiciels de traitement. La possibilité d'introduire plusieurs informations dans une seule colonne de cartes a été très vite adoptée par les instituts de sondages, compte tenu du gain de place et de temps de saisie obtenu au grand désespoir des constructeurs de machines et des sociétés de service informatique pour lesquels la perforation anarchique de positions multiples constituait une hérésie.

Les premiers logiciels français de dépouillement des sondages nécessitaient l'emploi de gros ordinateurs. Je citerai pour mémoire : P.V.S.

de la Sogreah conçu par Henri Bergonnier et son équipe, Praline de Sousselier alors chez IBM, Placide d'Ernest Coppermann à C.F.R.O. le premier programme permettant d'utiliser les cartes à perforations multiples anarchiques, Daphnée mis au point par la S.E.M.A. etc. Certains de ces logiciels ont été développés et rajeunis sous d'autres noms, d'autres ont disparu. La puissance des micro-ordinateurs actuels permet l'utilisation de ces logiciels conçus à l'origine pour de grosses machines, mais au prix d'un temps de calcul plus ou moins long.

1. GÉNÉRALITÉS SUR LE TRAITEMENT DES DONNÉES

Le dépouillement d'une étude par sondage, d'un recensement ou d'une série de documents homogènes, nécessite plusieurs phases. Le mot traitement convient d'ailleurs mieux à l'ensemble des opérations effectuées sur des données recueillies.

Sont incluses dans le traitement les opérations suivantes :
1. La mise en forme du document de recueil, déjà évoquée plus haut, mais reprise pour certains de ses aspects.
2. La relecture ou contrôle systématique de tout ou partie du contenu des documents.
3. La codification des données non chiffrées (questions ouvertes).
4. La saisie des données.
5. L'écriture du programme de traitement.
6. L'apurement des données.
7. Le redressement des échantillons.
8. La création de tableaux de résultats.
9. Les traitements statistiques ou l'analyse des données.
10. L'exploitation des résultats, la rédaction d'un rapport d'étude.

Dans cette énumération on notera le nombre et l'importance des opérations manuelles. Seule une partie du traitement (apurement, redressement, création de tableaux, programmes, analyse des données) est automatique. Dans le traitement classique des quatre dernières décennies, les opérations manuelles sont nombreuses. Dans les organismes de panel, la relecture et la codification nécessitaient, à certaines époques, plus de deux cents personnes auxquelles s'ajoutait l'équipe de saisie.

Les choses sont en train de changer, grâce au développement du système C.A.T.I. que permet le recours aux interviews par téléphone. Le questionnaire est frappé une seule fois. Le contenu apparaît sur écran, l'enquêteur note les réponses au fur et à mesure qu'il pose le questionnaire. Les réponses dont la cohérence et la logique sont vérifiées instantanément sont stockées et prêtes à être exploitées. Le libellé des questions et des éventualités est récupéré dans les tableaux de résultats. Le personnel de saisie est remplacé par l'enquêteur lui-même. Les sondages réalisés grâce à l'utilisation du Minitel préfigurent l'avenir, la personne interrogée s'est substituée à l'enquêteur et à l'opérateur de saisie. L'économie de temps est considérable. Le coût des travaux manuels est négligeable. De nouveaux coûts apparaissent : le prix des communications téléphoniques.

Il faudra attendre plus d'une dizaine d'années avant de voir disparaître le traitement classique dans lequel les opérations manuelles occupent une large part.

Dans cette quatrième partie, je m'appliquerai à développer le chapitre consacré à la création de tableaux de résultats, point sur lequel on n'insiste généralement pas, tant il apparaît évident que tout le monde sait construire et lire un tableau de chiffres et de pourcentages. Expérience faite auprès de nombreux chargés d'études et de destinataires des résultats, la mise en forme des tableaux de chiffres ou de pourcentages et leur interprétation méritent qu'on s'y attarde. Comme je l'ai déjà souligné dans l'introduction de ce livre, je relaterai sommairement différents traitements statistiques qui complètent les tableaux de base. D'autres auteurs et spécialistes, plus compétents que moi, leur ont consacré de multiples ouvrages ou articles.

2. LA RELECTURE

La relecture des questionnaires après interview est une opération "manuelle" (on dit manuel au même titre que l'on parle de dépouillement manuel, par opposition au dépouillement sur ordinateur). Son objet est multiple :

1. Réparer des erreurs ou omissions, par exemple : corriger la réponse "non" notée par erreur, alors que les réponses aux questions suivantes imposaient la réponse "oui" ; compléter une ou des réponses évidentes manquantes telles que le sexe de la personne interrogée lorsque les réponses à plusieurs questions permettent de le déterminer à coup sûr ; indiquer le numéro de département grâce à la notation de la localité habitée...

2. Vérifier la cohérence des réponses à une série de questions. C'est notamment le cas des études relatives aux déplacements en transport en commun : vérifier l'enchaînement logique des trajets et la notation des points de correspondance etc. Un autre exemple est donné par les études d'audience de la radio ou de la télévision : supprimer les moments d'écoute à des heures sans émission réelle.

3. Vérifier la bonne notation des nombres, leur lisibilité.

4. Préparer le travail de saisie afin de fournir des documents propres.

Certains imposent à leurs enquêteurs une relecture systématique de leurs questionnaires et pénalisent les oublis. C'est une arme à double tranchant, une incitation à compléter au jugé des questions sans réponse. La relecture est le plus souvent confiée à une équipe de codificateurs sur la base d'un plan de relecture. Cette tâche est fastidieuse et demande une attention soutenue. La relecture d'un questionnaire complexe à base de données factuelles interdépendantes n'est jamais parfaite. Certaines erreurs sont ignorées, d'autres créées. Le souci de relecture engendre parfois des travaux inutiles ou des corrections abusives. Cette attitude traduit souvent un manque de confiance dans les possibilités du traitement informatique. L'utilisation de programmes de saisie cohérente et de dépouillement permet de réduire considérablement les opérations de relecture manuelle. Repérer et corriger trois erreurs dans une question sur cent questionnaires, conduit à procéder à cent vérifications. On choisira de demander à la machine de signaler les numéros de questionnaires comportant des erreurs et des omissions grâce à un programme de repérage d'une série d'erreurs éventuelles. Les programmes de dépouillement existant sur le marché, commodes et rapides d'emploi, permettent un apurement sur des fichiers. Postérieur à la saisie des données, l'apurement informatique décèle à la fois les erreurs dues aux enquêteurs, aux relecteurs éventuels et enfin au personnel de saisie. Chaque fois que le besoin de relecture des interviews paraît s'imposer il faut réfléchir à ce qui peut être fait sur machine. Des centaines d'heures de travail manuel sont utilisées pour des tâches que l'informatique permet de résoudre en quelques heures de programmation et quelques minutes d'ordinateur qui, outre la correction automatique évidente de certaines erreurs et le listage des questionnaires à vérifier, fournit un état complet du nombre et de la diversité des erreurs.

L'utilisation d'un système CATI, visualisation sur écran d'un questionnaire posé par téléphone, avec contrôles logiques, signalisation des erreurs commises, supprime l'opération de relecture des questionnaires dont le prix de revient est difficile à évaluer et souvent sous-estimé.

3. LA CODIFICATION
DES QUESTIONS OUVERTES

1. LE PRINCIPE

L'objet de la codification est d'interpréter, sous forme de codes numériques, des réponses à des questions ouvertes (séries de mots ou de phrases) en vue d'un traitement quantitatif. La codification des quantités regroupées en classes, des années de naissance interprétées sous forme de catégories d'âge, du regroupement des départements en régions etc, n'a plus de raison d'être. Lorsqu'elle est pratiquée (une survivance de l'époque où l'utilisation de la carte perforée imposait une limitation des données à saisir), elle est source de travaux inutiles et d'erreurs. Le regroupement de données brutes en classes est une opération élémentaire dans tout logiciel de dépouillement. Une codification manuelle ne s'impose jamais lorsque les réponses à des questions ouvertes se présentent sous forme de chiffres. La saisie directe est de règle.

La codification (ou codage) doit respecter deux règles essentielles :
1. Préparation d'une liste de référence, résumant fidèlement l'ensemble des réponses.
2. Adoption d'un nombre limité de rubriques ou codes.

La mise en valeur de réponses peu répandues, de l'ordre de 1 % ou un peu plus, offre peu d'intérêt quant à l'utilisation des résultats. Cette règle s'impose lorsque les questions ouvertes ont trait à l'expression d'opinions, de motifs, de justifications, de souvenirs de messages publicitaires etc. S'agissant de marques utilisées, de modèles de voitures, de noms d'acteurs ou d'hommes politiques, de titres d'organe de presse, de modèles d'ordinateur etc, plusieurs dizaines, voire même plusieurs centaines de rubriques sont créées, le plus souvent en pure perte. On ne s'en rend compte qu'a posteriori.

2. L'ÉTABLISSEMENT D'UN CODE

L'établissement du code d'une question ouverte résulte du choix entre trois démarches dont chacune a sa justification.

2.1. *Préparation d'un code à la suite d'un dépouillement manuel préalable.*

On relève sur fiches le contenu exhaustif de chaque réponse à une question ouverte. Ce relevé est effectué sur tout ou partie des questionnaires : tous les questionnaires lorsque l'échantillon regroupe quelques centaines d'interviews, une partie, soit quelques centaines (3 ou 4), lorsque l'échantillon atteint ou dépasse le millier d'interviews. On procède ensuite à l'établissement de la liste des codes en regroupant sous une même rubrique les réponses reflétant une idée commune. Plus le nombre de rubriques créé est grand, plus grande est la difficulté de choisir le code approprié de chaque réponse. Quoi que l'on fasse, toute codification d'idées ou d'opinion entraîne une altération ou une simplification arbitraire des réponses obtenues. On améliore la qualité de la codification en précisant le sens de chaque rubrique d'un code et ceci de plusieurs manières :

1. Une phrase, une série de mots ou un qualificatif résume le contenu du code.
2. Quelques citations issues des questionnaires illustrent ce contenu.
3. On précise les limites de la rubrique en signalant notamment les réponses vagues ou trop précises qui trouvent leur place dans d'autres rubriques.

C'est ainsi que j'ai procédé chaque fois que j'ai eu a préparer des codes. Après l'établissement du code, une séance d'explication est nécessaire : informer chaque codificateur du contenu du code. Plusieurs contrôles en cours d'exécution du travail sont effectués pour régler les cas ambigus ou redresser certaines erreurs d'interprétation. On déplore souvent que la codification des questions ouvertes est mal faite, mais a-t-on pris suffisamment de soin et de temps à préparer la liste des rubriques, à la commenter et à en vérifier l'utilisation ?

Dans la préparation d'un code on doit éviter plusieurs écueils :

1. Le recours abusif à la rubrique "autres réponses" ou "réponses diverses" qui manifeste une préparation insuffisante du code ou la prise en compte de réponses vagues, sans intérêt ou hors sujet.
2. Le rejet systématique des réponses hors sujet. Elles n'ont de place nulle part et surtout pas dans la rubrique "autres". Toute réponse sans rapport avec le sens de la question posée n'est pas codifiée.

L'établissement d'un code est facile lorsqu'il s'agit de réponses relatives à des marques, des noms propres ou des modèles d'appareils, à ceci près que nombre de citations sont incomplètes, déformées ou fausses. On classera les noms dans l'ordre alphabétique pour faciliter le travail des codificateurs.

2.2. *Utilisation d'un code préétabli.*

Cette pratique est peu courante. Elle a ma préférence. Quand on pose une question on doit savoir ce que l'on en attend. Cette démarche s'impose chaque fois que l'on a codifié une question ouverte relative au contenu d'un message, d'une annonce ou d'une campagne publicitaires. L'examen du contenu préalable de la publicité suggère, à l'évidence, une série de réponses possibles ayant trait : à la restitution intégrale ou approximative du slogan ou de l'argumentaire, à l'illustration, au scénario, aux personnages et à leurs attitudes etc. L'établissement d'un code au vu du dépouillement manuel des questionnaires provoque une série de mécomptes. L'abondance de certaines réponses est trompeuse, il s'agit aussi bien de bonnes réponses que de mauvaises : rappel d'une publicité ancienne de la marque, évocation d'une publicité concurrente etc. Dès la formulation d'une question ouverte, relative au contenu publicitaire, le chargé d'études doit être en mesure de dresser la liste des éléments dignes d'intérêt. Avant le lancement de l'étude, il examinera avec son client le sort réservé aux réponses hors sujet : les confusions avec des publicités précédentes ou concurrentes. Doivent-elles être comptabilisées ou ignorées ?

La remarque faite s'agissant de la codification du contenu de la publicité s'applique au contenu de la plupart des questions ouvertes recueillant soit des éléments d'information, des motifs, des qualités, des défauts etc. Une question n'est jamais posée dans le vide, elle répond à un objet précis. Une liste de marques ou de noms peut être établie a priori dans la plupart des cas.

2.3. *La méthode mixte : code préparé à l'avance et complété.*

Si la connaissance d'un dossier permet l'établissement préalable des codes des questions ouvertes, il arrive qu'on éprouve le besoin de compléter un code après examen d'une partie des interviews. Cet examen permet de réparer quelques oublis ou invite à intégrer des réponses inattendues telles que l'évocation de publicités concurrentes ou anciennes, dans la mesure où la fréquence des réponses justifie sa prise en considération.

3. LE TRAITEMENT DES QUESTIONS OUVERTES

Le propre d'une question ouverte est l'apport d'un contenu diversifié et plus ou moins important. Les réponses multiples intéressant plusieurs rubriques de codes sont fréquentes. Le nombre des réponses enregistrées est supérieur au nombre des répondants. Dans le dépouillement on prendra soin d'analyser les réponses multiples, de faire la part des personnes n'ayant qu'une réponse et laquelle ? Deux et lesquelles ? etc. Cette approche vaut aussi bien pour les questions suscitant une opinion que pour celles invitant à énumérer des noms de personnalités, des marques ou des modèles. L'étude des associations de réponses est riche d'enseignements.

La recherche de la multiplicité des réponses est bénéfique lorsque dans un questionnaire plusieurs questions ouvertes donnent l'occasion d'exprimer un point de vue sur des marques, des événements ou d'évoquer des noms. Telle qualité, non citée à la première question ouverte posée, peut être citée ensuite lors de la pose d'autres questions ouvertes. Une marque oubliée lors de l'énumération des marques connues peut resurgir dans la réponse à une question postérieure. Je conseille de procéder à un dépouillement prenant en compte un ensemble de questions en ayant fait choix, au préalable, des items ou des noms susceptibles d'être évoqués à différents moments de l'interview. Il est rare qu'une personne interrogée révèle dès le début de l'interview tout ce qu'elle a à dire sur une marque. Si plusieurs questions lui en donnent l'occasion, il est alors indispensable de compléter le dépouillement séparé de chaque question par le dépouillement de plusieurs questions prises comme un tout.

Dans ce chapitre, comme dans beaucoup d'autres, je n'ai pas pour prétention d'avoir épuisé le sujet. Je me suis borné à l'exposé de ce qui me paraissait utile, sachant que toute opération de codification est ingrate, sujette à erreurs. La codification de la situation professionnelle est un exemple classique. Deux équipes de codificateurs ayant suivi la même formation n'aboutissent pas au même résultat. Des divergences de l'ordre de 20 à 30 % sur une codification à deux chiffres de la profession ont été constatées. Un intitulé imprécis, la rencontre de professions rares, d'appellations propres à certaines branches d'activités sont sources d'interprétation divergente.

4. LA SAISIE ET L'APUREMENT DES DONNÉES

4.1. *La saisie des données*

Avant l'apparition de la saisie directe des vidéo-questionnaires par l'enquêteur ou la personne interrogée, les questionnaires issus des interviews devaient être saisis sur un support apte à être utilisé par le matériel de dépouillement : trieuses-compteuses puis ordinateurs. La saisie sur cartes de 80 colonnes est en voie de disparition. La saisie sur cartes des questionnaires de sondages a toujours eu un caractère spécifique qui la rendait étrange pour les opérateurs de saisie, habitués lors de leur formation ou de leur emploi précédent, à des documents administratifs ou comptables. La saisie d'un questionnaire de sondage demande un apprentissage et se prête peu à l'évaluation de normes de rendement. L'absence de réponses à certaines questions, les notations ambiguës ou peu lisibles, les ratures, la présence de réponses multiples prévues ou imprévues, sont autant de surprises pour le personnel non familiarisé avec la saisie des questionnaires. Certains organismes ont utilisé un document intermédiaire entre le questionnaire et la carte : le bordereau de saisie sur lequel était reporté l'ensemble des chiffres correspondant aux réponses d'un questionnaire. A de rares exceptions près, je n'ai pas eu recours à cette pratique qui accroît le délai, les coûts d'exécution et génère une série d'erreurs qu'implique tout recopiage.

L'apparition de la saisie sur bande ou sur disque offre de nouvelles possibilités grâce à l'introduction d'un logiciel de contrôle qui interdit la prise en compte des réponses non valides, le dépassement du code maximum prévu, les réponses incohérentes dues au non respect des questions filtres etc.

Tous les professionnels ont l'expérience soit de questionnaires entiers, soit de parties de questionnaires inexploitables parce que l'auteur du questionnaire a négligé de se préoccuper de la saisie des données. Beaucoup d'erreurs, de temps perdu, sont évités si on s'attache à respecter une série de règles simples que je rappelle :

1. Chaque sondage est identifié par un numéro composé de chiffres ou de lettres et de chiffres que l'on saisit. Ce numéro occupe une place immuable, généralement en tête.

2. Chaque questionnaire est numéroté. La saisie de ce numéro est indispensable pour tout retour éventuel au questionnaire lorsque le dépouillement fait apparaître des erreurs de saisie, des décalages de positions, des oublis de données essentielles.

3. On a toujours intérêt à aligner verticalement les numéros de code d'un ensemble de questions afin de faciliter le travail de saisie et éviter des oublis.

4. Les numéros de position de saisie figurent sur le questionnaire, on les repère soit en utilisant des caractères différents de ceux utilisés pour les numéros de code, soit en les mettant entre parenthèses. On évitera, en revanche, d'encombrer le questionnaire de numéros de saisie superflus. La personne qui saisit le questionnaire ne vérifie pas la position de chaque question élémentaire. Elle perdrait beaucoup de temps. Une vérification au niveau de chaque colonne ou page de questionnaire est suffisante. L'inscription des positions superflues ralentit la frappe du questionnaire et crée une surchage inutile. J'en donne ici quelques exemples :

CE QUI EST UTILE	CE QUI EST SUPERFLU
Revenu mensuel	Revenu mensuel
⌊_⌋_⌋_⌋_⌋ francs	⌊_⌋_⌋_⌋_⌋ francs
(25)　　　　(29) positions	(25) (26) (27) (28) (29)
Notes données à différentes marques (de 1 à 10)	Notes données à différentes marques (de 1 à 10)
Marques	

A	⌊_⌋_⌋ (30-31)	A	⌊_⌋_⌋ (30-31)
B	⌊_⌋_⌋	B	⌊_⌋_⌋ (32-33)
C	⌊_⌋_⌋	C	⌊_⌋_⌋ (34-35)
D	⌊_⌋_⌋	D	⌊_⌋_⌋ (36-37)
E	⌊_⌋_⌋ (38-39)	E	⌊_⌋_⌋ (38-39)
etc.			

5. La série des positions est séquentielle. Cela paraît évident et pourtant j'ai eu entre les mains des questionnaires d'études répétitives où, à l'occasion de l'introduction de questions nouvelles, la numérotation des positions (ou colonnes de cartes) était anarchique, ceci afin de conserver les positions d'origine. Cette démarche est absurde. Elle complique inutilement le travail de saisie. Il est facile de créer après la saisie une bande magnétique à l'image des bandes précédentes, complétée par les données nouvelles.

EXEMPLE A NE PAS SUIVRE :

Question 1 (ancienne) carte 1 (17)
Question 2 (ancienne) carte 1 (18)
Question 3 (nouvelle) carte 2 (9)
Question 4 (ancienne) carte 2 (19)
Question 5 (nouvelle) carte 2 (10)
etc.

Dans le même ordre d'idée et afin de faciliter le travail de saisie, les positions non occupées doivent être signalées sur le questionnaire. Exemple : positions 27 à 40 = espace.

6. Les questions sous forme de tableaux, fréquentes dans certains questionnaires ont des positions ordonnées toujours de la même manière. Dans le cas contraire le temps de saisie est allongé, le risque d'erreurs augmente.

EXEMPLE A NE PAS SUIVRE :

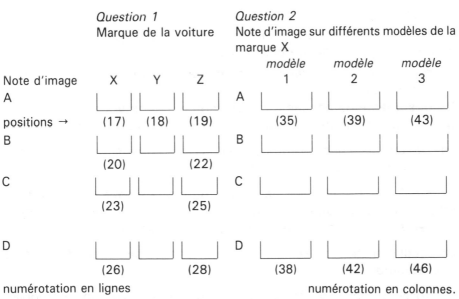

	Question 1 Marque de la voiture				Question 2 Note d'image sur différents modèles de la marque X		
					modèle 1	modèle 2	modèle 3
Note d'image	X	Y	Z	A			
A							
positions →	(17)	(18)	(19)		(35)	(39)	(43)
B				B			
	(20)		(22)				
C				C			
	(23)		(25)				
D				D			
	(26)		(28)		(38)	(42)	(46)
numérotation en lignes					numérotation en colonnes.		

Cette manière de procéder traduit une négligence et une méconnaissance des problèmes rencontrés par les opérateurs de saisie. Lors du traitement, il est aisé de changer l'ordre de saisie des positions chaque fois que la présentation des tableaux de résultats rend souhaitable cette opération.

7. Chaque organisme de sondages a adopté une présentation des plans de saisie qui lui est propre. Lors de la réalisation de sondages dans plusieurs pays, le maître-d'œuvre impose un plan de saisie dont la présentation est inhabituelle. Le fait de s'y conformer augmente les risques d'erreurs. La sagesse impose d'adopter la démarche habituelle et de fournir une bande magnétique, ou une disquette apurée conforme à la demande.

8. L'organisation de la saisie est faite en fonction du programme de traitement et des caractéristiques de l'ordinateur.

9. Dans les négociations avec un client la présence d'un spécialiste du traitement n'est pas toujours possible ou prévue. Il est du plus grand intétêt que le personnel en contact avec la clientèle ait bénéficié d'une formation de base (quelques heures suffisent) sur la saisie des données. Cette pratique est payante, elle évite les malentendus et les travaux de mise en conformité des données saisies avec le logiciel de traitement.

En matière d'études de marchés, la notion de niveau de référence intervient fréquemment ainsi que la présence de séquences filtrées (groupe de questions posées à un ou plusieurs sous-univers). Un exemple illustrera cette situation :

Le sondage concerne un échantillon de ménages interrogé sur l'automobile. Le questionnaire contient :

1. des questions posées au chef de ménage utilisateur d'une automobile,
2. des questions posées dans un ménage sans voiture,
3. des questions relatives à une ou plusieurs voitures du ménage.

Le plan de saisie tiendra compte de ces différentes situations en identifiant chaque section du questionnaire :

Un block comprendra les éléments communs à tous les ménages : numéro d'étude, numéro du ménage, questions communes aux possesseurs et non possesseurs de véhicules automobiles.

Un second block est réservé aux seuls ménages disposant d'au moins une automobile.

Un troisième block est réservé aux non possesseurs d'une automobile.

Un quatrième block prend en compte chacun des véhicules possédés par le ménage.

Chaque block est identifié par le numéro du ménage et un numéro ou lettre propre à chaque block. Tout se passe comme si on disposait de quatre fichiers indépendants, de structure et de dimensions différentes, n'ayant en commun qu'un numéro de ménage.

Si l'échantillon comprend 2 000 ménages par exemple :

2 000 appartiennent au tronc commun du questionnaire.
1 500 (nombre arbitraire) appartiendront au deuxième block de positions, les possesseurs.
  500 appartiendront au groupe des non possesseurs.
1 800 véhicules seront enregistrés dans le quatrième block à raison d'un, deux, trois véhicules par ménage.

Les trois premiers blocks correspondent au niveau ménage.

Le quatrième block, au niveau véhicules.

En résumé, chaque ménage occupe sur la bande de saisie un nombre variable de positions. Ce cas est relativement simple, il illustre le fait que la saisie ne prend en compte que les éléments utiles convenablement mis en ordre et repérables.

La bande du recensement de la population permet la prise en considération de multiples niveaux :

— le niveau géographique,
— le niveau district ou îlot,
— le niveau immeuble,
— le niveau logement ou ménage,
— le niveau famille,
— le niveau individu.

Le dépouillement peut être fait selon chaque niveau pris séparément avec possibilité de passer d'un niveau à l'autre lors du traitement. Les données propres à chaque individu peuvent être analysées en fonction des caractéristiques de l'immeuble habité (ancienneté, nombre de logements etc.) sans qu'il ait été nécessaire de saisir au niveau de chaque individu toutes les données du ménage, du logement, de l'immeuble. Le numéro de l'individu contient la clé de passage aux différents niveaux supérieurs.

Peu de logiciels de dépouillement sont en mesure de prendre en compte un nombre élevé de niveaux, mais il est toujours possible de créer des bandes à un seul niveau sur lesquelles les informations issues d'autres niveaux sont reportées.

Je le rappelle, l'organisation de la saisie et du dépouillement d'un sondage intervient dès l'élaboration du questionnaire. Si ce n'est pas le cas, on s'expose à des travaux de remise en forme des données qui entraînent des pertes d'information, des délais et des coûts supplémentaires.

4.2. L'apurement des données

La relecture des questionnaires avant l'opération de saisie, longue et fastidieuse, a pour objet de relever les erreurs, les oublis de notation, les incohérences évidentes. Le lecteur connaît maintenant mon point de vue sur cette démarche. Elle n'est jamais complète, de nouvelles erreurs sont créées. Je lui préfère l'apurement informatique a posteriori avec un programme convenablement étudié. Il est fréquent de constater qu'un programme d'apurement nécessite davantage de temps de préparation que l'écriture du programme de traitement. Le temps d'ordinateur et le nombre de passages sur machine sont également plus élevés que lors du dépouillement proprement dit. S'agissant de questions d'opinion ou d'attitude, les réponses contradictoires sont acceptées, en matière de données factuelles interdépendantes les incohérences dans les réponses sont inacceptables. Comment admettre un rendement de 1 000 quintaux de blé à l'hectare dans un ou plusieurs questionnaires ? Une des deux données : ''production ou surface emblavée'' est erronée. On corrigera l'une ou l'autre ou on annulera l'information sur ce questionnaire ; elle rejoindra le lot des ''sans réponse''.

Construire un programme d'apurement consiste donc à prévoir la liste des incohérences vraisemblables entre les différentes données recueillies.

Un bon exemple d'apurement est donné par les études de déplacements. Un déplacement est défini par une origine et une destination, un ou plusieurs moyens de transports, et un ou plusieurs trajets (un trajet représente un parcours sans changement de véhicule). La saisie enregistre sous forme de numéros de code : les points d'origine et de destination (numéros de commune et/ou de quartiers) les gares ou stations d'origine et de destination de chaque mode de transport. On peut imaginer de procéder à une relecture attentive de chaque questionnaire pour vérifier la cohérence des éléments définissant le déplacement. Je m'y suis toujours opposé. L'ordinateur est fait pour cela. On définira dans le programme un certain nombre de conditions de cohérence et on fera ressortir les numéros des questionnaires contenant une ou plusieurs erreurs clairement répertoriées.

La recherche des erreurs est d'autant plus aisée que l'on a, au moment de la codification, pris un certain nombre de précautions :

Chaque mode de transport en commun, train, métro et R.E.R. (éventuellement), autobus urbain et interurbain, bénéficiera d'un numérotage séquentiel (code) des stations ou points d'arrêt qui lui est propre. Chaque ligne sera également définie par une séquence de numéros de stations. Un point de correspondance entre deux modes de transport sera affecté d'un code propre à chaque mode.

L'apurement fera apparaître les questionnaires entachés d'erreur de notation par les enquêteurs ou de codification a posteriori :

- Incompatibilité entre un numéro de station et un moyen de transport.
- Erreur dans le sens de circulation révélée par la série des numéros de stations.
- Correspondances impossibles (sauf à imaginer une très longue marche à pied ou l'utilisation d'un taxi entre deux modes de transport).
- Invraisemblance entre la localité d'origine et la station d'origine du déplacement (On ne peut commencer un déplacement à Garges-les-Gonesse par le train quand on déclare avoir quitté son domicile à Juvisy, erreurs de codification manifestes de la localité ou de la gare ou des deux).

On prévoit ainsi une série de plusieurs dizaines d'incohérences (ou erreurs) possibles et on listera, grâce au programme d'apurement, les numéros de questionnaires comportant une ou plusieurs erreurs. Certaines erreurs sont corrigées sans retour au document d'origine, telle que celle constatée dans le sens du parcours d'un trajet incompatible avec le sens général du déplacement. En revanche, la plupart des autres erreurs exigent le retour au questionnaire réputé erroné, pour déceler une faute dans la notation, la codification ou la saisie. Il est extrêmement rare qu'un apurement de ce type puisse être réalisé en deux passages sur ordinateur (listage des erreurs et vérification des corrections). Quand l'échantillon est important plusieurs dizaines de passages sur ordinateur s'imposent. La correction engendre à nouveau une série d'erreurs, ce qui a permis de dire qu'un apurement était asymptotique. Il est très difficile d'affirmer qu'un apurement, tel que celui que j'ai pris en exemple, est parfait. Les grands transporteurs ont en mémoire des fichiers incomplètement apurés, soit par manque de sérieux soit par manque d'organisation préalable dans la conception du questionnaire, dans la conception et la réalisation de la codification, de la saisie et du programme d'apurement.

Je considère que l'apurement d'un fichier relatif aux déplacements est un des meilleurs exemples. Dans d'autres dossiers il n'y a pas de cohérence systématique à rechercher entre toutes les données recueillies. En règle générale, l'équipe qui s'attelle à un apurement de fichier est très réduite, celui qui conçoit le programme est aussi celui qui le réalise, l'exécute et vérifie la correction des erreurs. J'ai été témoin dans plusieurs entreprises d'apurements interminables, mal pensés, exécutés avec des équipes de codificateurs trop nombreuses et des informaticiens se relayant. C'est à propos de l'apurement des données que l'on peut rappeler les vers célèbres de Boileau : ''Cent fois sur le métier remettez votre ouvrage, polissez-le et le repolissez'' etc.

5. LES PROGRAMMES DE DÉPOUILLEMENT

Les premiers programmes standards de dépouillement des fichiers issus de sondages d'opinion ou d'études de marchés sont apparus en France au début des années 60. Quelques équipes françaises s'étaient attelées à cette tâche. Auparavant, pour le dépouillement de sondages difficilement exploitables sur le matériel électro-mécanique à cartes perforées, j'avais dû faire procéder à l'écriture de programmes spécifiques non transportables d'un dossier à l'autre. Ces différentes tentatives, coûteuses et pleines d'aléas, m'avaient rendu sceptique quand j'ai entendu parler, pour la première fois, de programmes standards de dépouillement. Un programme standard de dépouillement est, en principe, apte à traiter n'importe quel questionnaire, quel que soit le nombre de questions et d'éventualités de chaque question. Ce type de programme a son langage propre et dispense l'utilisateur de recourir à un langage de programmation (Fortran, Cobol, Basic etc.) pour combler les lacunes du logiciel.

Les programmes français de dépouillement standards ont fait autorité, ils se sont exportés. Les organismes français de sondages les utilisent de préférence aux programmes d'origine américaine, anglaise ou allemande.

Ces programmes utilisés en service bureau, loués ou vendus, ont bénéficié, au fil des années de nombreuses améliorations :

— prise en compte des perforations multiples anarchiques (cf. chapitre sur la saisie des données), contrainte qu'ont voulu ignorer certains créateurs de programmes de dépouillement,
— l'apparition de la possibilité de libeller les titres, colonnes et lignes des tableaux en langage clair,
— les possibilités des calculs, sans recours à des programmes spécifiques (calcul algébrique, calcul des moyennes, écarts-types, médiane, test du X^2),
— la prise en compte de plusieurs niveaux,
— l'intégration, sans programmation additionnelle et sans interface, de programmes d'analyses des données (typologie, analyses factorielles, analyse canonique, analyse discriminante etc.),
— le traitement interactif qui a fait disparaître l'écriture et la saisie des bordereaux de programmation.

Enfin, commencent à voir le jour des programmations qui intègrent l'ensemble de la chaîne de travail et réduisent au minimum les opérations manuelles dont la plupart consistent à recopier plusieurs fois, sous différentes formes, le contenu qu'un questionnaire.

Ce type de "logiciel" intègre sans interface :
— la frappe du questionnaire avec édition sur écran et/ou sur papier,
— la saisie directe des interviews sur écran,
— la surveillance continue du travail des enquêteurs et du respect de l'échantillonnage,
— la sortie, possible en continu, des résultats,
— le redressement automatique de l'échantillon,
— la récupération des éléments du texte des questionnaires pour la présentation des tableaux de résultats : titres, libellés de lignes et de colonnes,
— le programme de dépouillement aussi complet que possible,
— les programmes d'analyse des données et de présentation graphique,
— l'écriture du rapport avec incorporation de tableaux, numérotation et pagination automatiques des chapitres et création automatique d'index sur la base de mots-clés introduits en mémoire.

A une diminution sensible des délais de fabrication, s'ajoute la diminution du nombre des erreurs dû aux multiples recopiages et corrections, qu'imposait la chaîne de travail traditionnelle dans laquelle les opérations manuelles nécessitaient de nombreuses heures : frappe du questionnaire, saisie des données, réécriture des libellés de tableaux, dactylographie de certains tableaux, création de graphiques etc.

Dans la préparation d'un programme de dépouillement, en vue de l'édition de tableaux de résultats, l'écriture des titres et sous-titres de tableaux, des libellés des éventualités absorbent plus de la moitié du temps.

La microinformatique permet de prendre en charge cette série de logiciels mais au prix de temps de calculs relativement longs. Nombre de sondages nécessitent l'emploi d'ordinateurs de moyenne ou grande capacités pour les opérations de dépouillement et d'analyse des données, en réservant l'emploi des petits systèmes au reste de la chaîne de travail telle qu'elle a été décrite ci-dessus.

Malgré l'abondance, la fiabilité et le faible prix de revient des moyens mis à notre disposition, on se trouve souvent en présence d'"'amateurs'' en quête d'un bon informaticien pour écrire un programme ad hoc. Vous viendrait-il à l'idée de construire vous-même votre voiture ?

Parmi les différentes fonctions que doit remplir un programme de traitement, une s'impose particulièrement : la souplesse d'utilisation. Si le programme qui vous est familier vous permet de construire un tableau dans lequel chaque case contient une éventualité issue de n'importe quelle question, isolée d'un sous-ensemble quelconque, pourcentée sur une base spécifique, vous avez de bonnes raisons d'en être satisfait, à condition que la programmation de ce tableau nécessite peu de temps. Quelques logiciels atteignent ce degré de performance, ils permettent de résumer en une seule page une série de tableaux élémentaires dans lesquels le vide l'emporte sur la surface imprimée.

En dehors des programmes conçus par l'INSEE pour ses propres besoins, parmi les logiciels de dépouillement largement utilisés en 1987 et dont certains commencent à dater, je citerai : NLT, PERSEE, SYTES, ÉOLE, PANAMA utilisables notamment en service bureau.

6. LE REDRESSEMENT DES ÉCHANTILLONS

1. Justification du redressement des échantillons

Échantillon redressé, échantillon pondéré, les deux expressions sont synonymes, la seconde est mieux acceptée par le profane. Les comptes rendus de sondages dans les médias mentionnent rarement le fait que l'échantillon observé a été redressé. Le redressement évoque chez certains une manipulation a posteriori des résultats. En réalité, un redressement des données de base s'impose dans la grande majorité des cas. Son objet est de rendre la population consultée à l'image de la population de référence sur un certain nombre de critères dont on connaît la répartition en vraie grandeur. Un échantillon aléatoire, par tirage au sort, nécessite plus que tout autre une procédure de redressement, compte tenu de la population non touchée par le sondage (refus, absence, déménagement) dont la structure diffère de celle de la population de référence. Un échantillon par quotas nécessite un redressement plus léger, les enquêteurs respectent en général les quotas qui serviront de base au redressement de l'échantillon. Le redressement assure une représentativité apparente de l'échantillon, grâce à la similitude obtenue entre deux populations : la population de référence et la population sondée. Le redressement est impossible quand les statistiques de base font défaut : échantillons aléatoires issus de fichiers dont la structure est inconnue. On ne dispose alors d'aucun moyen pour garantir la représentativité des résultats selon des critères observables.

Le redressement est donc justifié, on attend de l'auteur du sondage qu'il indique quels critères il a utilisés dans le redressement et publie les deux structures de population, avant et après redressement.

2. Les effets du redressement

Outre l'ajustement de la population sondée à l'univers de référence, le redresssement modifie plus ou moins les résultats de chacune des questions. On observera que les effets du redressement sont limités en valeur relative, même lorsque l'échantillon est très déformé ainsi que le montrent les deux exemples ci-après :

Échantillon observé

Taux de pénétration d'un produit	Utilisateurs	Non Utilisateurs	Structure de l'échantillon	Univers de référence	Coefficient de redressement
Habitent la région					
A	42 (25 %)	128 (75 %)	170 (100 %)	200	1,18
B	24 (11 %)	196 (89 %)	220 (100 %)	200	0,91
C	38 (32 %)	82 (68 %)	120 (100 %)	200	1,67
D	20 (5 %)	380 (95 %)	400 (100 %)	200	0,50
E	17 (19 %)	73 (81 %)	90 (100 %)	200	2,22
Ensemble observé	141 (14 %)	859 (86 %)	1 000	1 000	

On va redonner à chaque région son poids réel et nous vérifierons dans quelle mesure la proportion de 14 % de possesseurs de l'ensemble des régions est modifiée par le redressement. Le coefficient de redressement par région est le quotient : poids réel de la région/poids obtenu par sondage.

Échantillon après redressement

Régions	Utilisateurs	Non utilisateurs	Structure redressée
A	42 × 1,18 = 50	128 × 1,18 = 151	170 × 1,18 = 201
B	24 × 0,91 = 22	196 × 0,91 = 178	220 × 0,91 = 200
C	38 × 1,67 = 63	82 × 1,67 = 137	120 × 1,67 = 200
D	20 × 0,50 = 10	380 × 0,50 = 190	400 × 0,50 = 200
E	17 × 2,22 = 38	73 × 2,22 = 162	90 × 2,22 = 200
Ensemble redressé	183 (18 %)	818 (82 %)	1001

Cet exemple est caricatural. A dessein, j'ai fabriqué un exemple dans lequel la part de chaque région était très différente de la proportion escomptée (400 cas au lieu de 200 dans la région D, 90 au lieu de 200 dans la région E), par ailleurs la pénétration du produit oscillait entre 5 % et 32 %. Le redressement fait apparaître une proportion de 18 % de possesseurs du produit contre 14 % observée. Les effets de redressement sont rarement aussi importants en valeur relative (18/14 soit : + 28 %).

Dans le deuxième exemple je fais jouer deux critères de redressement :
le sexe et l'âge de la personne interrogée, par référence à un tableau
issu des résultats du recensement de 1982.

	Utilisateurs du produit	Non utilisateurs	Structure observée	Structure réelle	Coefficient de redressement
	1	2	(1 + 2) O	R	R/O
Ensemble	401 (40 %)	599 (60 %)	1 000	1 000	
Hommes	179 (43 %)	241 (57 %)	(420)	(478)	
dont 15-24 ans	41 (51 %)	39 (49 %)	80	73	0,91
25-34 ans	43 (46 %)	50 (54 %)	93	110	1,18
35-49 ans	54 (41 %)	78 (59 %)	132	121	0,92
50 ans et +	41 (36 %)	74 (64 %)	115	174	1,51
Femmes	222 (38 %)	358 (62 %)	(580)	(522)	
dont 15-24 ans	40 (43 %)	53 (57 %)	93	74	0,80
25-34 ans	55 (42 %)	76 (58 %)	131	109	0,83
35-49 ans	74 (38 %)	122 (62 %)	196	119	0,61
50 ans et +	53 (33 %)	107 (67 %)	160	220	1,38

Les deux populations : observée et réelle, diffèrent :
— Moins d'hommes interrogés que prévu donc excédent de femmes.
— Population observée d'un âge moyen moins élevé que dans la
  réalité

Le redressement des deux critères sexe et âge s'imposent. Mais au
lieu d'opérer un premier redressement de la population masculine et
féminine, puis un second de la population par tranche d'âge, on prendra en compte la population réelle par âge d'une part parmi les hommes et d'autre part parmi les femmes. Le redressement prendra en
compte les deux critères à la fois, gage d'un meilleur ajustement.

La dernière colonne du tableau ci-dessus indique les différents coefficients à appliquer aux valeurs brutes de la partie gauche du tableau.
Le tableau après redressement est le suivant (valeurs brutes et %
horizontaux).

	Utilisateur	Non utilisateurs	Total redressé
Hommes			
15-24 ans	37 (51 %)	36 (49 %)	73 (100 %)
25-34 ans	51 (46 %)	59 (54 %)	110 (100 %)
35-49 ans	50 (41 %)	71 (59 %)	121 (100 %)
50 ans et plus	62 (36 %)	112 (64 %)	174 (100 %)
Total Hommes	(200) (42 %)	(278) (58 %)	(478) (100 %)
Femmes			
15-24 ans	32 (43 %)	42 (57 %)	74 (100 %)
25-34 ans	46 (42 %)	63 (58 %)	109 (100 %)
35-49 ans	45 (38 %)	74 (62 %)	119 (100 %)
50 ans et plus	73 (33 %)	147 (67 %)	220 (100) %
Total Femmes	(196) (38 %)	(326) (62 %)	(522) (100 %)
Total général après redressement sexe X âge (1)	396 (40 %)	604 (60 %)	1 000 (100 %)

Quel a été l'effet du redressement ?

1. Pratiquement nul sur le résultat de l'ensemble de l'échantillon malgré les distorsions constatées sur la répartition par sexe et par âge.
2. Le redressement ne modifie pas la proportion d'utilisateurs du produit dans chaque catégorie d'âge des hommes et des femmes, les valeurs brutes subissent l'effet du redressement mais la part des utilisateurs et des non utilisateurs reste inchangée ; ces deux groupes sont affectés du même coefficient. L'objet du redressement est de restituer à chaque sous-groupe sa place dans la population de référence en vue d'évaluer la proportion des utilisateurs dans l'ensemble de la population.
3. Il y a toujours intérêt à prendre en compte plusieurs critères de redressement compte tenu des statistiques globales disponibles. Si on s'était contenté de redresser uniquement la répartition entre hommes et femmes, la pénétration du produit aurait été la suivante :

	Répartition obtenue	Répartition réelle	Coefficient de redressement
Hommes	420	478	1,14
Femmes	580	522	0,91

Appliqué aux utilisateurs hommes et femmes du produit respectivement 179 sur 420 et 222 sur 580 le redressement aurait donné :

$$179 \times 1,14 = 204$$
$$+$$
$$222 \times 0,91 = 202$$

406/1.000 ou 40, 6 % de possesseurs.

L'introduction de l'âge dans le redressement a permis une correction supplémentaire pour aboutir à 39,6 % de pénétration (arrondis à 40 %).

Si la pénétration du produit présentait un lien avec la taille des unités urbaines et le niveau socio-professionnel ces deux critères devraient être également utilisés dans le redressement.

3. L'utilisation de programmes automatiques de redressement

Pendant plusieurs décennies, avant l'utilisation des ordinateurs pour le traitement des données, et alors que le matériel électro-mécanique à cartes était le seul disponible, les opérations de redressement nécessitaient beaucoup de calculs manuels et prenaient beaucoup de temps. Le redressement obtenu n'était pas toujours satisfaisant.

Quelques années après l'apparition des logiciels standards de dépouillement (dans les années 60) utilisés sur des ordinateurs de grande capacité, des programmes de redressement automatique des échantillons ont été mis à la disposition des organismes de sondages. Ces programmes sont commodes d'emploi et performants. Celui que j'ai utilisé permettait de redresser un échantillon sur 6 critères ou combinaisons de critères répartis en 60 éventualités. On introduit dans le programme d'exécution les valeurs recherchées pour chaque critère et éventualité, exprimées en 1/1.000 ; le logiciel de redressement calcule les coefficients et les appliquent à chacun des individus de l'échantillon observé. Ainsi chaque personne interrogée est affectée d'un coefficient de redressement qui interviendra dans tous les résultats. Le poids d'individus ou le poids d'interviews (appellations courantes) peut être utilisé ou non au gré de l'utilisateur. C'est ainsi que le calcul du χ^2 est fait sur les tableaux de résultats avant redressement.

Le programme compare deux matrices (la matrice des données de référence et la matrice des données) et calcule le coefficient de redressement case à case. Le coefficient affecté à un individu est le produit de coefficients élémentaires propres à chaque éventualité retenus pour le redressement.
Prenons un exemple de redressement d'un échantillon d'individus âgés de 15 ans et plus.

1. Le choix des critères répond à deux conditions :
   - Les données de référence existent.
   - Les données intervenant dans le redressement sont pertinentes, elles ont une valeur explicative du comportement ou de l'opinion des personnes interrogées. Malheureusement, l'absence de données de base fiables, directement liées au problème étudié, conduit à se contenter des données socio-démographiques pour lesquelles des états statistiques sont disponibles.

2. A titre d'exemple, les critères suivants sont pris en compte ;
   - croisement sexe × âge (8 éventualités),
   - croisement sexe × actifs, inactifs (4 éventualités),
   - croisement sexe × profession du chef de ménage (10 éventualités),
   - croisement régions × taille des unités urbaines (9 régions et 3 tailles d'unités urbaines ou 27 éventualités),
   - poids de Paris et de sa banlieue dans l'agglomération parisienne (2 éventualités).

5 critères ou croisements de critères ont été retenus et au total 51 éventualités.

Le calcul du poids se fera par la comparaison de deux matrices comprenant chacune : $8 \times 4 \times 10 \times 27 \times 2$ soit 17 280 cases pour un échantillon de 1 000, 2 000 etc. individus. En fait un individu est présent dans 5 cases différentes (où sont enregistrés : son sexe et sa catégorie d'âge représentés par un code d'éventualité, son sexe et son activité, son sexe et la profession du chef de ménage, sa région et la taille de son unité urbaine et éventuellement le fait qu'il habite Paris ou la banlieue parisienne).

3. Le logiciel de redressement doit satisfaire à deux contraintes :
   — les valeurs obenues pour chaque critère après redressement sont pratiquement identiques aux valeurs de référence,
   — les liaisons entre les critères doivent être conservées telle que par exemple la répartition par âge des hommes et des femmes.

Grâce à des essais successifs d'optimisation le programme va tenter de satisfaire, au mieux, à ces deux conditions. Il y parviendra avec plus ou moins de bonheur en donnant priorité à la répartition correcte des éventualités à l'intérieur de chaque critère. Le redressement est d'autant plus valide que le nombre d'itérations qu'utilise le programme est faible, rarement une seule, souvent deux ou trois quand l'échantillon de base est peu déformé.

4. Le programme de redressement n'accepte pas l'absence de certaines données telle que l'oubli d'une éventualité du sexe, de l'âge, de la profession etc., ou l'inexistence dans l'échantillon d'un individu habitant une localité rurale de la région sud-est alors que la population de référence en comprend. Deux corrections s'imposent : dans le premier cas évoqué, annuler les individus dont les données sont incomplètes ; dans le deuxième cas regrouper la catégorie ruraux du Sud-est avec une autre catégorie d'unités urbaines de cette région afin de faire disparaître une case vide.

La limite de six critères et de 60 éventualités s'explique par le fait que le logiciel pris comme exemple ne peut pas traiter de matrices de plus de 20 000 cases. Le redressement sur plus de six critères est possible. On effectue un deuxième redressement avec de nouveaux critères sur l'échantillon ayant subi un premier redressement. Le poids d'interview final tiendra compte des deux redressements successifs avec ou sans altération du premier due à l'introduction de critères nouveaux.

Il ne faut pas attendre du redressement des effets magiques. Il est d'autant plus satisfaisant que l'échantillon initial présente de faibles écarts par rapport à la population de référence. Les coefficients de redressement de chaque éventualité doivent être compris entre 0,3 et 3, ce qui est déjà beaucoup. Si dans une case de croisement de critères, les trois individus présents sont affectés du coefficient 3, on traitera artificiellement 9 individus. L'incidence est faible dans ce cas de figure, elle prend de l'importance quand un fort coefficient de redressement s'applique à une proportion notable de l'échantillon.

7. PRÉSENTATION DES RÉSULTATS LES TABLEAUX

1. Les règles de présentation des données chiffrées

Pourquoi consacrer un chapitre aux tableaux de résultats : ensembles de lignes et de colonnes ? La réponse est simple. Beaucoup de personnes ne savent pas construire, présenter, lire ou interpréter un tableau de résultats. ''Comment se lit ce tableau ?'' Cette question, je l'ai souvent entendue prononcer, soit par des collaborateurs sortis depuis peu d'un établissement d'enseignement supérieur, soit par des clients. Le tableau a été mal conçu, mal présenté ou le lecteur est peu habitué à compulser des statistiques. Un tableau à une seule ou plusieurs colonnes est la présentation la plus claire et la plus immédiatement perceptible d'un ensemble de données numériques. Et pourtant, lorsqu'un journal reprend, en seconde main, les résultats d'un sondage, déjà publiés par un confrère, l'ensemble des données est présenté d'une manière cursive, comme un texte. Le lecteur est tenté de prendre un papier et de recopier les résultats en alignant les chiffres.

La présentation de résultats statistiques satisfait à plusieurs règles qui s'appliquent aussi bien aux tableaux dactylographiés qu'aux tableaux imprimés issus d'une imprimante d'ordinateur. Énumérons ces règles :

1. Indiquer la source et, dans le cas d'un sondage, le nom de l'étude ou un numéro d'identification.
2. La date d'émission des résultats.
3. Le titre du tableau qui en définit le contenu.
4. L'ensemble pris en compte dans le tableau comme titre général ou sous-titre. S'agit-il de l'échantillon global ou d'un sous-ensemble ?
5. Dans le cas de calculs de pourcentages, faire figurer 100 % en tête ou en queue de chaque ligne ou colonne en fonction du sens de calcul adopté.
6. Placer les valeurs brutes en tête ou en queue de chaque ligne ou de colonne, afin d'informer le lecteur sur la taille de la base de calcul. Préciser s'il s'agit de données avant ou après redressement.
7. Un tableau contient davantage de lignes que de colonnes par suite de la place prise par le libellé du contenu des colonnes. Un tableau de 15 colonnes est un maximum, il nécessite l'emploi de libellés

courts ou tronqués répartis sur 2 ou 3 lignes. Dans la construction d'un tableau, il est utile de réfléchir à une mise en page élégante.

Ces informations sont indispensables en vertu du principe que tout tableau peut être isolé d'un ensemble et doit pouvoir être intrepété sans référence à d'autres résultats. Une négligence fréquente est observée dans les tableaux dactylographiés, faisant état de résultats issus de sous-ensembles dont on ne rappelle pas l'importance. Présenter un tableau dans lequel on constate que 20 % des acheteurs ont choisi la marque A, sans rappeler que l'ensemble des acheteurs regroupent 30 % des ménages, conduit parfois à des erreurs d'interprétation. Un rapport d'études de marchés n'est pas lu comme un livre, on le consulte à maintes reprises, dans un ordre quelconque.

Il est d'usage dans des instituts de sondages de faire figurer dans chaque case d'un tableau, à la fois les données brutes de chaque éventualité et les pourcentages. Le lecteur est en mesure d'apprécier l'effectif ayant donné lieu à pourcentages. Cette présentation rend pénible la lecture des éléments utiles du tableau.

Différents programmes de dépouillement offrent plusieurs possibilités de présentation : données brutes et pourcentages sur des pages séparées, les deux données l'une en dessous de l'autre, ou l'une à côté de l'autre,les données brutes dans la moitié supérieure du tableau, le pourcentage dans la moitié inférieure ou l'inverse.

Soigner la présentation d'un tableau, jouer de lignes ou de colonnes vierges, de sous-titres ou de surtitres, entraîne un léger supplément de temps de programmation mais procure un confort de lecture appréciable.

Lorsqu'un chargé d'études connaît mal les possibilités d'édition d'un programme de dépouillement et qu'il ne prend pas le temps de préparer des maquettes sommaires de quelques tableaux, il s'expose à subir la loi du programmeur. Ce dernier, libre de présenter les tableaux à sa manière, a tendance à rechercher les solutions de facilité : titres de tableau incomplets, sous-ensembles non libellés, libellés de lignes et de colonnes tronqués abusivement etc.

2. Une exploitation judicieuse des résultats, la création de tableaux synthétiques

L'utilisation de programmes d'analyses des données (typologie, analyses factorielles etc...), finalité du dépouillement d'un sondage en vue de répondre au problème posé, conduit souvent à négliger la présentation des tableaux de base, particulièrement abondants lorsque les données issues du questionnaire sont très nombreuses. Leur consultation devient alors fastidieuse et contraint l'utilisateur à écrire ses propres tableaux à l'aide d'un recopiage manuel ou à créer de nouveaux tableaux sur ordinateur.

L'ensemble des questions posées n'est pratiquement jamais pris en compte dans un traitement statistique élaboré, d'où la nécessité de consacrer beaucoup de soin à la présentation des tableaux, en ayant comme souci majeur une concentration de données se prêtant à des comparaisons.

Quelques exemples illustreront mon propos.

— 1er Exemple. Notoriété, utilisation d'une série de marques de produits.

Je dispose, pour une série de dix marques, des réponses à quatre questions.

Q.1 — Quelles sont les marques de... dont vous avez déjà entendu parler ? (notoriété spontanée).

Q.2 — Dans cette liste de dix marques du produit, lesquelles connaissez-vous, ne serait-ce que de nom ? (notoriété assistée).

Q.3 — Quelle marque de ce produit vous souvenez-vous avoir déjà utilisée chez vous ?

Q.4 — Avez-vous, aujourd'hui, ce produit chez vous et de quelle (s) marque (s) ?

Supposons que je décide d'analyser les résultats de chaque question selon l'âge des ménagères consultées, leur profession, la profession du chef de ménage, la taille de la commune ou de l'unité urbaine habitée. Le nombre de tableaux élémentaires (croisement de deux données) s'élève à 160 (4 questions x 10 marques x 4 critères), ces tableaux occuperont 160 pages si le programme que j'utilise est rudimentaire ou si je ne prends pas soin d'organiser les données.

Je peux présenter l'ensemble de l'information recueillie en 16 pages selon trois approches.

— 1re Approche : toute l'information souhaitée pour chaque marque, à raison d'une page par marque. J'incorporerai dans le tableau des ratios utiles à l'interprétation des résultats. Chaque page a la présentation suivante:

Marque A

	Notoriété spontanée assistée		Expérience passée actuelle		Ratios		
	(1)	(2)	(3)	(4)	(1/2)	(3/2)	(4/3)
Ensemble							
Age							
Profession		(soit un tableau de 22 à 25 lignes et de 8 colonnes)					
Prof. chef de							
ménage							
Taille d'unité urbaine							

La page d'imprimante plus large que haute permettra de libeller, en tête de colonne, sur trois lignes, le contenu des ratios :

(1/2) notoriété spontanée/assistée.

(3/2) expérience de la marque/assistée.

(4/3) présence actuelle/expérience d'utilisation.

Il m'appartiendra de choisir le sens du calcul des pourcentages :

— horizontaux si je désire des pourcentages de pénétration (sur 100 ménagères de 18 à 24 ans, combien citent spontanément la marque.)

— verticaux si je désire des pourcentages de structure ou des profils (sur 100 ménagères qui ont cité spontanément la marque combien ont : de 18 à 24 ans, de 25 à 34 ans etc.)

Je ne ferai pas figurer dans le tableau les chiffres de base dans chaque case, mais en tête ou en fin de colonne et de ligne, uniquement le nombre d'individus concernés.

Chaque page qui regroupe 28 tableaux élémentaires est riche d'enseignement. L'incorporation des ratios dans la même page que les données de bases suppose l'utilisation d'un programme standard de dépouillement d'une grande souplesse d'utilisation ; il en existe. A défaut, on calculera les ratios à la main.

Cette première approche utilise 10 pages d'imprimante (une page par marque.)

— 2e Approche : comparaisons intermarques.

Les tableaux ci-dessous permettent d'explorer l'univers de connaissance et d'expérience des personnes interrogées.

Les questions relatives à la notoriété des marques (spontanée et assistée) et leur utilisation passée se présentent sous forme de résultats à réponses multiples (certaines ménagères connaissent, ont utilisé ou utilisent, en même temps, plus d'une marque), d'où la création de tableaux dont les informations seront utiles pour l'interprétation des résultats.

1er Tableau : L'univers de connaissance.

Je croise la question de notoriété assistée (à réponses multiples) avec elle-même. Pour chaque marque connue de 100 ménagères, combien d'entre elles connaissent chacune des autres marques, d'où mise en valeur des associations de réponses.

Effectif : 2 000 ménagères

SUR 100 MÉNAGÈRES QUI CONNAISSENT LES MARQUES.

Connaissent également la marque	A	B	C	D	E	F	G	H	I	J	Aucune marque
	%	%	%	%	%	%	%	%	%	%	%
A	100	81	94	32	42	49	26	54	21	29	-
B	76	100	84	39	69	72	64	62	31	15	-
C	84	80	100	50	67	68	74	54	27	20	-
D	53	74	43	100	46	42	40	64	36	12	-
E	27	56	58	45	100	39	38	37	27	14	-
F	35	55	55	39	37	100	52	87	38	21	-
G	18	46	55	35	34	48	100	35	39	17	-
H	27	33	30	42	24	61	26	100	39	10	-
I	5	8	8	12	9	14	15	20	100	6	-
J	3	2	2	1	2	3	2	2	2	100	-
Base	(1200)	(1120)	(1067)	(920)	(917)	(860)	(804)	(602)	(308)	(112)	(103)
Nombre de réponses (%)	428	463	529	445	430	496	437	505	360	244	
Nombre moyen de marques connues	4,3	4,6	5,3	4,5	4,3	5	4,4	5,1	3,6	2,4	
Connaissent chaque marque	60 %	56 %	53 %	46 %	46 %	43 %	40 %	30 %	15 %	6 %	aucune 6 %

Le croisement d'une question à réponses multiples par elle-même s'impose pratiquement dans tous les cas. En se limitant à l'exemple cité, on peut :

— connaître les autres marques citées spontanément en prenant comme référence chacune des dix marques ;

— connaître les autres marques éventuellement déjà achetées par les personnes ayant utilisé chacune des dix marques.

Cette application a un caractère général ; on peut l'étendre à de multiples sujets :

— points d'image positifs associés à chaque point d'image pris isolément ;
— qualités attribuées à une personnalité politique et associées à chacune des qualités évoquées ;
— points de vente fréquentés plus ou moins régulièrement par les clients habituels de différents magasins ;
— autres qualités et défauts attribués à une voiture associés à chaque qualité ou défaut évoqués.

2e Tableau : les marques connues en fonction du nombre de réponses données.

Dans la liste des dix marques proposées dans l'exemple retenu, les ménagères connaissent de 0 à 10 marques. On peut alors programmer le tableau suivant :

CONNAISSENT PARMI LES 10 MARQUES

Marques connues	aucune	1	2	3	4	5	6	7	8	9	10
A	-	-	-	-	-	-	-	-	-	-	100 %
B	-	-	-	-	-	-	-	-	-	-	100 %
C	-	-	-	-	-	-	-	-	-	-	100 %
D	-	-	-	-	-	-	-	-	-	-	100 %
E	-	-	-	-	-	-	-	-	-	-	100 %
F	-	-	-	-	-	-	-	-	-	-	100 %
G	-	-	-	-	-	-	-	-	-	-	100 %
H	-	-	-	-	-	-	-	-	-	-	100 %
I	-	-	-	-	-	-	-	-	-	-	100 %
J	-	-	-	-	-	-	-	-	-	-	100 %
aucune	-	-	-	-	-	-	-	-	-	-	100 %
TOTAL Répartition (rappel)	100 %	200 %	300 %	400 %	500 %	600 %	700 %	800 %	900 %	1 000 %

Quand une seule marque est connue, quelle part revient à la marque A, B...J.

Quand deux, trois marques sont connues quelle place occupe chacune des dix marques.

Il va sans dire que le dépouillement de questions à réponses multiples suppose l'utilisation de logiciels adaptés au traitement des études par sondages. Les exemples de tableaux présentés ci-dessus ne présentent aucune difficulté de mise en œuvre lorsque l'on utilise un programme standard de dépouillement de fichiers, digne de ce nom. Ils sont suffisamment nombreux, et peu coûteux d'emploi, pour que l'on aille au-delà de la présentation banale de tableaux, à l'image de ceux issus d'un matériel électro-mécanique à cartes perforées des années 50.

— 3e Approche : présentation synthétique des résultats des dix marques.

La première approche de l'exemple cité isolait chaque marque (un tableau par marque).

On complètera le dépouillement par la présentation de quatre tableaux, que l'on pourrait construire manuellement, mais au prix d'un travail fastidieux de recopiage.

1er Tableau — Notoriété spontanée des marques
en lignes : ensemble, âge, profession du chef de ménage, taille de l'unité urbaine.
en colonnes : les 10 marques.

2e Tableau — Notoriété assistée des marques.
Même présentation que pour le premier tableau.

3e Tableau — Éxpérience d'utilisation des marques.

4e Tableau — Présence de chaque marque dans le ménage.

On peut imaginer d'autres tableaux à partir de l'exemple précité. Je me suis limité à l'essentiel, en m'appliquant à maximiser le nombre d'informations dans chaque page, afin de rendre rapide et aisée l'interprétation des résultats.

— 2e Exemple. Présentation synthétique d'une série de questions à contenu homogène.

Dans les sondages d'opinion publique, il est fréquent de poser des battteries de questions du type :
— appréciation de l'action d'une série d'hommes politiques, en utilisant une échelle verbale : très bonne, plutôt bonne, plutôt mauvaise, très mauvaise,
— opportunité de réaliser une série de travaux ou d'actions dans un cadre national ou local, chaque action étant jugée : très importante, plutôt importante etc.

En matière d'études de marchés les exemples sont nombreux : qu'il s'agisse de l'importance accordée à de multiples caractéristiques des produits, à des points d'image de marques ou de sociétés.

Pour me limiter à un seul exemple, je choisis la question suivante, posée pour une série de 20 hommes politiques :

"Pour chacun des hommes suivants... dites-moi si vous le connaissez au moins de nom ? Si c'est le cas, avez-vous, en ce qui le concerne, une opinion très bonne, plutôt bonne, plutôt mauvaise, très mauvaise ?" La réponse "sans opinion" n'est pas suggérée ; elle est possible.

La solution naïve et paresseuse consiste à construire un tableau propre à chaque homme politique avec en lignes les critères : ensemble, sexe, âge, profession, taille d'unités urbaines, préférence politique et en colonnes les éventualités : inconnu, connu, opinion très bonne, plutôt bonne, plutôt mauvaise, très mauvaise, sans opinion. Cette solution nécessitera l'édition de 20 pages au minimum (un ou plusieurs calculs de pourcentages). Comparer les hommes politiques entre eux nécessitera l'étalage devant soi de 20 pages et de procéder à de multiples recopiages.

Je résous le problème en éditant deux pages ou deux séries de deux pages.
— 1re page ou 1er tableau : résultats d'ensemble.

En lignes : les 20 hommes politiques

En colonnes : connu, opinion : très bonne, plutôt bonne, plutôt mauvaise, très mauvaise, sans opinion, sous-total bonne, sous-total mauvaise.

On obtient une vue d'ensemble grâce au regroupement des 20 questions en une seule page.

Les calculs de pourcentages peuvent conduire à doubler ce tableau : le premier a comme base l'ensemble de l'échantillon, l'éventualité très bonne opinion est calculée sur l'ensemble des personnes interrogées connaissant ou ne connaissant pas chaque homme politique. Le second tableau prend en compte pour le calcul de la répartition des opinions, les réponses des personnes connaissant chaque homme politique. Dans l'écriture informatique du tableau on introduit 20 bases filtrées, ce qui, je le répète, ne pose aucun problème quand on utilise un logiciel sérieux.

— 2e page ou 2e tableau : au vu des résultats du premier tableau ou en fonction de sa propre expérience, on retiendra dans chaque question , soit la somme des réponses très bonne + bonne opinion, soit la réponse très bonne si elle est discriminante et non négligeable en proportion, soit encore une note moyenne en donnant par exemple la note 4 à l'éventualité très bonne, la note 3 à l'éventualité plutôt bonne, puis les notes 2 et 1. Les réponses ''ne connaît pas cette personne ou sans opinion'' sont exclues du calcul de la note moyenne (entre 1 et 4).

Le tableau se présente comme suit selon les deux versions possibles :

1re version : l'analyse des réponses ''bonne opinion''
   en lignes : les critères d'analyse ensemble, sexe, âge, profession, taille d'unités urbaines, préférences politiques (20 à 25 lignes) ;
   en colonnes : les 20 noms d'hommes politiques
   2 colonnes de % sont nécessaires par homme politique : % de ceux qui connaisent, % de ceux qui ont formulé une très bonne ou une bonne opinion.

Le nombre de colonnes étant de 40, trois pages seront nécessaires ; le contenu des lignes étant reporté automatiquement sur chaque page.

A l'évidence, j'ai négligé une partie de l'information la répartition des opinions défavorables par critère et pour chaque homme politique. Ce choix est délibéré.

2e version : l'opinion moyenne (note de 1 à 4)
   en lignes : les critères comme dans la première version ;
   en colonnes : les 20 noms d'hommmes politiques avec trois séries de résultats:
   % connaissent, note moyenne (sans opinion exclue du calcul)
   % de sans opinion calculés sur l'ensemble des personnes connaissant chaque homme politique.

Le nombre de colonnes créé nécessite 4 pages pour l'édition de ce tableau.

En résumé :

1. Avoir le souci de présenter des tableaux de résultats regroupant des données issues de questions complémentaires ou similaires, en vue d'une interprétation rapide.
2. Disposer d'un logiciel de traitement adapté à son objet, c'est-à-dire qui permet d'introduire dans un tableau les données et les bases de calcul de son choix, à la limite une base de calcul par case du tableau. Ceci s'obtient par la division de deux tableaux

créés par l'ordinateur et non édités, un tableau dividende des effectifs entrant dans le calcul, un tableau diviseur des effectifs base du calcul. Le tableau des résultats, pouvant contenir à la fois des pourcentages, des moyennes ou des valeurs brutes, est le seul qui est édifié.

3. Un dépouillement nécessite une réflexion préalable et plusieurs étapes dans son exécution.

Pour terminer ce chapitre j'évoquerai un exemple caricatural d'une commande de tableaux formulée par un client. Les questions faisant l'objet du contrat de dépouillement avaient trait à la notoriété, à la fréquence d'utilisation, avec modalités d'emploi, d'une vingtaine de marques d'un produit de toilette. Chaque question devait être analysée par une vingtaine de critères auxquels s'ajoutaient des croisements interquestions et des croisements de critères. Après reproduction, les tableaux représentaient plus de deux mètres de linéaire. Plusieurs mois après la livraison de ce monceau de paperasse, le client a pris conscience que la plupart des tableaux étaient inexploitables ou sans intérêt. Conçu d'une manière systématique, sans réflexion préalable, fruit d'une demande exprimée sous la forme ''je veux croiser tout par tout'', le dépouillement obtenu exigeait des centaines d'heures de travail en vue d'en extraire les informations utiles.

8. LES ANALYSES STATISTIQUES
LEUR FINALITÉ

Les spécialistes des études de marchés sont depuis plusieurs décennies à la recherche de la pierre philosophale ou de la recette magique qui permettrait, grâce à un chiffre, d'indiquer à coup sûr ou tout au moins avec une forte probabilité :

— Les chances de succès d'un nouveau modèle de voiture, exprimées en nombre de véhicules à vendre.

— Les chance de succès d'un nouveau journal.

— L'efficacité d'une campagne de publicité, mesurée en chiffres d'affaires.

— L'audience future d'une chaîne de télévision aux différents jours de la semaine et à différents moments de la journée.

Si, dans certains cas, le sondage est utilisé pour présenter une photographie à un instant donné, sans autre ambition que le fait de constater une situation (élément du dossier d'une société qui cherche à bien se vendre à des acquéreurs éventuels, études sociologiques sur le système de valeurs d'une population, consommation et achats récents etc.), le plus souvent on attend du sondage les éléments pour préparer l'avenir en fournissant les arguments ou données utilisables pour l'action d'information, de promotion publicitaire et commerciale.

Seul le sondage préélectoral satisfait aux attentes, quelques chiffres suffisent pour établir une prévision à partir d'un instrument dont la simplicité est la caractéristique essentielle. Bien que tous les instituts de sondages s'en défendent et parlent de photographie à un instant donné, le sondage préélectoral réalisé peu de temps avant le scrutin prend valeur de prévision, voire même de résultat inéluctable.

Dans les différents domaines évoqués ci-dessus, comme dans beaucoup d'autres, la situation est loin d'être aussi simple. De très nombreux paramètres, critères ou facteurs interviennent pour expliquer ou interpréter le succès ou l'insuccès probable du lancement d'un produit, d'un nouveau journal, d'un programme de télévision, d'un message publicitaire etc. Avant l'utilisation quotidienne des ordinateurs et des logiciels statistiques appropriés, on devait se contenter de quelques chiffres, de beaucoup d'intuition et d'aplomb pour convaincre une société d'entreprendre ou de ne pas entreprendre telle ou telle action. Les logiciels de traitements statistiques sont apparus ; ils ont séduits et ce d'autant plus que leur mise en œuvre était rapide et peu coûteuse (eu égard au coût global du sondage dans lequel le recueil des données et leur mise en forme interviennent pour une large part). On demande à l'analyse des données de fournir des éléments de synthèse, quelques chiffres, des graphiques, des constellations de points sur des ordonnées cartésiennes (les fameux mappings). Situation paradoxale, là où il y a 20 ou 30 ans on disposait d'un petit nombre de données issues d'un questionnaire de sondage relativement court, pour établir un diagnostic ou un pronostic, on collecte aujourd'hui des centaines de données avec l'espoir, fondé le plus souvent, que les mathématiques et la machine résumeront cette masse d'informations sous forme d'un polynôme, d'une échelle, d'une structure typologique ou d'un mapping suggestif.

Je ne pense pas qu'on soit encore parvenu à la découverte de la pierre philosophale tant convoitée, mais on dispose maintenant d'outils statistiques qui dispensent de la lecture de milliers de chiffres reportés dans de multiples tableaux et qui bénéficient d'un prestige reconnu. Nombre de praticiens ont su utiliser l'effet commercial produit par l'exposé intelligent des traitements statistiques annoncés dès la formulation du projet d'études. Les services d'études commerciales des entreprises sont généralement avides de tels traitements sophistiqués. Au niveau de la direction générale, la réponse est moins évidente. Un état bancaire, une situation de trésorerie, un compte d'exploitation ou un bilan ne nécessitent pas l'emploi de traitements multidimensionnels ; l'utilisation des séries chronologiques correctement présentées et interprétées trouvent ici leur pleine justification. De nombreux sondages se prêtent d'ailleurs à la présentation de séries chronologiques suffisamment parlantes. Je citerai les indices de l'INSEE, les résultats des panels de consommateurs et de distributeurs, de cabinets médicaux, les études continues ou périodiques de l'audience des médias, les cotes des hommes politiques etc. qui tous se prêtent à des traitements statistiques appropriés.

Avant d'énumérer quelques-uns des traitements statistiques couramment utilisés dans les années 80, j'extrais les remarques suivantes de l'introduction de la troisième édition (avril 1987) d'un volume de la collection Que sais-je ? ''L'Analyse des données'' de Jean-Marie Bouroche et Gilbert Saporta :

''La statistique classique s'est axée sur l'étude d'un nombre restreint de caractères mesurés sur un petit ensemble d'individus... Cependant, dans la pratique, les individus observés sont fréquem-

ment décrits par un grand nombre de caractères. Les méthodes d'analyses des données permettent une étude globale des individus et des variables en utilisant généralement des représentations graphiques suggestives... La recherche des ressemblances ou des différences entre individus peut être un des objets de l'analyse... Il est possible à l'aide de méthode factorielle de représenter ces proximités entre individus sur un graphique. Les méthodes de classification permettent de les regrouper en catégories homogènes... Selon le type de problème et la nature des données on choisit la méthode appropriée''.

Dans sa thèse complémentaire de doctorat d'État (Étude expérimentale des Opinions) Jean Stoetzel utilisait, dès 1942, l'analyse factorielle de Spearmann, appliquée à des résultats des premiers sondages de l'IFOP effectués en 1938-39. Il a continué dans cette voie, ne disposant au début que d'une calculatrice électrique Monroe. Dans ses conversations animées avec le colonel Chandessais, la rotation appropriée des axes factoriels était souvent évoquée. L'un et l'autre, dans les années 50, ont eu beaucoup de mal à dénicher l'ordinateur apte à traiter une matrice de plusieurs milliers de coefficients de corrélation. Les anciens collaborateurs de l'IFOP gardent le souvenir du cube en rhodoïd représentant en trois dimensions les axes d'une analyse factorielle relative à la consommation des différentes boissons alcoolisées. On dispose actuellement de logiciels standards qui, en quelques minutes ou en quelques dizaines de minutes, donnent le résultat du traitement.

L'analyse hiérarchique de Louis Guttman, professeur américain émigré en Israël, et la segmentation dichotonique mise au point par W. A. Belson en Grande-Bretagne, offrent deux exemples d'analyse des données que l'on pouvait réaliser à l'aide du matériel électro-mécanique à cartes perforées (trieuses-compteuses). L'analyse hiérarchique de Louis Guttmann nécessitait la préparation d'un questionnaire spécifique, apte à déceler la présence d'une échelle hiérarchique satisfaisante. En faveur dans les années 60, la segmentation de Belson a perdu de ses adeptes malgré des efforts de rajeunissement et la création de logiciels spécifiques. Le nombre de critères observables pris en compte reste faible. La taille des échantillons contraint à limiter le nombre des segments. La segmentation offre toutefois l'avantage d'une présentation graphique claire et immédiatement compréhensible.

La typologie figure parmi les premiers outils utilisés en France en aval des logiciels standards de dépouillement des sondages. Dans le domaine du marketing, les noms de Henri Bergonier et de Canguilhem figurent au tableau d'honneur des professionnels qui ont mis au point les premiers programmes d'analyse typologique utilisés par les instituts de sondages. L'analyse typologique, de nature essentiellement descriptive, structure une population (en l'occurrence un échantillon issu d'un sondage) en plusieurs groupes homogènes, de telle sorte que chaque individu d'un groupe soit plus proche des individus de son groupe que de n'importe lequel des individus des autres groupes. La structuration de la population est faite à partir de variables, dites actives, de nature qualitative ou quantitative constituant le domaine typologique. Les autres variables, dites passives, sont analysées à l'intérieur de chaque groupe. Les types issus du programme jouent le rôle d'un critère de dépouillement au même titre que le sexe, le niveau de vie, la situation professionnelle etc. L'obligation de limiter le nombre de types compte tenu de la taille de l'échantillon initial (quelques centaines ou quelques milliers de personnes) rend parfois délicate l'interprétation de chacun. Chaque type retenu est un ensemble de sous-types dans lequel l'homogénéité de comportement et d'attitude est plus grande. De plus, l'inconvénient de la plupart des méthodes de classification utilisées dans la typologie est de fournir une répartition finale qui dépend de la partition initiale. Comme le soulignent Bouroche et Saporta ''on n'atteint pas l'optimum global mais seulement la meilleure partition à partir de celle de départ''. En effet, le programme construit les types à partir d'un tirage aléatoire d'un certain nombre d'individus qui contribuent à la création des premiers types. En conséquence, il est déconseillé de comparer deux typologies issues de deux sondages utilisant le même questionnaire. On se trouve en présence de deux typologies présentant de multiples ressemblances, mais les différences constatées dans l'importance des populations-types et leur contenu ne peuvent être attribuées, à coup sûr, à une évolution des comportements et des attitudes. Il n'en demeure pas moins que la typologie est un outil descriptif digne d'intérêt pour stucturer une population. J'ai le souvenir de multiples typologies suggestives, relatives aux consommateurs de différents produits.

L'analyse factorielle en composantes principales et l'analyse factorielle des correspondantes, cette dernière due au professeur J.-P. Benzecri, ont très vite retenu l'attention des professionnels des études de marchés. Ils disposaient dans les années 60, mais surtout dans les années 70, de machines suffisamment puissantes et rapides, de logiciels standards d'utilisation commode. Leur succès est dû en partie à la représentation graphique des résultats et à une apparence d'interprétation facile et rapide. Il est hors de doute que le chargé d'études moyen, insuffisamment préparé par ses études antérieures à l'analyse des données, doit se faire aider par un statisticien pour qui l'examen du mapping ne suffit pas ; il s'intéressera aux calculs intermédiaires, édités par le programme, avant de se prononcer sur la qualité de l'information obtenue.

Les analyses multidimensionelles non métriques : l'analyse des similarités et des préférences, ont aussi leur adeptes.

Pour un non-initié, la lecture d'un manuel d'analyse des données laisse l'utilisateur dans une situation de perplexité même lorsque le texte est accessible et conduit le lecteur pas à pas, comme c'est le cas dans les ouvrages américains destinés aux étudiants.

Fernand Bouquerel, dans son œuvre maîtresse, L'Étude des marchés au service des entreprises (4 tomes édités par les PUF), encore disponible en librairie, fait l'effort de multiplier les exemples d'utilisation des différents outils de l'analyse des données. Les comptes rendus des congrès Esomar et des séminaires spécialisés sont également utiles à consulter.

L'abondance des outils qui répondent peu ou prou aux questions qu'on se pose, et la capacité d'édition de centaines de tableaux sont un mal actuel à tel point que, parfois, le coût de la reprographie est plus élevé que le coût informatique. Est-ce un aveu d'impuissance ou le souci de bien faire ? On ne doit jamais oublier qu'en matière de sondages, d'études de marchés, de positionnement, d'images de marques etc., le problème peut être résumé en quelques phrases. La réponse donnée doit également être présentée en termes simples et précis. Doit-on laisser au service d'études du client le soin de résumer l'information recueillie ? Il est souvent juge et partie et peut avoir tendance à arrondir les angles. Une étroite collaboration, souvent non rénumérée, s'impose entre le prestateur de services externes et l'utilisateur final.

9. LE RAPPORT D'ÉTUDE

1. LA FINALITÉ DU RAPPORT D'ÉTUDE PAR SONDAGE, SES CONCLUSIONS

Albert B. Blankenship, sociologue américain, dans son ouvrage : ''Consumer and opinion research'' publié chez Harper and Brothers en 1943, décrit d'une manière claire la position du spécialiste des sondages d'opinion publique ou d'études de marchés, lors de la présentation des résultats.

L'institut d'opinion ou d'études de marchés n'a en général qu'une connaissance superficielle des multiples sujets qu'il étudie. Cet état de fait ne l'autorise donc pas à conclure son rapport par des recommandations ou des conseils. A contrario, comment accepter de réaliser une étude qui repose sur le choix d'une méthodologie, l'élaboration d'un questionnaire, l'organisation du dépouillement, en vue de résoudre le problème posé, sans l'acquis d'une connaissance suffisante du domaine étudié ?

Depuis plus de quarante ans le problème reste posé. Toutefois, la pratique des sondages, universellement répandue dans les grandes entreprises, qui disposent de services d'études commerciales, a limité les possibilités d'intervention et de conseil des spécialistes des sondages. Si certains s'aventurent à truffer les conclusions de leur rapport de conseils en vue d'actions ou de réformes à entreprendre, l'occasion leur est rarement donnée de suivre ensuite le dossier. De plus en plus, les rapports d'études par sondage sont de nature descriptive. C'est lors de la présentation orale des premiers résultats d'un sondage que l'on peut exposer librement son point de vue et parler d'égal à égal avec son client.

C'est grâce à Jean Stoetzel, puis à Roland Sadoun, que l'on a pris l'habitude à l'IFOP de placer les conclusions d'un sondage en tête et non à la fin du rapport. Les conclusions ne peuvent être assimilées à un résumé des résultats. Elles mettent l'accent sur les points saillants, sans référence à certains résultats que l'auteur des conclusions a volontairement ignorés pour donner plus d'impact à son exposé. Dans les années 50, il était d'usage dans les instituts de sondages allemands de fournir deux rapports : un rapport bref, avec un minimum de données chiffrées, destiné à l'état-major de la firme cliente ; un rapport circonstancié avec l'ensemble des résultats chiffrés destiné aux services d'exécution et jouant le rôle de preuve.

2. LES DIFFÉRENTES ÉTAPES DANS LA RÉALISATION D'UN RAPPORT D'ÉTUDES PAR SONDAGE

Dans le cas où le sondage est une contribution originale et non un élément d'une série d'études réalisées régulièrement (panels, études d'audience des médias, baromètres de notoriété etc.), la procédure classique de présentation des résultats est la suivante :

1. Pour les clients pressés, fourniture des résultats d'ensemble des questions posées lors du sondage.
2. Présentation orale sur chartes ou à l'aide de diapositives de l'essentiel des résultats, ceux qui contribuent à répondre au problème posé, avec incorporation des traitements statistiques et des graphiques qui synthétisent l'ensemble des données.
3. Rédaction du rapport final qui constitue le produit réel. Dans le rapport, on trouvera :

   — les conclusions
   — l'exposé de la méthodologie adoptée, du déroulement de l'étude, de la validité des résultats
   — le commentaire des principaux résultats, réparti dans différents chapitres avec incorporation des tableaux, des graphiques, des traitements statistiques,
   — la réalisation de résultats complémentaires suggérés par la lecture du rapport de base.

3. QUELQUES RECOMMANDATIONS POUR LA RÉDACTION DU RAPPORT.

Je dois à Jean Stoetzel un certain nombre de principes et de règles de base, ainsi que l'énoncé d'erreurs ou de maladresses à éviter. Je les énumère dans un ordre quelconque :

1. On ne doit jamais être surpris par un résultat. Les expressions du type ''on est surpris de constater que... % des Français pensent que...'' doivent être complètement bannies du commentaire. Un résultat est ce qu'il est ; on le constate. De même, les expressions du type ''comme il fallait s'y attendre'' sont également rejetées.
2. S'interdire l'emploi d'adverbes qui expriment un jugement de valeur.

Accompagner l'énoncé d'un faible pourcentage de la mention ''seulement'' telle que ''3 % seulement des Français sont en faveur de...''

est une clause de style inutile qui, dans d'autres circonstances, a des effets fâcheux. Il est courant d'entendre ou de lire : ''on déplore seulement deux morts dans cet incendie, les conséquences auraient pu être plus graves'' ou ''on ne compte que...'' Dans un autre domaine, dix firmes qui représentent chacune 2 % en moyenne du marché, constituent un ensemble concurrent important.

3. On ne dit pas ce que l'on va dire, on le dit. Soit dans les rapports d'études, soit dans certains ouvrages, il est commun de lire : ''Après avoir exposé le comportement du public en ce qui concerne..., nous allons maintenant aborder le problème de...'' Ce type de liaison entre chapitres est maladroit et sans intérêt. Le sommaire placé en tête de chaque chapitre se suffit à lui-même, ainsi que le titre de chaque chapitre. En revanche, résumer en quelques lignes, soit en tête, soit à la fin, le contenu d'un chapitre est une pratique recommandée, invitation à lire ou à différer la lecture du chapitre concerné.

4. Les tableaux et graphiques sont suffisamment explicites. Il est inutile d'user de paraphrases pour décrire l'intégralité ou la quasi-intégralité du contenu.

Le texte de commentaires d'un tableau est limité à l'essentiel, on fait choix d'une ou de quelques réponses pour attirer l'attention du lecteur sur l'essentiel. Si on doit répéter une partie du contenu des résultats d'une question, on s'efforcera de varier la présentation.

Exemple : Parmi les produits suivant A,B,C,D,E lequel préférez-vous ?

Dans le corps du texte on relève que :

Préfèrent le produit

A	12
B	27
C	8
D	33
E	10
Sans préférence	10
	100

Il est inutile d'écrire le produit D est préféré par 33 % du public, le produit B par 27 % etc.

Le texte apportera une information complémentaire si on écrit :
9 personnes sur 10 ont exprimé une préférence
2 produits D (33 %) et B (27 %) recueillent 6 suffrages sur 10.

On ne répète par le contenu d'un tableau, on use de ratios, de comparaisons en vue d'une meilleure lecture des résultats détaillés. C'est aussi une invitation à étudier ce tableau et à trouver d'autres manières de l'interpréter.

5. Eviter les termes ou expressions impropres ou prêtant à sourire :
   - il n'est pas rare de lire ''les Français préfèrent plus souvent...'' il faut écrire ''ils sont plus nombreux à préférer''
   - au lieu de ''le port de lunettes augmente avec l'âge'', on écrira ''la proportion de porteurs de lunettes augmente avec l'âge''.
   - les valeurs moyennes ont un contenu abstrait, notamment lorsqu'un chiffre, suivi d'une décimale, l'exprime. On ne dira pas ''le nombre idéal d'enfants souhaité par les Français est 2,2'' mais ''le nombre idéal d'enfants par famille, souhaité par les Français est compris entre 2 et 3,'' (2,2 résultat du calcul). Il ne se passe pas de présentation orale de résultats de données moyennes sans rires dans l'assistance, à l'exposé de la possession de 1,1 téléviseur par foyer ou 1,2 voiture.

6. Eviter les retours en arrière, définir le contexte.

Comme je l'ai déjà écrit dans un chapitre précédent, chaque partie d'un rapport forme un tout en soi et peut être consultée sans référence avec ce qui précède. Il ne s'agit pas d'un roman. Par voie de conséquence, tout résultat relatif à un sous-ensemble de l'échantillon (acheteur d'une marque, non consommateurs etc...) doit être situé par rapport à l'ensemble dont il est issu. Le renvoi à des pages antérieures est déconseillé, la répétition de certains résultats est préférable. Un rapport d'étude doit pouvoir être consulté comme un dictionnaire, grâce à un sommaire suffisamment détaillé.

7. Adopter une présentation soignée, mais éviter certains excès.

Commençons par les excès tels que : l'utilisation de marges (à gauche et à droite) occupant la moitié de la page, les triples et quadruples interlignes pour donner une impression de volume à un rapport indigent par ailleurs, les graphiques complexes et inutilement surchargés. Un graphique clair et bien conçu ne nécessite aucune instruction de lecture. On relève aussi un excès de mots ou de phrases entières soulignés.

Il est recommandé de :
   - soigner la frappe et adopter une présentation des chapitres dans laquelle les titres et sous titres sont mis en valeur ;
   - renoncer à la présentation de tableaux nécessitant une double page. Il est préférable de se limiter à la frappe d'un extrait ;

— adopter une mise en page standard. Si les dimensions de multiples tableaux nécessitent une présentation à l'italienne, tout le rapport sera présenté à l'italienne. Il est agaçant de devoir passer son temps à faire faire, d'une page à l'autre, un quart de tour au document ;

— utiliser plusieurs tomes lorsque le nombre de pages l'impose. Un rapport trop épais est pénible à consulter. On prendra soin de rappeler le contenu du sommaire complet dans chaque tome.

BIBLIOGRAPHIE

La littérature anglo-saxonne sur les sondages est considérable comme le soulignent Jean Stoetzel et Alain Girard dans leur ouvrage cité ci-dessous. Je me bornerai à quelques références classiques ou récentes.

1 — Publications périodiques et revues.

- Les publications de l'INSEE et plus particulièrement la série « Collections » (démographie, ménages, etc.) et la série « Archives », dont les textes et commentaires introductifs sont riches d'enseignement.
- La revue « Population » de l'INED.
- La revue « Sociologie » du Centre d'Études Sociologiques.
- La « Revue Française du Marketing » éditée par l'ADETEM.
- Les comptes rendus du congrès annuel de l'ESOMAR et de ses séminaires spécialisés.
- The Journal of marketing.
- The journal of marketing research.
- The Public Opinion Quartely (P.O.Q).

2 — Ouvrages classiques français (la plupart à consulter en bibliothèque)

- Jacques Desabie - Théorie et pratique des sondages - Dunod, 1966.
- Jacques Antoine - L'opinion, techniques d'enquêtes par sondage - Dunod, 1969.

301

- Jean Stoetzel et Alain Girard - Les sondages d'opinion publique - Presses Universitaires de France, collection SUP, 1973.
- Fernand Bouquerel - L'étude de marchés au service des entreprises -, PUF, (1re édition, 1953 - 3e édition, 1973).
- Marc Deroo et Anne-Marie Dussaix - Pratique et analyse des enquêtes par sondage, PUF, 1980.

3 — Ouvrages sur la rédaction d'un questionnaire et le recueil des données.

- Stanley L. Payne - The art of asking questions - Princeton University Press 1951, treizième édition, 1980.
- W.A. Belson - The design and understanding of survey questions - Aldershot, England : Gowen, 1981.
- Seymour Sundman et Norman M. Bradburn - Asking questions, A practical guide to questionnaire design - Jossey-Bass Inc., 1980.
- Jean M. Converse et Stanley Presser - Survey questions - Handcrafting the standardized questionnaire - Sage publications, 1986.
- Paul J. Lavrakas - Telephone Survey Methods - Sampling, Selection and Supervision - Sage publications, 1987.

INDEX DES NOMS

INDEX ANALYTIQUE

Imprimé en France. — JOUVE, 18, rue Saint-Denis, 75001 PARIS
Composition - Montage : COMPO 2000 - Saint-Lô
N° 10091. Dépôt légal : Février 1988
N° d'Editeur : 4753